LA VIE SCÉLÉRATE

Maryse Condé, guadeloupéenne, a longtemps vécu en Afrique. Elle a été professeur de littérature négro-africaine à l'université de Paris IV (Sorbonne), productrice à Radio-France International et a enseigné la littérature et la culture antillaise à l'université de Los Angeles, Californie. Elle est maintenant retournée dans son pays, la Guadeloupe. Elle est l'auteur de plusieurs récits et essais dont La Civilisation du Bossal *et* Heremakhonon *et des romans :* Ségou *et* Moi Tituba, sorcière *(Grand Prix littéraire de la Femme).*

Dans ce roman, Maryse Condé nous conduit des rives de la Guadeloupe à la boue de Panama, du Chinatown de San Francisco aux maisons hautes et basses de La Pointe, racontant avec tendresse et humour l'ascension sociale de toute une famille. Des destins se succèdent et s'entremêlent : celui de l'aïeul Albert I, qui partit creuser le canal de Panama, et de ses fils : Jacob, boutiquier barricadé dans la geôle de ses caisses de morue salée et de ses fûts d'huile, dont il ne s'évada qu'une fois pour s'enivrer des senteurs de New York; Jean, rebelle qui revint vers la terre pour la fertiliser de son sang; de sa petite-fille Thécla qui, lasse d'errer à la poursuite du bonheur collectif, d'Haïti à la Jamaïque, finit par se réfugier égoïstement de l'autre côté du monde, et de son premier-né surtout, Albert II dit Bert, le fils de la négresse anglaise, initiateur d'une lignée maudite en pays d'exil. On retrouve dans ce roman foisonnant, exubérant et poétique, le talent de conteuse de Maryse Condé, son sens de l'épopée et du mythe, sa fascination pour le surnaturel, sa connaissance lucide et désenchantée d'une certaine histoire, celle des siens.

Dans Le Livre de Poche :

SÉGOU - 1, « Les Murailles de terre », *t. 1 et 2.*
SÉGOU - 2, « La Terre en miettes ».

MARYSE CONDÉ

La Vie scélérate

ROMAN

SEGHERS

à Albert.

PREMIÈRE PARTIE

I

MON aïeul Albert Louis qui n'était encore l'aïeul de personne, mais un beau nègre d'environ trente-deux ans, je dis bien environ, car en ce temps-là, comme chacun sait, on ne se souciait guère d'état civil, simplement les gens de la plantation se rappelaient qu'il était né l'année du terrible cyclone qui avait couché arbres et cases d'un bout à l'autre de la Basse-Terre comme de la Grande-Terre et avait gonflé à la faire déborder cette paisible Sanguine qui ne faisait jamais que fournir à chacun assez d'eau pour remplir ses canaris et laver son linge bien blanc, beau, je répète, avec son crâne en forme d'œuf, son menton creusé d'une fossette et sa bouche large s'ouvrant sur une infinité de dents à manger le monde, regarda la poignée de nickels qu'il venait de recevoir du géreur, leva les yeux au ciel comme pour demander courage au soleil et tonna :

– C'est fini ! C'est la dernière fois que je viens ici chercher ma paye comme un chien !

Habitué à ses cris, le géreur Isidore continua comme si de rien n'était à faire l'appel des travailleurs :

– Louison Fils-Aimé !

Mais les gens sentirent bien que cette fois-là, Albert ne parlait pas à la légère, pour faire du bruit

13

comme on le lui avait souvent reproché, qu'il y avait dans sa voix quelque chose de ferme et de définitif qu'on n'avait jamais entendu. Aussi le suivirent-ils d'un regard songeur alors qu'il descendait le sentier menant aux cases, après avoir longé une mare dont des bourricots efflanqués buvaient l'eau boueuse. Les yeux d'Albert étaient pleins de larmes. Il aurait aimé terminer son service à la plantation Boyer-de-l'Etang sur un éclat, prendre par exemple Isidore à la gorge, l'envoyer rouler dans la poussière avec son registre crasseux, son encrier et sa plume sergent-major, le tuer peut-être, et cette violence en lui l'effrayait. Il sentait que, toute sa vie, il n'aurait pas de pire ennemie. Pour se libérer, il sabra les herbes qui bordaient le sentier, puis se baissa pour ramasser trois pierres qu'il lança à toute volée.

Les gens devaient se souvenir de ce jour-là pour bien des raisons. C'était le vendredi d'avant le dimanche des Rameaux. Dans la case qu'elle occupait avec son fils de huit ans dont nul ne connaissait le père et qu'on avait vu un beau matin sourire dans un moïse, Eudora avait commencé sa passion qui ne se terminerait qu'avec celle de Jésus-Christ. Elle mourrait avec Lui et ressusciterait glorieusement avec Lui et alors, tout le village se presserait dans sa case pour célébrer. Aussi le départ de mon aïeul resta-t-il associé à cette idée de souffrance précédant un très grand bonheur. Quelques années plus tard, quand il revint enlever sa mère, Théodora, à l'enfer de la plantation, ceux qui l'avaient vu partir ne furent pas surpris et dirent bien fort qu'ils l'avaient toujours attendu.

Albert n'entra pas dans le village. Il ne voulait pas dire adieu à Théodora, car il savait qu'il ne pourrait supporter de la voir pleurer. Une fois de plus à cause de lui.

Théodora répétait qu'il avait fait couler assez

14

d'eau de ses yeux pour remplir la Sanguine et la mare de Bois-Sans-Soif où s'abreuvait le bétail. Elle répétait qu'il n'avait pas cessé de la faire pleurer depuis le jour où il était sorti de son ventre en ruant comme un poulain, un bonnet visqueux enserrant ses cheveux et son front. A quatre ans, à force de tourmenter le bourricot de Père Saturnin, il avait reçu en pleine poitrine de cette bête pourtant si douce un coup de sabot qui l'avait laissé pour mort. Sans l'assistance d'Eudora qui en ce temps-là n'avait pas encore commencé d'entrer en passion, mais n'avait pas sa pareille pour guérir, il serait sûrement passé de vie à trépas sans rouvrir les yeux. A huit ans, il s'était élancé de la maîtresse branche d'un arbre à pain, car il s'était mis en tête de voler. On l'avait ramassé en sang parmi les feuilles sèches. Cette envie de voler, il ne s'en était débarrassé qu'à la puberté comme si brutalement il avait réalisé que les hommes sont attachés par les pieds à la terre et alors, pour oublier sans doute, il s'était vautré à se noyer dans le lit des femmes. Jeunes, vieilles, moins jeunes, moins vieilles, toutes y passaient. Un temps, il avait fait l'amour en même temps à une mère et à sa fille. Un temps, à deux sœurs jumelles. Heureusement sa semence ne donnait pas de fruits et le ventre de ses maîtresses restait plat. Sinon, il aurait peuplé la région de ses bâtards. Avec cela, querelleur, mauvais joueur, capable pour quelques sous perdus au jeu de frapper ses partenaires à coups de cul de bouteille. Théodora n'avait pas d'autre fils si elle avait quatre filles déjà grandes et mères elles-mêmes. Aussi elle tenait à Albert plus qu'à la prunelle de ses yeux.

Il était quatre heures de l'après-midi. Le soleil n'avait pas décoloré depuis son lever. A présent, on sentait qu'il se lassait de sa propre fureur et se préparait à se retirer du ciel pour prendre un peu de repos. Les arbres étaient raides comme des I.

Pas un souffle d'air. Seule la mer se démenait violette et démontée au pied des rochers gris. Une poule et ses poussins traversèrent le sentier au milieu duquel deux chiens faisaient l'amour en haletant. Cela rappela à Albert qu'il n'avait pas fait ses adieux à Laetitia, sa maîtresse favorite, celle qui pour lui avait abandonné ses trois garçons dans la case sans feu de leur père. Il songea à rebrousser chemin, car il avait vraiment du goût pour elle, puis il se dit qu'il n'en avait pas le temps. Le bateau ne l'attendrait pas.

Depuis qu'il avait vu mourir Mano, son père, le corps si décharné qu'il ne faisait pas le poids de celui d'un enfant, les bras et les jambes déformés comme des branches de goyavier, Albert s'était juré de fuir la canne.

Ah, il avait eu un bel enterrement, Mano! Dieu sait où Théodora qui avait des mois de crédit à la boutique était allée chercher l'argent! Mais la case était éclairée par les bougies comme en plein jour. Il y faisait si chaud que les gens venus d'aussi loin que Grosse-Montagne et Belle-Epine pour rendre un dernier hommage à un homme qui avait quitté le monde en gardant envers et contre tout un sourire et une chanson sur les lèvres, et ce n'était pas une petite surprise qu'il eût légué pareil fils à Théodora, suaient et s'épongeaient le front sans discontinuer. Mano était étendu sur son lit dans son costume noir. Albert, quel âge avait-il à l'époque? Douze ans environ... en larmes dans un coin fixait son père et les gens croyaient qu'il regrettait de l'avoir fait enrager tant de fois. Ils ne se doutaient pas que le petit se faisait une promesse. Ne pas vivre et mourir comme Mano. Quitter la plantation. S'établir ailleurs.

Cette promesse qu'il se faisait alors, il n'avait pu la réaliser avant longtemps et ces désirs, il avait dû les garder prisonniers dans sa tête et sa poitrine. Il s'en libérait parfois dans un flot de jurons obscènes, d'insultes et de menaces à l'égard de la vie scélérate au point qu'on l'avait surnommé « Gueule d'Enfer ». L'occasion de les satisfaire ne s'était présentée que quelques semaines auparavant. Dans un bordel de La Pointe, à moitié soûl d'alcool et de désir pour une chabine qui ne voulait pas de lui, il avait rencontré un dénommé Samuel qui jetait en l'air pièces et billets de banque. Au bout d'un moment, il l'avait interrogé :

– Dis, l'ami, que célèbres-tu ?

Samuel ne s'était pas fait prier. Avec la bonne grâce de l'ivresse, il s'était confié. Les Américains n'avaient peur de rien. Voilà qu'ils touchaient à la structure du monde et coupaient des continents en deux. A Panama, ils creusaient un canal qui allait permettre à leurs bateaux de naviguer plus rapidement de New York à San Francisco sur la côte Pacifique et pour ce dessein surhumain, ils faisaient appel à des travailleurs du monde entier. C'est ainsi qu'ils avaient dressé un bureau d'embauche au beau milieu de la Savane à Fort-de-France. Deux mille sept cent quatre-vingts hommes étaient déjà partis.

– Le contrat est de deux ans et la paye de quatre-vingt-dix cents de l'heure de leur argent. Nourri. Logé. Cela fait du bruit, nègre, cela fait du bruit !

Tous ces mots de Panama, New York, San Francisco, Albert les entendait pour la première fois et ils commencèrent par flotter dans sa tête comme un rêve. Puis le rêve finit par se solidifier comme la lave au flanc de la Soufrière et ne plus laisser de place à la pensée. Ce Samuel-là, n'était-il pas le doigt du destin pointant dans la direction à suivre ? Il s'était renseigné. Une fois la semaine, le *Marie, Reine de toutes les Vertus*, peinturluré aux couleurs de la Vierge, blanc et bleu, avec un fin liséré d'or le long de la coque et dans les voiles un portrait de la divine Mère, quittait la Darse. Il faisait voile vers la Martinique qu'il atteignait en quelques jours. Le prix du passage était abordable. Et puis à quels sacrifices ne doit pas être préparé un homme qui veut changer sa vie ?

D'hésitations en cogitations, Albert se trouvait maintenant sur la route de La Pointe, l'habitation Boyer-de-l'Etang derrière lui, un soleil déclinant au-dessus de sa tête, le chagrin de sa mère le suivant aussi sans qu'il s'en aperçoive, car Théodora avait été mystérieusement avertie que son garçon allait enjamber la mer et que de longues années se passeraient avant qu'elle serre contre elle son grand tronc de bois de mahogany.

Albert mit trois jours pour arriver à La Pointe, car en ce temps-là il n'y avait pas comme aujourd'hui de routes bien entretenues et les gens marchaient sur la chair de leurs pieds. Il traversa sans s'arrêter des bourgs, des villages, des lieux-dits où ne s'élevaient guère que deux ou trois cases à l'abri d'un mapou ou d'un flamboyant. Les garçonnets, tout nus et le kiki à l'air, interrompaient leurs jeux et se précipitaient peureusement dans les haillons de leurs mères, occupées à démêler la tignasse roussie des fillettes quand ils voyaient cet étranger, le visage fermé comme une porte de prison. La nuit, quand Albert consentait à prendre un peu de repos, il se couchait sur un tas de feuilles et les bêtes de la nuit venaient le flairer. Au bout d'un petit matin, La Pointe apparut, couchée entre terre et mer. Les cloches sonnaient à toute volée avant d'entrer dans ce grand silence d'où elles ne sortiraient qu'avec la Résurrection du Christ. Dans la Darse, des hommes prenaient d'assaut le *Marie, Reine de toutes les Vertus* et alors, Albert s'aperçut que Samuel n'avait pas été le seul à répandre la bonne nouvelle. Tout ce que l'île comptait de nègres las de jouer de la machette, de conduire des cabrouets à bœufs ou de suer dans une usine à sucre se ruait par cette étroite porte entrebâillée sur l'espoir.

– Quatre-vingt-dix cents de l'heure de leur argent, cela fait du bruit!

Albert se fraya un passage à travers cette foule, à grands coups de son torse puissant, personne n'osant protester, et se trouva au premier rang. Aussi quand le mulâtre maigrichon qui vendait les billets de passage décida de cesser de se curer les dents et de faire son travail, il fut le premier à fouler le plancher taché de goudron et d'huile. Beaucoup d'hommes tombèrent à l'eau, ce jour-là, en jouant des poings, des coudes ou des pieds pour monter à bord du *Marie, Reine de toutes les Vertus*. Quelques-uns tentèrent de suivre le navire dans l'espoir que le capitaine prendrait leur sort en pitié et s'arrêterait pour les repêcher. Un nageur émérite arriva jusqu'au beau milieu du canal de la Dominique, puis là, emporté par la houle, disparut sans laisser de trace à la surface de la mer. Les plus superstitieux se signèrent, voyant là un mauvais signe. Albert, quant à lui, dormit d'un sommeil de plomb qui ne devait s'interrompre qu'en entrant dans la rade de Fort-de-France.

Le bureau d'embauche était fait de quatre feuilles de tôle, se coupant à angles droits sous un toit de paille. Deux Américains aux faces écarlates d'enfants bien lavés entouraient une sorte d'Indien qui leur servait d'interprète. Après avoir jeté à Albert un rapide coup d'œil, ils lui tendirent une feuille de papier :

– *Can you write?*
– *Ou sa ékri?*

Albert inclina affirmativement la tête. Ce n'était pas pour rien que Théodora s'était saignée pour l'envoyer à l'école au bourg! Il signa fièrement d'un beau paraphe et c'est le premier document que j'ai de lui. Son nom au bas d'un contrat de deux ans pour creuser le canal de Panama. L'année était 1904, le mois, mars, le jour, mardi. Mardi 14 mars 1904.

Ma propre existence était dans les limbes. Celle de ma mère aussi. Même mon grand-père Jacob n'avait pas commencé de se tapir dans le ventre de sa mère.

A l'appel des Américains, des hommes de toutes les races ont afflué pour creuser le canal de Panama comme ils l'avaient fait des années auparavant pour construire les soixante kilomètres de chemin de fer qui longent l'isthme. Comme ils l'avaient fait à l'appel des Français de M. de Lesseps qui eux aussi avaient tenté de couper en deux des continents, mais s'étaient enlisés dans la boue à l'échec. Des hommes de toutes races et de toutes couleurs. Blancs. Noirs. Jaunes. Métis. Ils sont morts par dizaines de milliers et le *Journal du Canal* énumère sèchement :

– Joshua Steel, de la Barbade, numéro matricule 23646, tué dans une explosion à Culebra;

– Samuel Thomas de Montserrat, numéro matricule 456185, tué dans une explosion à Satun;

– Joseph Jean-Joseph d'Haïti, numéro matricule 565481, enseveli vivant à Chagres.

A cause de sa haute taille et de sa robustesse, mon aïeul Albert Louis fut affecté à l'équipe des dynamiteurs. Car des arbres géants, des colosses qui s'étaient déployés impunément pendant des siècles, barrant la route au soleil ou à la lune, jalonnaient le tracé du canal, de Colón que l'on n'appelait guère Aspinwall, à Panama City, c'est-à-dire d'océan à océan. Alors, il fallait creuser leurs flancs de trous. On y plaçait la charge de dynamite.

On les recouvrait de boue en laissant à l'air la mèche. Puis, à la tombée de la nuit, on partait à l'assaut de ces monstres centenaires en priant Dieu de n'être point entraînés avec eux dans la mort. L'homme luttait avec l'arbre en un terrible corps à corps dans lequel bien souvent le second avait le dessus.

A Panama, six mois de l'année étaient enveloppés des vapeurs d'une pluie incessante tandis que six autres étaient inondés d'averses. Dans cette atmosphère de serre ne croissaient pas seulement la mangrove, le mortel mancenillier ou le mahogany, mais les insectes porteurs de mauvaises fièvres, de dysenterie et de pestilence. Panama est un tombeau au sein duquel des dizaines de milliers d'hommes se sont couchés pour ne plus se relever.

Colón et Panama City gardent les portes de Panama d'océan à océan.

Colón, la dernière née, est bâtie dans l'île de Manzanillo, à la pointe nord-est de Navy Bay. Là, des matières organiques, incessamment travaillées par la houle de l'Atlantique, se sont fermement déposées sur un fondement de corail pour donner un sol gras et spongieux. Panama City, plusieurs fois centenaire, a été construite pour défendre de la voracité des boucaniers les trésors des Espagnols et s'agrippe à la pointe d'un rocher qui domine des plages de sable blanc ou des bosquets d'îles. Aucune ressemblance entre ces deux gardiennes. L'une se vautre dans la boue. L'autre garde en mémoire ses splendeurs.

L'une est veule et malsaine. L'autre fière et racée, quoique déchue, comme les Panaméens qui ne sont plus maîtres de rien du tout, mais ont abdiqué leur suzeraineté devant les Américains. Devant les bâtisseurs du canal.

Oui, Panama City est déchue.

Avant le tracé du chemin de fer, quatre à cinq mille habitants y végétaient, les créoles et les métis aisés vivant dans l'enceinte des remparts, les gens de couleur s'entassant dans le faubourg d'El Varal, à la limite de l'enceinte fortifiée. Dans d'anciens couvents à présent délabrés, des palmiers croissaient au fond des cloîtres tandis que des plantes grimpantes s'accrochaient aux pierres. Dans les maisons à demi abandonnées, rats, araignées géantes, fourmis carnivores, cancrelats menaient le bal.

Puis l'or de Californie et la construction de la voie ferrée avant le creusement du canal ont redonné importance et vie à cette région du monde sans jamais rendre à Panama City sa grandeur d'antan.

II

ALBERT ne tarda pas à s'apercevoir qu'il n'avait fait que changer la couleur de ses habits de misère.

La Compagnie du canal ne se souciait que de ses employés américains. Pour eux, elle faisait venir de l'or en barre de Wall Street. Pour eux, elle assainissait le littoral et bâtissait de plaisants bungalows dotés de l'eau courante. Pour eux, elle fichait en terre des pancartes : « Réservé aux Blancs », « Blancs seulement ».

Albert fit comme ses compatriotes qui édifiaient des abris de boue et de paille aux alentours de Gatun, Bohio, Bas Obispo, Culebra et se fixa non loin des eaux dormantes de la Chagres.

Chaque matin, il allait prendre le train des travailleurs à Gatun. Il en revenait le soir et s'étendait sur sa couche froide comme une tombe aussitôt happé par la bienfaisante mort du sommeil. On ne le voyait jamais rien acheter à la boutique. Il se nourrissait de poissons qu'il pêchait lui-même et de plantains qu'il faisait pousser derrière sa case. Il ne fréquentait pas plus les Guadeloupéens ou les Martiniquais que les Jamaïquains ou les Trinidadiens, comme s'il ne savait d'autre langue que celle qu'il s'était forgée dans le silence de son être. Chaque samedi, il ôtait ses habits de travail et, coiffé d'un chapeau panama, partait pour Colón. Là, il faisait la queue devant un bordel de Front Street. C'était sa seule dépense et les gens supputaient le montant de ses économies.

– Quatre-vingt-dix cents de l'heure! Ça fait du bruit, nègre!

Cela dura près d'une année.

Un jour qu'il revenait de laver ses hardes dans la Chagres, Albert croisa une jeune fille qui portait un seau d'eau en équilibre sur la tête. Il passait sans s'arrêter ni la saluer quand plaff, plaff, elle renversa par terre l'eau de son seau tant elle pouffait de rire. Albert, estomaqué, la regarda et tant de jeunesse et de beauté le stupéfièrent. Il en bégaya :

– Comment est-ce qu'on t'appelle?

La fille ne cessa pas de rire :

– Et toi? Tu sais comment on t'appelle? *Moudongue*[1] ou *Soubarou*[2].

Albert répéta :

– Moudongue ou Soubarou?

Puis il éclata de rire à son tour.

– Moudongue ou Soubarou?

1. Race d'esclaves réputés pour leur humeur taciturne.
2. Sauvage.

Son regard, habitué aux putains sans grâce et à l'odeur forte de Front Street, s'enivrait de la fille et il répéta, cessant de rire :

– Dis-moi, comment t'appelle-t-on ?

Mais la fille sans répondre se mit à courir le long du sentier, relevant sa robe et découvrant ses membres fuselés de danseuse.

À dater de ce jour-là, Albert perdit le sommeil. Il ne put plus ni manger ni boire. Le samedi le trouvait dans sa case, le pénis sagement entre les cuisses. Enfin, il n'y tint plus et alla frapper chez ses voisins auxquels, en un an, il n'avait jamais adressé la parole.

– Pardon du dérangement ! À qui est une fille de seize ans comme ça, noire, mais pas noire-noire. Des grains de beauté plein la joue droite et des yeux à vous promettre le Paradis ?

La réponse ne se fit pas attendre.

– Tu parles de Liza, la fille d'Ambrosius Seewall. Tu sais, ce Jamaïquain qui radote toujours des histoires de chercheurs d'or !

Un dimanche matin, Albert repassa et revêtit ses meilleurs habits, se frotta le cou de bay-rhum et prit le chemin de la case d'Ambrosius Seewall.

Quand Liza, qui coiffait une de ses petites sœurs dans le jardin, le vit surgir à côté du calebassier, lâchant peigne et épingles, elle s'enfuit se blottir entre les jupes de sa mère. Toute son effronterie était tombée. Elle n'était plus qu'une gamine, effrayée par le désir de l'homme.

Albert fut autorisé à revenir chaque jour après le travail et bientôt, on le vit se hâter à la descente du train le long du chemin boueux. Les gens jasèrent beaucoup quand le père Seewall donna sa fille à un Guadeloupéen. Ces gens-là ne savent même pas parler anglais et tout de même se croient supérieurs aux autres !

Toutefois, ce qui les irrita suprêmement, ce fut l'évident bonheur du nouveau couple.

Liza chantait du matin au soir. Cela commençait quand elle préparait la gamelle que son homme emporterait au travail jusqu'au moment où elle allumait le feu de son dîner. Quand Albert revenait, c'étaient des rires, des petits cris, des pépiements d'oiseaux en fête. Non, les gens n'ont pas le droit d'éprouver autant de bonheur que cela! On attendait la cassure, la rupture. On attendait qu'Albert reprenne le chemin du bordel de Colón ou, mieux, qu'il regarde une autre femme du village. On attendait que, pris de boisson, il bosselle le joli visage de Liza. Rien de tout cela! Et Liza chantait toujours!

Au bout de quelques mois, les gens s'aperçurent que son ventre s'arrondissait et ils comprirent qu'il y aurait bientôt un troisième occupant dans la case. C'est alors qu'Albert lui-même commença de chanter! Parole!

Avant de descendre du train et de s'enfoncer sous la conduite de contremaîtres armés de fusils-mitrailleurs dans le ventre spongieux de la forêt, il chantait! De retour dans la nuit, une odeur de brûlé flottant autour de lui, il chantait! Bientôt, il se mit à défricher un quadrilatère dans la forêt et à bâtir non pas une case, mais un bungalow sur le modèle de ceux des employés américains du canal. Sans un geste pour l'aider, les gens le regardaient scier des planches, les raboter, les assembler. Quand le bungalow eut pris forme, il le peignit en blanc et posa au milieu de la véranda une berceuse en bois de mahogany qu'il avait achetée à Colón. Désormais Liza s'y assit aux heures trop chaudes de l'après-midi quand l'envie d'une petite sieste la prenait.

Liza enceinte ressemblait à une souple liane de maracuja quand la promesse des fruits l'alourdit.

Une gaucherie toute neuve tempérait l'habituelle fulgurance de ses gestes. Parfois elle allait à la rencontre de son homme sur le chemin et ses petits pieds s'enfonçaient maladroitement dans la gadoue, laissant derrière eux un tracé capricieux. Ah oui! Liza était belle en ces premiers temps de sa grossesse!

Toutes les femmes accouchaient dans leurs cases avec l'aide d'une matrone d'expérience et, quand ils n'étaient pas emportés par la malaria, la dysenterie ou le pian, leurs enfants venaient bien. Ne voilà-t-il pas qu'Albert se mit en tête de faire accoucher Liza à l'hôpital d'Ancon sous la surveillance de médecins américains! Et que croyait-il donc que sa femme allait mettre au monde? Un petit Blanc, peut-être? Il n'est pas bon d'oublier sa couleur. C'est comme ce berceau qu'il avait acheté à un Chinois de Colón et qu'il avait recouvert d'un rectangle de tulle comme les Américains recommandaient de le faire. Sottise! Sottise et prétention que tout cela!

Le vieux Seewall, pas si vieux, mais que l'on appelait ainsi parce qu'il était venu du temps de la Compagnie universelle du canal interocéanique des Français et, après le départ de M. de Lesseps, incapable de trouver les moyens de rentrer chez lui, s'était débrouillé pour vivre jusqu'à ce que les Américains reprennent les travaux, flanquait sa pipe au coin de sa bouche et commençait:

— Yerba Buena, c'est comme cela qu'on l'appelait. Tu sais ce que cela veut dire? La bonne herbe, c'est ça que ça veut dire! Puis les Américains sont arrivés avec leurs fusils et ont hissé leur drapeau et ce sont eux qui ont trouvé l'or que les Espagnols avant eux n'avaient pas été foutus de trouver. Alors les navires ont commencé de s'entasser dans la baie et les cavaliers de sillonner les routes. Yankees, Californiens, Chiliens, Kanaques de l'île d'Hawaii, Chinois, Malais, la horde des aventuriers se précipitait vers les contreforts de la sierra Nevada. Il suffisait de creuser la terre avec un couteau, mon vieux, et l'or tu l'avais dans les mains.

Parfois Albert l'interrompait :

– De l'or? Tu dis de l'or?

Le vieux Seewall inclinait la tête.

– Je dis bien de l'or. De la poudre. Ou des pépites, quelques-unes grosses comme le poing. Tu vois, quand les Français de M. de Lesseps nous ont abandonnés comme des chiens, j'ai voulu partir, moi aussi. Je gagnais ma vie en portant les bagages des Américains qui embarquaient à Panama City et plus d'une fois, j'ai bien failli les suivre. Et puis...

– Et puis quoi?

– J'ai eu peur. Il paraît qu'en Amérique ils tiennent les nègres en esclavage. Remarque, ce n'est pas de la canne à sucre qu'ils leur font planter, mais du coton. Des hectares et des hectares de coton qu'on cueille, puis qu'on enfourne dans de petites hottes fixées au dos. On dit que c'est encore plus dur que la canne.

Albert haussait les épaules.

– Allons! L'esclavage, c'est de la vieille histoire. Même ma mère qui ne l'a pas connu. Vous autres nègres, vous êtes toujours là à remâcher le passé. Quand le bout de canne n'a plus de jus, il faut le cracher!

– Vieille histoire, vieille histoire! Pour les Américains, ce n'est pas de la vieille histoire et un nègre est toujours un esclave devant eux. C'est pour cela que je ne suis pas parti et c'était pas facile, car c'était comme si elle m'appelait. Elle...!

Il recommençait à radoter :

– De Yerba Buena, elle est devenue San Francisco et tous ceux qui l'ont vue sont tombés amoureux d'elle. Elle se tient au fond de sa baie devant laquelle les navires anglais, espagnols sont passés des centaines et des centaines de fois avant d'en découvrir l'entrée. Comme une vierge qui cache son petit brûlot à parfums. Puis, comme dans toutes les histoires de ce genre, des soudards ont fini par la détrousser.

Au début, Albert écoutait le vieux Seewall comme on écoute un tireur de contes, plein d'entrain, habile à entrelacer le comique et le fantastique. Comme Pè Théotime, voisin de la case de Théodora, par exemple.

« Une nuit que Tertulien revenait chez lui, tout chargé de rhum et après avoir gagné aux dés la paye de son vieux copain Gernival (il en riait encore tout seul dans le noir), il vit sous un calebassier un gamin pas plus haut que trois roches empilées et qui pleurait, pleurait à chaudes larmes :

« – Perdu, perdu! Je ne sais plus le chemin de la case de ma maman!

« Emu, Tertulien s'approcha :

« – Ne pleure pas, petit bout de nègre. Dis-moi ton nom.

« – Mon nom? Ti-Sapoti! »

Et c'était le début d'extraordinaires aventures qu'enfant Albert avait écoutées, un doux émoi au cœur!

Oui, ça n'avait d'abord été rien d'autre, les histoires du vieux Seewall! Des menteries à embellir la tristesse de la vie. Puis des pensées avaient germé dans sa tête. Est-ce que ce n'était pas cette fois encore la voix mystérieuse du destin le poussant à reprendre la route? Son garçon allait naître (car c'était un garçon, il le savait de toute son attente, et aussi, la mère Seewall, tâtant le ventre de sa fille, l'avait confirmé), donc son garçon allait naître et il gisait là, échoué dans ce limon, risquant cent fois la mort ! Il avait beau économiser cent par cent, même s'il renouvelait son contrat encore et encore, il ne serait jamais au bout de ses peines. Et un jour, il tomberait comme une bête fourbue laissant sur la terre une jeune femme sans homme, un enfant sans papa et quatre yeux pour pleurer. Etait-ce pour cela qu'il avait fui la plantation Boyer-de-l'Etang ?

Alors il se mit à presser le vieux Seewall de questions :

– Tu dis qu'il suffit de creuser la terre avec un couteau ?

– Pas creuser, nègre ! Gratter ! Tu grattes seulement avec la pointe de la lame. Et l'or t'apparaît jaune sous la croûte...

Liza n'aimait pas qu'Albert perde son temps à écouter les sornettes de son père. C'est qu'elle les avait assez entendues avec sa mère et ses sœurs ! Quand elles se couchaient le ventre plein de vent et gargouillant comme une chambre à air, elles entendaient le père brailler :

– De l'or ! De l'or !

Et la mère, à bout de patience, les giflait pour les faire s'endormir.

Aussi à chaque fois qu'Albert, au lieu de rester près d'elle à lire et relire le *Journal du Canal* avec ses Avis d'obsèques, prenait la direction de la case du vieux Seewall, elle entrait en fureur. Si il y restait plus d'un quart d'heure, elle le rembarrait[1] de verte manière et Albert, qui n'était plus « Gueule d'Enfer », se couchait tout doux à ses pieds.

Qu'est-ce qu'une femme change son homme !

Albert n'osait jamais tenir tête à Liza, la mettre en colère ! Des fois qu'elle accoucherait d'un gar-

1. Rudoyait.

çon mal formé, comme celui qu'Eugenia Charles avait fini par chasser de son ventre dans de grandes douleurs et qui n'avait pas fait trois jours dans le monde, Dieu merci! Toutes les pensées d'Albert tournaient autour de son enfant et, parfois, il s'étonnait de l'aimer déjà plus fort que sa Liza. Etait-ce possible? Est-ce naturel que l'enfant chasse la mère du cœur du père?

A partir du cinquième mois de grossesse cependant, tout changea! Liza se mit à dépérir. Plus de chants ailés, mais des gémissements, des plaintes. Des sueurs. Des évanouissements. Bien vite elle fit pitié, poussant devant elle l'énorme ballot de son ventre. Son teint prit la couleur d'une goyave trop mûre. Ses yeux lui mangèrent toute la figure. Le soir quand Albert la prenait dans ses bras, elle si chaude à l'amour, elle le repoussait et le priait avec une toute petite voix défaite de la laisser en paix.

Mamah Beah qui en avait vu d'autres proposa de la soigner avec des plantes, mais Albert entra dans une grande colère :

– Vous autres nègres, vous n'en sortez pas de vos feuilles et de vos racines! De vos sinapismes et de vos cataplasmes. Voilà pourquoi les Blancs vous marchent sur la tête. Vous avez vu les médecins des Américains?

Alors il demanda quelques jours de congé au contremaître, ce qu'il n'obtint pas sans peine, emprunta un âne à son beau-père qui en possédait deux, lui mit au dos sa dolente épouse entre deux paniers de victuailles et dans le devant jour bleuâtre prit la route. Quatre jours et quatre nuits! Il faut quatre jours et quatre nuits pour aller de Gatun à Panama City aux portes de laquelle se dresse le blanc hôpital de pierre des Américains. Quatre jours et quatre nuits pour un homme dispos et dont les membres obéissent aux commandements. Quatre jours et quatre nuits pendant lesquels il devra éviter les pièges nocturnes de la forêt où se poursuivent en hurlant les bêtes féroces et se garder des piqûres des insectes buveurs de sang, alléchés par son odeur. A certains endroits, il lui faudra suivre la voie ferrée qui court le long des eaux lourdes de la Chagres, mais quand elle la franchit sur d'énormes billes de bois de pin, alors le train surgit la gueule béante et il faut s'aplatir contre les parapets pour ne pas être dévoré vif.

Comme j'imagine le calvaire d'Albert et de Liza!

Elle tient à grand-peine sa tête lasse et celle-ci retombe sur sa poitrine au-dessous de laquelle saille son ventre. Elle ne parvient plus à s'alimenter et Albert presse des oranges dont il fait couler le jus goutte à goutte entre ses lèvres décolorées. La nuit, elle geint comme un tout petit enfant et, fou de douleur, il la serre contre lui!

– Courage, ma douce! Bientôt nous serons rendus et le soleil de notre garçon illuminera nos jours...

Et un matin ils arrivèrent à l'hôpital d'Ancon.

Que s'y passa-t-il? Albert ne s'étant jamais expliqué là-dessus, toutes les suppositions sont permises.

Lui refusa-t-on l'accès de cet hôpital édifié à l'intention des ouvriers blancs du canal?

Y admit-on Liza après d'interminables tergiversations causant ainsi des dommages irréversibles à son état?

Fut-elle normalement admise et perdit-elle la vie, malgré les efforts des médecins?

Toujours est-il que trois semaines plus tard le vieux Seewall, qui chaque jour guettait le retour du couple, vit passer devant sa case un zombie trébuchant, le visage mangé de barbe et tenant à hauteur de cœur un minuscule paquet enveloppé de papiers et de bouts de toile de jute. Le zombie entra dans son bungalow, claqua la porte derrière lui et la petite foule qui aussitôt s'était mise à le suivre entendit s'élever un gémissement à fendre l'âme, à glacer le sang dans les veines.

Albert gémit trois jours et trois nuits et le sommeil déserta le village.

Au bout de la troisième nuit, la mère de Liza prit la hache de son mari et vint fracturer la porte du bungalow. Elle trouva Albert étendu sur le lit de bois de mahogany qu'il avait acheté pour Liza, le paquet toujours non défait sur la poitrine. Elle écarta les chiffons qui l'enveloppaient et découvrit un visage gros comme le poing, attentif au chagrin du père. Ses yeux s'emplirent de larmes et elle secoua Albert :

— Je comprends ce que tu éprouves. Moi-même, quand je pense que ma Liza est passée de l'autre côté, j'ai bien envie de tout planter là pour partir à sa poursuite ! Mais tu dois vivre. Pour lui !

Albert se redressa et s'assit sur le lit. D'un seul coup, sa chevelure était blanche et couronnait un visage ravagé de vieillard. Il éclata en sanglots :

— Elle est morte, elle est morte !

La mère de Liza le prit contre elle comme un autre nourrisson, plus lourd et plus désespéré, et souffla :

— Elle n'est pas morte puisqu'il est là... Comment l'as-tu appelé ?

Albert visiblement ne s'était jamais posé la question. Il balbutia :

— Albert...

L'enfant fut nourri de bouillie de maïs bleu que son père achetait aux Indiens San Blas. Jamais on n'avait songé qu'un homme pourrait prendre soin d'un nouveau-né et les gens, fort choqués, s'attroupaient sur la véranda pour voir Albert nourrir son fils à la cuillère. Ils étaient choqués aussi qu'Albert ne retourne pas à son travail. Il croyait peut-être que les Américains allaient l'attendre, alors que les files continuaient de s'allonger devant les bureaux d'embauche? Eh quoi, Albert était-il le premier homme à perdre une compagne? Savait-il combien de mères d'enfants étaient couchées dans le limon de la Chagres? Panama n'était qu'un immense cimetière sous le soleil et la pluie, le soleil et la lune.

Albert enfin retourna au travail.

Toujours pareil à un zombie. Lui autrefois si audacieux, le premier à se jeter à l'assaut des arbres colosses, une torche à la main, il zigzaguait à travers la forêt, les pieds englués dans la boue. Nul doute qu'on l'aurait renvoyé si le contremaître de son équipe n'avait été lui aussi un nègre, dénommé Jacob. Enfin un Noir. Un Noir américain! Allez y comprendre quelque chose! Gigantesque, près de deux mètres de haut, carré, près de cent kilos, mais noir. Nasillant, le doigt sur la gâchette du fusil-mitrailleur. Mais noir.

Dans l'ensemble, les Jamaïquains pas plus que les Martiniquais ou les Guadeloupéens n'avaient jamais compris comment il y avait des Noirs parmi les Américains.

Albert et le vieux Seewall riaient de leurs questions :

– Quel tas d'ignorants! Etes-vous bêtes! Les mêmes bateaux qui se sont arrêtés par chez nous pour vendre vos ancêtres ont continué jusque par chez eux et d'autres Blancs les ont achetés.

– Comme ça, ce sont vos frères!

Les gens hochaient la tête, peu convaincus :

– Nos frères? Nos frères? Tu as vu la mitraillette que ces nègres-là charrient? C'est pas des frères, ceux-là!

Pourtant ce Jacob-là fut le frère d'Albert et il fut la voix mystérieuse du destin indiquant la nouvelle route à suivre.

C'est vers cette année-là, l'année 1906, que les gens de la plantation Boyer-de-l'Etang virent revenir Albert tenant dans les bras un enfant pâlot, exhibant cette fragilité que confère le manque de lait maternel.

Albert portait un costume de serge noire, des bottes vernies de même couleur et un chapeau panama sous lequel moussait sa tignasse blanche. On s'étonna qu'il ait tellement vieilli en si peu de temps alors qu'il atteignait à peine ses trente-quatre, trente-cinq ans. Toutefois on était trop ébloui par la magnificence de sa tenue pour prêter attention à ses traits. Quelques esprits plus observateurs notèrent le pli amer de ses lèvres, le peu d'éclat de ses yeux, recouverts des taies de deuil du chagrin. Toutefois, dans leur majorité, les gens supputèrent surtout le montant de ses économies. Pendant tout ce temps-là, quel magot il avait dû amasser !

Le soupçon devint certitude quand on sut que Théodora quittait la plantation pour s'installer à La Pointe. Une maison basse de quatre pièces au carénage avec de l'eau dans la cour au-dessus d'un bassin de pierre.

Les histoires commencèrent à circuler.

On affirma qu'Albert avait payé la maison comptant avec des dollars verts américains. Qu'il avait remis à Théodora plus d'argent qu'elle n'en avait jamais vu dans toute sa déveine de vie, argent qu'apeurée elle avait entassé dans un panier caraïbe sous son matelas. Qu'il lui avait promis de lui en expédier bien davantage à condition qu'elle ne fasse rien sinon s'occuper de son fils.

Ainsi, du jour au lendemain, Théodora quitta son monde, le village où elle avait trimé quarante-six ans, où ses enfants étaient nés, où son Mano

dormait sous la terre dans une petite tombe, déli-
mitée par des conques de lambis rose et ocre. Elle
pleura beaucoup. Pourtant, sitôt arrivée à La
Pointe dans sa maison basse pimpante, elle
enferma les orteils de ses pieds d'habitude libres à
l'air dans des souliers, se fit couper une douzaine
de robes *matador*[1] et surtout s'essaya à parler le
français, langue qui lui avait toujours écorché la
bouche. Ainsi naissent nos bourgeoisies !

III

THÉODORA tenait sur son genou le premier garçon
de son garçon, le nourrisson malingre qui symbolisait ses espoirs. Elle n'écoutait guère Albert qui, de
l'autre côté de la table recouverte d'un ciré, sur
laquelle étaient posés une bouteille de rhum « Fé-
neteau Les Grappes Blanches » et un verre soigneusement rincé, bégayait :
— On ne sait jamais pourquoi on se met à aimer
une femme comme on n'en avait jamais aimé
aucune avant elle. Elle n'est pas plus claire, elle
n'est pas plus mince, ni plus jolie. Et quand même,
devant elle, on est comme un esclave du temps
longtemps devant son maître. Prêt à danser pour la
distraire. Prêt à baisser la tête pour lui demander
pardon. Tout a commencé parce qu'elle s'est
moquée de moi : « Tu sais comment on t'appelle ?
Moudongue ou Soubarou ! » Aucune femme,
jamais, ne s'était moquée de moi. Chiennes cou-
chantes à mes pieds, voilà ce qu'elles étaient toutes. Et du coup, je les méprisais. Liza, Liza, c'était
différent. Elle était, elle était...

1. Robe créole.

– Bois donc un sec! Cela te fera du bien.

– Je suis descendu dans le magasin du Chinois à Colón et je lui ai acheté un lit, une berceuse, une table ronde guéridon, des malles pour ranger ses effets. Et les gens se moquaient de moi : « Négro, où est-ce que tu vas avec ça? » Je voulais l'emmener loin de Gatun, Gatun, c'est la boue, la boue et la souffrance, la boue et les maladies. J'ai entendu dire que les Blancs américains creusent le canal, ce que les Blancs français ne sont pas arrivés à faire, pour montrer qu'ils sont les plus forts de tous les Blancs. Mais laisse-moi te dire, ce sont nos mains, nos pattes de gorille, comme ils les appellent, qui font le travail. Qui creusent. Qui coupent. Qui charroient. Qui mettent bout à bout. Maman, là-bas, j'ai rencontré des nègres qui parlent anglais, qui parlent portugais, espagnol, qui parlent hollandais! Mais la langue commune, maman, c'est la misère! Alors, elle, je voulais l'emmener loin de Gatun, ici peut-être, et lui donner sa maison sur le *morne*[1]. Quand je lui parlais comme ça, elle se moquait, elle se moquait! « Enlève ces idées-là de ta tête! Tu te prends pour qui? Tu oublies ta couleur? » Et à présent, c'est trop tard!

Une fois de plus, Théodora était tirée de l'adoration béate où la plongeait la vue du premier garçon de son garçon par des sanglots. Elle répéta avec impatience :

– Prends un sec, je te dis!

C'est drôle, le chagrin d'Albert ne la touchait pas. Il avait pour cause une femme qu'elle n'avait pas connue. Même cela l'irritait d'entendre son garçon toujours si dur aux autres se lamenter comme une mauviette!

Albert se versa une rasade à exciter trois coqs guimb' et appuya la joue à plat sur la table.

1. Colline.

36

– Maman, mon garçon, c'est la prunelle de mes yeux. Je veux qu'il aille à la meilleure école, qu'il ait les plus beaux habits, qu'il porte des souliers vernis à ses pieds et qu'il parle le français français comme un Blanc, tu m'entends ?

Théodora acquiesça et Albert se mit à ronfler, bouche ouverte.

Cette nuit-là, le petit Albert dormit tout contre l'ample flanc de sa grand-mère. Aussi, il n'entendit pas le feulement du grand vent qui courait en soufflant sur la mer. Il n'entendit pas à minuit le galop des sabots de la Bête, avide à sucer le sang des enfants. Il n'avait jamais dormi que dans l'âpre et morose odeur de son père qui ne le protégeait pas des cauchemars et il connut son premier sommeil de paix.

Théodora, quant à elle, rajeunie de trente-trois ans, crut retrouver le temps où elle portait ce fœtus qui, à peine vieux de quatre mois, cognait de la tête et des deux pieds les parois de son ventre et lui faisait pressentir que cette fois enfin, elle aurait le garçon qui la vengerait de toutes les crasses de la vie. Il n'en avait rien été. Albert n'avait fait que percer son cœur déjà si endolori de mille glaives. Mais elle en était sûre ! Le nourrisson qu'il lui apportait serait sa rédemption.

Et Albert, quand les fumées de l'alcool se furent dissipées et qu'il atteignit cette zone paisible où les rêves n'ont pas de rides, se crut revenu au temps de l'enfance, quand il ne cherchait pas encore à noyer désillusions et rancœurs dans le corps des femmes, mais croyait que la vie est une succession de surprenantes merveilles.

IV

– La ville tout entière a été détruite par un tremble-ment de terre suivi d'un incendie !

– Qui t'a raconté cette bêtise-là ?

– Ce n'est pas une bêtise. Je l'ai lu écrit noir sur blanc dans le journal et les voyageurs ne parlent que de cela. San Francisco n'est plus qu'un tas de ruines.

Albert resta sans paroles. Il lui sembla qu'il perdait sa Liza une seconde fois car, sœurs toutes deux, la femme et la ville étaient nées du vieux Seewall. Sperme d'une part, imagination créatrice de l'autre !

Il bégaya :

– Qu'allons-nous faire de nos vies ?

Jacob haussa les épaules :

– D'ailleurs, ton histoire ne tient pas debout, il n'y a plus d'or en Californie. La mamelle de Mother Lode est sèche et flétrie comme celle d'une vieille, et un nègre ne court plus le risque de trouver sa fortune en se baissant.

Albert répéta, yeux chavirés de désillusion :

– Qu'est-ce qu'on va faire de nos vies ? De quoi allons-nous rêver pour oublier que les moustiques nous pompent le sang, que les vers et les chenilles nous rongent jusqu'à l'os, que le soleil et la pluie nous mettent à blanchir comme un linge ?

Jacob ne répondit rien puisqu'il n'avait rien à offrir en lieu et place de la femme-cité défunte.

Trois ans après qu'Albert eut passé la tête entre les cuisses torturées de Théodora qui priait Dieu : « Faites que ce soit un garçon ! Un garçon ! », à des kilomètres de la plantation Boyer-de-l'Etang, dans une forêt du Massachusetts, Jacob poussait son premier cri sous un arbre. Sa mère Cecilia, fuyant les persécutions du Sud et remontant vers le nord, n'avait pu le porter plus loin et s'était couchée là, sur ce lit d'aiguilles de pins. A la différence d'Albert, Jacob n'avait pas été brigand, fort en gueule, mais sage, apprenant bien ses leçons à l'école. Et pour finir, il était un des rares Noirs que les Américains employaient au canal et payaient d'un salaire inférieur à celui des Blancs, mais rondelet tout de même aux yeux d'Albert qui suait toujours pour ses quatre-vingt-dix cents de l'heure.

Cette amitié d'Albert et de Jacob était née, inattendue, entre un Américain et un Guadeloupéen, entre un contremaître et un simple ouvrier, un jour où, les yeux bandés de la douleur de la femme perdue, Albert s'avançait droit dans une zone d'incendie. Jacob posant sa mitraillette s'était précipité pour le sauver :

– Hey man! Tu cherches la mort ou quoi?

C'est comme cela! Un contremaître américain même noir et un ouvrier dynamiteur guadeloupéen ne doivent pas devenir amis. Et pourtant, le miracle s'était produit, les deux hommes étaient devenus inséparables.

Le travail terminé, Jacob était aussi bavard que le vieux Seewall. Un moulin, un sac à paroles! Il n'en finissait pas d'histoires de Louisiane, de marais, de chiens pendus aux fesses des esclaves fugitifs dégoulinants d'eau et de terreur. Il se démenait et chantait en s'accompagnant au banjo :

« *Cours nègre, cours, la patterouille t'attrape*
Cours nègre, voici le point du jour
Cours nègre, cours, ne te laisse pas prendre
Cours nègre, cours, essaie de te sauver...[1] »

1. Chanson du folklore noir américain.

Albert soupirait :

– Ah oui, vous l'avez eue dure la vie comme par chez nous. Peut-être même plus dure! Mais l'Amérique ce n'est pas que cela. Ecoute...

Et il se mettait à débiter les radotages du vieux Seewall qui n'avaient pas fini de lui trotter en rond par la tête :

– De Yerba Buena, elle est devenue San Francisco et plus belle ville que celle-là, il n'y a pas. Couchée au fond de sa baie, fermée par le Golden Gate, la Porte de l'Or. La Porte de l'Or! Tu entends ça, man? Il paraît que là-bas, il n'y a ni Blancs, ni Noirs! Un nègre devient riche rien qu'en grattant la terre de la pointe de sa lame. Il arrive les fesses au jour dans ses haillons. Il repart traîné par des chevaux!

Jacob haussait les épaules :

– Bobards que tout cela! La Californie n'est pas bonne pour les Noirs. C'est le Nord...

Revenu de la Guadeloupe, où il avait confié son fils à sa mère, Albert avait supprimé de sa vie toutes les douceurs qu'il y avait introduites du temps de Liza. Il avait revendu ses meubles au Chinois de Colón et dormait sur le plancher crasseux, enroulé dans une vieille couverture indienne. La maison était devenue le paradis des rongeurs, des insectes et des plantes parasites. Un bananier, qui avait défoncé les lattes de la véranda, lustrait ses fleurs violettes et ses fruits nains. Quand la végétation devenait trop touffue au point qu'on ne pouvait plus se frayer un passage dans le jardin, Albert la coupait, vlan, vlan, à grands coups de machette. Il ne prenait un peu de bon temps qu'aux week-ends avec son ami Jacob. Dès le samedi matin, Jacob apparaissait dans les rues du village et, tout Américain qu'il était, se vautrait avec Albert dans la crasse, mangeait des *migans*[1] à même un *coui*[2] et surtout se soûlait au rhum et au brandy avant de ronfler couvert de vomi dans un hamac défoncé. Au début, Albert descendait à Cristobal, le coquet faubourg fleuri où était logé Jacob à saine distance de ses compatriotes. Mais bien vite les Blancs avaient fait savoir qu'ils ne toléraient pas la présence de cet individu dépenaillé.

Albert vécut quatre ans dans la boue des environs de Gatun, travaillant comme une brute, économisant cent par cent.

Un matin, il disparut sans dire un mot à personne. Car est-il besoin de préciser qu'à part ses interminables échanges avec Jacob il était redevenu le Moudongue, le Soubarou d'avant sa rencontre avec Liza? Les gens commencèrent par se dire qu'il était allé visiter sa mère et voir son fils à la Guadeloupe. Mais les semaines passèrent, puis les mois... Albert ne revint pas. La nature prit entièrement possession de son bungalow, plantant un fromager à l'entrée et des manguiers aux fenêtres tandis qu'un bougainvillée géant s'entrelaçait aux montants de la véranda.

Le vieux Seewall et sa femme étaient furieux et le hurlaient à tous ceux qui voulaient l'entendre. Vraiment Albert était un mauvais nègre, un nègre sans cœur! Est-ce que ce n'était pas la mère Seewall qui la première avait pris soin de son nourrisson, le fruit du ventre de sa propre fille! Et voilà comment il les récompensait!

Un dimanche matin, un homme échevelé surgit au milieu du village et frappa de ses deux poings fermés sur la porte des Seewall. La veille, à Colón,

1. Plat antillais.
2. Calebasse coupée en deux et évidée servant d'ustensile de cuisine.

il était tombé sur Albert et Jacob. Tenez-vous bien, ces deux-là avaient monté une affaire et roulaient sur l'or! Une affaire? Quelle affaire? Une entreprise de pompes funèbres! Avec le nombre de morts qui se comptaient chaque jour à Colón, accidents du travail, épidémies, delirium tremens, rien ne pouvait être plus rentable! L'année précédente, le choléra à lui tout seul avait fait assembler vingt mille cercueils...

Désormais tous ceux qui descendaient à Colón firent un détour pour voir non loin du terminus de la voie ferrée la boutique d'Albert et de Jacob. A vrai dire, elle ne payait pas de mine! Sorte de corridor où s'entassaient des cercueils, les uns grossièrement taillés, les autres un peu plus ornés avec des poignées dorées. Devant la porte, deux chevaux, la peau sur les os, étaient attachés à une carriole et, quand ils ne charroyaient pas un corps vers sa dernière demeure, ils déféquaient un crottin aussi mélancolique et noir que la rue. Il y avait un troisième homme dans l'affaire, Manoel, un métis panaméen avec un air à avoir assassiné père et mère. Une femme aussi, Centinela, probablement échappée de quelque bordel et qui tenait la maison, un étage branlant au-dessus de l'entreprise de pompes funèbres (si cette appellation n'est pas trop prétentieuse).

Qu'Albert se soit transformé en transporteur de macchabées choqua profondément. La tâche est malsaine. Les esprits des morts s'accrochent à ceux qui manipulent leurs corps. Ces gens-là n'enfantent que des monstres et une odeur acide qui suinte de leurs chairs pourrissantes stigmatise leur commerce.

Toujours est-il que, comme pour faire plaisir à Albert et ses associés et arrondir leurs gains, une nouvelle épidémie se déclara à Colón. Les gens trépassaient dans leur sommeil après avoir rendu par tous les orifices une bile violette et nauséabonde. Les cadavres s'entassèrent dans les morgues et les Américains engagèrent des équipes d'incinérateurs qui chaussèrent leurs mains de gants de caoutchouc. Nuit et jour, la longue fumée violette des bûchers funéraires s'éleva à l'assaut du ciel.

En vérité, Albert, Jacob et Manoel firent de l'argent !

C'est alors qu'un Jamaïquain du nom de Marcus Garvey vint visiter ses malheureux compatriotes, usant leur vie à creuser le canal. L'homme avait quitté très tôt son pays et bourlinguait à travers l'Amérique latine. Il s'était déjà attiré des ennuis à Costa Rica où il avait violemment dénoncé la condition de ses frères dans les plantations. On disait que ses mots coulaient comme un torrent de lave dévalant les pentes d'un volcan et qu'après ses discours fleuves, ceux qui jusqu'alors baissaient la tête sous le poids de la tristesse de cette vie la relevaient et se sentaient soudain taillés pour l'aventure de la révolte.

Parmi une foule de travailleurs, Albert se rendit à Bahia Soldado pour l'écouter.

Marcus Garvey, noir et bas sur pattes comme un taureau d'arène, bondit sur une estrade et se mit à parler. Et ses mots transfigurèrent le présent, bâtirent l'avenir.

– Un jour, un jour, la race noire étonnera le monde...

Transporté, Albert suivit Marcus Garvey sans jamais essayer de lui parler cependant, à Frijoles, Gorgones, Bas Obispo, Paraiso, partout où il s'adressait à ses frères. Dans des hangars, sous des baraques férocement gardés par les policiers de la zone du canal, mitraillette pointée à l'avance sur le ventre des séditieux, Marcus Garvey prononçait des mots qu'avant lui on n'avait jamais entendus.

Justice. Liberté. Albert s'abonna à *La Prensa*, le journal que Garvey faisait paraître tant bien que mal et le samedi refusant les beuveries de Jacob, s'absorbait dans sa lecture. Une fois, il alla rôder près du modeste bureau de Garvey où on vendait des publications froissées, *Africa Times*, *Orient Review* et, après bien des tergiversations, finit par y entrer. Malheureusement, Garvey lui-même ne s'y trouvait pas et un de ses lieutenants mit entre les mains d'Albert un pamphlet à un dollar.

Marcus Garvey ne manqua pas de remarquer ce grand nègre noir à crinière blanche, sombre et silencieux, vêtu avec une élégance qui tranchait sur la dégaine crottée des travailleurs du canal. Car Albert commençait d'afficher ce dandysme qui frappa si fort ceux qui l'approchaient. Quand il chercha à savoir de qui il s'agissait, son entourage l'informa que c'était un Guadeloupéen, associé à un exploiteur américain qui faisait son beurre de la maladie et de la mort. Aussi Marcus Garvey s'en désintéressa-t-il complètement et l'échange qui aurait pu bouleverser la destinée de mon aïeul n'eut pas lieu.

Finalement, Marcus Garvey, s'étant mêlé d'attirer l'attention du consul britannique sur la terrible condition des Antillais, fut expulsé de Panama. Albert suivit de loin la petite troupe désolée qui l'accompagna au bateau. Après quoi, il s'arrêta chez le Chinois, acheta un pinceau très fin, de l'encre, un rouleau de papier. Puis Jacob et Manoel le virent traverser au galop le magasin de Pompes funèbres avant de s'enfermer dans sa chambre à l'étage. Au bout d'une heure, il héla Jacob et lui fit déchiffrer l'affiche qu'il venait de fixer au mur : *I shall teach the Black Man to see beauty in himself*[1].

---

1. « J'apprendrai au Noir à voir la Beauté qui est en lui. »

Jacob se tint les côtes de rire, lui qui ne voyait que laideur et dégradation autour de lui!

– Allez, man! Viens plutôt boire un coup avec moi. Le macchabée que je viens d'enfermer dans sa chambre dernière puait des pieds!

Albert le suivit deux plis au front et, de toute la soirée, vida silencieusement verre sur verre.

A dater de ce jour, mon aïeul Albert ne fut plus le même homme. Il cessa de boire et de se soûler, rabrouant Jacob qui, lui, avait toujours le gosier en pente. Il perfectionna si bien son anglais et son espagnol qu'on en vint à le confondre tantôt avec un Jamaïquain tantôt avec un Panaméen. On le vit même ouvrir des livres de mathématiques et de sciences naturelles...

Il chercha à savoir ce qu'était devenu Marcus Garvey. Néanmoins, comme il avait rompu tout contact avec la communauté jamaïquaine, il n'y parvint pas. Aussi le soir, quand le commerce avec les morts était fini, il prenait Jacob à témoin :

– Où est-ce qu'il peut bien être d'après toi?

Quelqu'un lui apprit que Marcus Garvey se trouvait à Harlem aux Etats-Unis, où il soulevait les foules noires, mais Jacob, faisant la moue, soutint que c'était peu crédible :

– Un Jamaïquain? Chez nous?

C'est aussi à dater de ce temps-là qu'Albert se mit à manifester la plus grande haine pour les Blancs. Lui qui n'avait jamais trop prêté attention aux histoires de Jacob se mit à le presser de questions :

– Raconte! Raconte!

Après, il lui expliquait comment il fallait attribuer aux Blancs non seulement les malheurs frappant la race noire, mais aussi la race jaune d'Asie et la race indienne. Il donnait des haut-le-cœur à Jacob en l'abreuvant des descriptions détaillées des suicides des Chinois venus construire la voie ferrée quelques années plus tôt :

– Les uns s'étranglaient avec leurs nattes. Les autres se les nouaient autour du cou et se pendaient aux arbres. Il y en avait aussi qui se jetaient dans la Chagres, les poches bourrées de pierres pour pouvoir couler à pic. Il y en avait qui s'ouvraient le ventre avec leurs machettes et d'autres qui payaient les Malais pour qu'ils les abattent.

Jacob, qui n'aimait pas les Blancs plus que lui, mais avait appris, mal nécessaire, à vivre avec eux, prenait cela comme une douce folie. Il ne se fâcha qu'au moment où Albert se mit en tête de réserver les services de l'entreprise de Pompes funèbres aux seuls non-Blancs.

– Ah non! Tu gâtes le business! Et puis un macchabée, ça n'a plus de couleur!

Albert avait repris le chemin des bordels puisque le corps a ses lois que tout l'amour du monde pour une défunte ne rend pas caduques. L'établissement qu'il préférait datait du temps de M. de Lesseps. Dans le velours rouge miteux, on y faisait l'amour en français car il abritait des putains de Brest, pas très belles, déjà largement sur le retour, mais habiles à procurer la jouissance et à panser les plaies du cœur de tous ces hommes sans seins de mères ni d'épouses.

Marthe, l'une d'entre elles, n'avait jamais caché un faible pour Albert. Après l'avoir fait jouir, elle aimait l'entendre rêver. De son enfance.

– Tu vois, la terre me paraissait trop basse et veule. Je me mettais les yeux en eau à fixer le soleil dans le ciel et je me disais : « Comme ça doit être bon là-haut! Pas de béké, pas de géreur, pas de père soûlard. » Un jour, je me suis fabriqué des ailes avec des palmes de cocotier et je me suis élancé d'un fromager. Pan, par terre! Prêt à me noyer dans mon sang!

De sà Liza.

– Cette femme-là, c'était un *tourment d'amour*[1]. Tout fondait en elle, de sa bouche à la pointe de ses orteils. Je ne pouvais me rassasier. Je lui disais : « Fleur de ma vie, es-tu lasse? » Elle riait, elle riait tout le temps, ah! si joliment. Un chant d'oiseau sur la branche. « Allons donc! Donne ce que tu as à donner. Je le prendrai. »

De San Francisco.

– Je sais que je n'irai jamais jusque-là! Où trouverais-je l'argent? Pourtant, il me faut me dire qu'elle existe, qu'elle est couchée là au fond de sa baie fermée par le Golden Gate. Offerte, mais inaccessible, comme une princesse sur un divan recouvert de velours pourpre. C'est grâce à elle que je supporte Colón, Chagres, Gatun... tous ces lieux de malheur et de perdition. Tu vois, je suis venu ici pour faire pousser de l'or et je n'ai trouvé que la mangrove.

Or ne voilà-t-il pas qu'un soir où elle l'invitait familièrement à monter avec elle, Albert se jeta sur elle, la battit comme plâtre, hurlant :

– Démon! Tu appartiens à la race des démons! Mais nous finirons bien par nous débarrasser de vous!

L'affaire fit grand bruit.

Le *Star & Herald* et *La Estrella de Panamà*, deux des principaux journaux de l'époque, respectivement en anglais et en espagnol, ouvrirent leurs colonnes à de nombreux lecteurs. L'un d'eux fit même appel au consul américain pour nettoyer Panama des nègres antillais qui l'infestaient et dont

1. Pâtisserie antillaise.

les putains entraient en compétition avec d'honorables Européens *(sic).*

Cependant comme ni l'administration américaine ni l'administration panaméenne ne semblaient promptes à réagir, des hommes attaquèrent Albert, un soir, et le laissèrent, inerte, sur le lit de bouteilles vides qui colmataient la boue des rues de Colón. Albert parvint à s'opposer à son transport à l'hôpital. Il fut soigné à domicile par Jacob, Manoel et Centinela, qui pleura en voyant son état. Comme il semblait à l'article de la mort, Centinela se rendit auprès des Indiens San Blas de Limon Bay et rapporta des brassées de feuillages, de racines et de plantes séchées avec lesquels elle fabriqua des potions, des onguents et des emplâtres.

Au bout de quatre mois, on vit Albert réapparaître dans la boutique dont les affaires avaient encore prospéré entre-temps, grâce à une épidémie de variole. Sous la violence des coups, sa jambe droite avait été brisée en trois endroits. Elle s'était mal ressoudée et il devait s'appuyer sur une canne. Quelques cicatrices couturaient son visage, mais paradoxalement ne le rendaient pas effrayant, accusant au contraire son air vulnérable. Toute sa vie, Albert devait souffrir des séquelles de ces fractures et de ces blessures. Comme les décoctions de racines de passiflorinda lui avaient fait le plus grand bien, purgeant son sang des humeurs qu'il charroyait, il veilla à en faire pousser partout où il habita par la suite. La passiflorinda donne une fleur mauve et faiblement parfumée qui n'a pas beaucoup de valeur médicinale. Ce sont ses rameaux et surtout ses racines qui en possèdent.

V

Pendant ce temps-là à La Pointe, dans la maison basse du Carénage, dans l'odeur sèche du goudron et de la mer, l'enfant grandissait.

Pas très costaud, fluet même. Mais vif et énergique comme le *mal fini*[1]. Il faisait le bonheur de Théodora. La vieille femme le baignait dans de l'eau tiédie au soleil où elle avait mis à tremper une poignée de feuilles de corossol qui assurent les siestes paisibles et les longs sommeils. Touffe par touffe, elle enduisait l'herbe trop sèche de ses cheveux avec de l'huile de palma christi avant de lui frictionner tout le corps de bay-rhum. Il riait de toutes ses petites dents sous le baiser glacé du liquide, et alors Théodora le mangeait de baisers. Elle l'avait voué à la Vierge Marie pour lui éviter les pleurésies et il allait vêtu de blanc et de bleu.

L'après-midi, paré comme un petit prince, il allait jouer sur la place de la Victoire parmi les enfants de la bourgeoisie.

VI

Les rêves d'Albert et de Jacob n'étaient pas peints aux mêmes couleurs. Tout ce que Jacob désirait, c'était, une fois arrondi son magot de dollars, épouser une fille de Colón. Là, les métisses abondent et ne sont pas trop regardantes sur la couleur de l'homme! Car il entendait bien se fixer à Panama, les nouvelles qu'il recevait de chez lui l'y

1. Sorte d'épervier.

encourageant. En quelques mois, soixante-neuf lynchages avaient eu lieu dans le Sud que les Noirs désertaient pour déferler en grandes vagues apeurées sur les cités du Nord. New York, Detroit, Chicago...

Albert, lui, continuait de mirer dans sa tête la cité du vieux Seewall! Aussi, les deux compères discutaient-ils interminablement :

– De Yerba Buena...

– Arrête, man! Il n'y a plus d'or! Rien que de la poussière jaune sous les sabots des chevaux...!

Ce qui les conduisit à un accord et les obligea à plier bagages est un phénomène connu sous le nom de la « Main Bleue » qui, depuis des générations, déconcerte les historiens.

Tout le long de la zone du canal, on se mit à assassiner les travailleurs antillais. De nuit, on incendiait leurs villages. Au matin, dans la fumée et l'odeur de roussi, on déterrait de la gadoue des hommes la langue et le sexe arrachés, des femmes violées avant d'être massacrées et des enfants coupés en deux par le milieu du corps. Puis la « Main Bleue » frappa à Colón et à Panama City. Un prêtre panaméen du nom de Gonçalvo Bobo osa s'élever en chaire contre ces crimes et rappeler que tous les hommes sont frères. Il fut abattu au pied du maître-autel. Comme bien peu d'Antillais pouvaient payer le passage de retour chez eux, ils édifièrent autour de leurs villages des murs de pierre et de boue qu'ils hérissèrent de culs de bouteille. Certains se souvinrent de leurs ancêtres marrons et creusèrent des fossés qu'ils fichèrent de pieux empoisonnés et recouvrirent de plaques d'herbe.

Une nuit, à Colón, on égorgea tous les infirmiers jamaïquains de l'hôpital. Après cela, la terreur fut à son comble.

Un matin de septembre 1911, Albert et Jacob

montèrent donc à bord du *S.S. Oregon.* Sur le quai, Manoel et Centinela agitaient leurs mouchoirs. Ils avaient du sel et de l'eau plein les yeux, surtout Centinela qui avait couché avec nos trois lascars et se sentait deux fois veuve.

Si Albert n'avait jamais rencontré ce Monsieur Jim Crow[1] dont Jacob pourtant lui avait maintes fois parlé, il fit tout de suite sa connaissance quand on l'éjecta avec son compagnon de la cabine qu'ils avaient payée en bons billets verts. Les passagers blancs ne souffraient pas la présence de ces négros dans les lits voisins. Albert passa donc le temps du voyage dans un coin du pont, fixant les murailles plombées de la mer. Il avalait les reliefs de nourriture que Jacob, qui lui prenait tout cela avec philosophie, allait chercher à la cuisine quand passagers et hommes d'équipage avaient fini leurs repas. Il faisait ses besoins dans un seau qu'il vidait par-dessus bord et il dormait les yeux grands ouverts à fixer le ciel serein ou tourmenté. A mi-parcours Jacob rapporta des couvertures marocaines que des passagers apitoyés lui avaient données, car le vent fraîchissait. Albert refusa de s'en servir et resta altier, rigide, à se cailler le sang.

Le voyage dura des semaines.

L'eau. Le ciel. L'eau. Le vent soufflant en rafales et creusant des tranchées dans la mer folle de rage. Ou tombant de tout son poids de silence.

Enfin on aperçut des baleines, des phoques et on sut que la terre n'était plus loin.

Quand on entra dans la baie de San Francisco, la brume était épaisse, à couper au couteau, traînant au ras de l'eau. Les voyageurs impatients se pressaient sur le pont et scrutaient vainement la grisaille cotonneuse autour d'eux. Brusquement, comme le navire touchait le quai, les voiles se

1. Ensemble des lois ségrégationnistes américaines.

déchirèrent. Le soleil et la ville apparurent et Albert manqua tomber à genoux. Car la beauté de sa femme perdue lui était rendue.

Yerba Buena. San Francisco.

Ses amoureux avaient réparé les outrages qu'elle avait subis des années auparavant quand la terre et le feu s'étaient férocement ligués contre elle. Les maisons roses, rouges et blanches grimpaient au flanc des collines s'étageant jusqu'au ciel mauve.

Haletant, sans plus se soucier de Jacob, Albert sauta sur le quai, joua des coudes dans la foule et s'engagea dans une artère grouillante que faisait vibrer un tramway. Yerba Buena. San Francisco. Enfin! Il avait atteint la terre de beauté qui le laverait de toutes les humiliations. Qui le rendrait à la vie, propre comme un sou neuf. Claudiquant, il grimpa plus haut, toujours plus haut, et soudain se trouva sur une sorte d'esplanade, face à la porte étroite par laquelle John Frémont rêvait de voir s'engouffrer toutes les richesses de l'Orient. Le Golden Gate. Les paroles du vieux Seewall revinrent virevolter dans sa mémoire :

– Des navires anglais, espagnols ont passé devant l'entrée de la baie des centaines et des centaines de fois. C'est comme une vierge qui cache son petit brûlot à parfums.

Pendant ce temps, Jacob, apeuré par le vacarme des tramways, le galop des chevaux et la mine des patrouilles armées, cherchait plus prosaïquement la pension pour Noirs d'un certain Macon Dennis. Cette ville-là ne lui disait rien de bon. C'était une ville de Blancs. Pas de quartier noir chaud et fraternel. C'était une froide catin qui se vendait au plus offrant. Elle sentait le luxe et le bien mal acquis.

Dieu sait comment les deux amis se retrouvèrent à Portsmouth Square, l'un ébloui, l'autre déçu, car sa recherche avait été vaine. Pas de trace de ce

Macon Dennis dans ce dédale de rues ! Comme la nuit tombait, noire sur la baie, à peine éclaircie par les lampadaires à gaz, les deux hommes se mirent en quête d'une chambre. Portsmouth Square touchait Chinatown et ils entrèrent à *L'Empire céleste.*

Les Chinois étaient nombreux à Panama. Albert et Jacob ne se sentirent donc pas dépaysés parmi ces hommes furtifs, courtois, les yeux baissés, le front rasé, un serpent gras et luisant lové entre les omoplates ! Au contraire. Et c'est tout naturellement qu'ils se trouvèrent engager la conversation avec un certain Chi-Lu-Lee, grand Chinois moustachu en robe de brocart, qui tournant et retournant son bol entre ses mains leur raconta une histoire qui éveilla bien des échos dans la tête d'Albert. N'était-ce pas la sienne ? Et n'était-il pas un Chinois lui-même ?

On ne connaît jamais que sa misère et celle de ses proches. On ignore que d'autres misères presque semblables se dessèchent, bouses de vache, sous le dur soleil des pays sans joie. Là-bas, aussi, à des kilomètres d'océan, les hommes avaient même cœur !

– Mon père, mon grand-père et le père de mon grand-père avant lui ont fait pousser les tiges de riz dans la province de Kwang-Tung dont Canton est la capitale. Ils en ont eu le dos courbé, la paume des mains calleuses et la vie raccourcie de ses bonnes espérances à la naissance. Moi aussi, j'ai commencé comme eux dans l'enfer vert de la rizière. Et puis un jour, j'en ai eu assez. J'ai levé la tête vers le soleil et je lui ai dit : « Est-ce que tu ne brilles pas pour moi aussi ? Alors donne-moi la force. Je ne veux plus de cette vie-là » J'ai emprunté de l'argent et j'ai pris le bateau pour Kum Shan...

– Kum Shan ?

– Oui, c'est ainsi qu'on appelle San Francisco chez nous! Quand j'aurai fait ma pelote de billets verts, je rentrerai chez moi. J'ai une femme qui m'attend et déjà un enfant! Un garçon!

De fil en aiguille, Chi-Lu-Lee invita Albert et Jacob à fumer une pipe chez lui.

Le lendemain, à travers la brume du matin, laissant Albert plongé dans un bienheureux engourdissement, Jacob quitta la maison de Chi-Lu-Lee, bien décidé à trouver la pension de Macon Dennis. Albert, lui, avait déjà pris sa décision : il ne quitterait pas Chinatown. C'était le ventre au fond duquel il allait renaître. Il resterait là. Il prendrait une chambre ouvrant sur la baie au premier étage d'une maison de bois à balcon avec balustrade ouvragée sous un toit en pagode. Il respirerait cette odeur de gingembre, de poisson pourri et d'oignons verts. Il se bercerait de ces voix hautes et mystérieusement amicales. Il ne se lasserait pas de ces hiéroglyphes au fronton des boutiques. Quand Jacob revint flanqué de Macon Dennis, un charpentier dont les affaires n'étaient pas mauvaises, il refusa tout net de les suivre. Peu après, il entra en association avec Chi-Lu-Lee qui possédait une blanchisserie à Washington Street. Tout le commerce du linge à blanchir et repasser était tenu par les Chinois qui trottinaient de maison en maison, leurs hottes sur le dos. Mais Albert avait des idées. Ce n'était pas pour rien qu'il s'était fait la main à Panama! Il poussa Chi-Lu-Lee à acheter un cheval, la peau sur les os, et une carriole pour livrer le linge, ce qui fait qu'ils furent toujours les premiers et que les notables de la ville s'en aperçurent. Chi-Lu-Lee employait trois « frères » sans autre rétribution qu'un bol de riz et cinq bols de thé. Albert leur en adjoignit trois autres et supprima le riz.

Les associés firent fortune.

Albert fut heureux à San Francisco. Il ne cessait de s'enivrer de la beauté de la ville !

Chaque matin, s'appuyant sur sa canne, il longeait Embarcadero, égarait son esprit dans la forêt des mâts, emplissant ses narines de cette odeur de mer, de goudron, de suif et de bourbon des quais. Il n'entrait dans aucune des tavernes nombreuses dans Barbary Coast. Il passait digne et fier et les gens se retournaient au passage de ce nègre imposant, impeccablement vêtu. Même ceux qui pensaient qu'on tolérait trop de nègres en terre de Californie et qu'ils n'avaient pas fait tant de kilomètres pour se trouver nez à nez avec eux, saisis d'une sorte de crainte, n'osaient pas lui jeter une raillerie ou une insulte. Albert arpentait quatre fois toute la longueur d'Embarcadero, puis, le sang échauffé, s'en allait se rafraîchir d'une limonade au Palace Hotel. Là, dans ce palais de marbre aux sept mille fenêtres dont on vantait la magnificence jusqu'à New York et Washington, ces villes de la côte est, et où un empereur du Brésil avait dormi, il se payait le luxe d'être servi comme un seigneur puisque son argent n'avait pas de sale odeur. La valetaille noire, serveurs, portiers, messagers, coursiers, palefreniers, qui grouillait dans l'hôtel le regardait d'un œil torve s'affaler dans les fauteuils de velours. Oubliait-il qu'une négresse était sa mère ? Jamais un sourire, une plaisanterie pour rappeler de quel bord il était ! En fait Albert n'était ni arrogant ni égoïste comme ils le croyaient. Simplement, il ne les voyait pas, absorbé, savourant ses forces qui lui revenaient et faisaient bouillonner tout son sang. Parfois, Albert continuait sa promenade en escaladant Telegraph Hill avant de revenir à la blanchisserie de Washington Street. Chaque dimanche, il accompagnait Jacob à l'église baptiste noire située à l'angle de Clay et Hyde. Jusque-là, Albert avait toujours considéré Dieu comme le patron des exploiteurs blancs. Brusquement il apprenait qu'il peut être noir. Aussi, de bonne grâce, mettait-il ses deux genoux en terre pour lui demander de bénir sa vie. Le révérend Kelly, qui officiait et faisait vibrer le bois de la voûte en chantant *Swing low, sweet chariot...*, venait comme Macon Dennis de la Virginie et, quand on se réunissait chez lui après la cérémonie, il pleurait à chaudes larmes en lisant à voix haute les lettres qu'il recevait de ses parents.

– La Guerre civile n'a servi à rien. Rien n'est changé...

Harriett, sa femme, après l'avoir consolé, servait un plantureux repas qui se terminait invariablement par un gâteau aux patates douces, et nul ne remarquait les regards dont elle couvrait Albert.

VII

« *San Francisco, 15 juin 19***

Très Honorable Marcus Garvey,
Je vous ai suivi quand vous étiez à Panama et je suis des innombrables nègres à la surface de cette triste planète terre que vos paroles bouleversent. Je porte une de vos phrases dans ma tête et dans mon cœur.

" I shall teach the Black Man to see beauty in himself. "

J'ai appris que vous avez fondé une association pour l'Amélioration de la race noire. Donnez-moi des détails, je vous prie. Je crie vers vous dans mon désert. »

Voilà le second document que je possède de mon aïeul. Cette lettre qu'il n'expédia jamais et que j'ai retrouvée, jaunie, presque émiettée par endroits dans un paquet de factures pro forma.

Elle me prouve qu'il ne renonçait pas à ses rêves et que, sous ses airs de convalescent, le trouble subsistait en lui.

VIII

JACOB ARMSTRONG, l'ami de mon aïeul Albert, était un homme tranquille. Il s'était mis en tête d'épouser Louise Grasshopper, sœur cadette de la femme de Macon Dennis qui enseignait dans la première école pour enfants noirs de Clay Street. Finies ces parties de cartes dont il était coutumier à Colón au cours desquelles il perdait souvent une petite fortune. Finies les maîtresses entretenues généreusement. Chaque lundi, il se précipitait à la Wells Fargo Bank et y déposait intégralement sa paye.

Il ne lui restait qu'une faiblesse : il aimait à boire. De temps en temps, il poussait la porte d'un des innombrables tripots de Barbary Coast et s'envoyait des Mickey Finn à la chaîne. Le gin faisait éclore des bulles de soleil dans sa tête et la mer devenait rose comme dans un rêve d'enfant. Il se voyait déjà passant une alliance à l'annulaire fuselé de Louise terminé par un coquillage d'ongle avant d'entrer dans un lit avec elle et de couler à pic agrippé à ses seins au milieu de l'océan. Et puis ils auraient cinq enfants, trois garçons, deux filles qu'il baptiserait Sabrina et Fabiana, car il raffolait des prénoms italiens.

Un jour qui s'était levé comme les autres, le

soleil n'ayant pas bourlingué plus vite qu'à l'accoutumée depuis sa sortie du brouillard, il entra en vitesse au Wharf, troquet pas plus dangereux que les autres où, en plus, il était connu.

Il n'était pas sitôt assis à table cependant qu'il remarqua un groupe de malabars qui s'essuyaient la bouche d'un revers de main à assommer les bœufs, la poussière jaune de Sacramento collée à leurs bottes. Né et grandi en Amérique noire, Jacob n'avait pas besoin de leçons pour se savoir en face de dangereux racistes. A quoi cela se reconnaissait-il? Dans le cas qui nous préoccupe, à l'étroitesse du front, rectangulaire sous la calotte malsaine des cheveux au-dessus des yeux fureteurs et porcins.

Jacob courba le dos, s'efforçant de se rendre invisible. Il avala son Mickey Finn à se brûler la gorge et courut vers la porte de sortie. Un des malabars s'y adossait déjà qui s'adressa à la salle :

– Ça vous plaît à vous de voir rôder par ici des faces couleur d'enfer et de malheur?

Le silence tomba comme une draperie mouillée et personne ne songea plus à peloter les serveuses aux seins nus. Le rire aigrelet de Jacob s'éleva :

– Hi, hi, hi! Couleur d'enfer et de malheur, c'est bien ce qu'elle disait, ma pauvre mère!

– Ta pute de mère?

Après un silence, le rire de Jacob s'éleva à nouveau, peut-être plus grinçant. Le malabar lui toucha le bras :

– Dis qu'elle était une pute, ta mère. DIS-LE!!

Jacob hésita. Peut-être ne comprenait-il pas lui-même ce qui se passait en lui. Emportés par le prudent souci de survivre et les conseils ressassés depuis l'enfance sur la nécessité de cacher ses sentiments aux Blancs! Emportés par un torrent descendu du profond de son être! Bondissant, moussant sur les roches, giclant de droite et de gauche en perles irisées. Charroyant les vieilles peurs! Refus, révolte et rage! Il fonça tête première dans le gras du ventre du malabar.

On retrouva son corps criblé de balles, la figure vicieusement défoncée à coups de talons, dans la boue d'un fossé de Kearny Street.

L'affaire fit grand bruit. La NAACP, dont une branche venait d'être créée à Los Angeles, demanda au gouvernement de Californie qu'une enquête soit ouverte. La petite communauté noire de San Francisco envoya une délégation au maire qui assura que la lumière serait faite. Un célèbre avocat blanc, Rudolph Dwinddle, mit son nom au service de cette juste cause. Tout cela ne servit de rien. Les meurtriers de Jacob ne furent jamais retrouvés.

On craignit le pire pour Albert.

Il fallut l'attacher pour l'empêcher de descendre dans la rue décharger son fusil sur tous les Blancs qui bougeaient. Il écrivit à Theodore Roosevelt et, comme il n'en obtint pas de réponse, demanda comment on assassinait les présidents. Puis il se laissa mourir de faim. Ses mâchoires étaient tellement serrées que même le thé versé par le dévoué Chi-Lu-Lee ne parvenait pas à s'y frayer un passage. Il ne se nourrissait que d'opium, faisant peut-être resurgir dans les fumées de la drogue l'ami cher perdu.

Un matin, Harriett Dennis déposa ses enfants à l'école et pénétra dans la chambre d'Albert.

A vrai dire, ce n'était pas la première fois qu'elle s'y trouvait seule avec lui. Ni la première fois qu'elle y ôtait ses vêtements pour se glisser sous la lourde courtepointe et se serrer nue contre lui. Néanmoins, lors des autres rencontres, il s'agissait de partager le plaisir et pas seulement d'apaiser la souffrance.

Nul, Jacob excepté, ne se doutait de ce qui se passait réellement entre ces deux-là.

Les premiers temps, fidèle à ses habitudes, Albert avait pris le chemin des bordels. Il avait choisi celui de Dupont Street où il parlait français avec des putains de Cherbourg qui avaient transité par Lima et Valparaiso. Un jour, après le service du dimanche, en coupant dans la cuisine le gâteau aux patates douces, Harriett avait levé vers lui des yeux noirs de reproche :

– Vous n'avez pas honte de faire l'amour à des Blanches ?

Albert était resté coi. Harriett avait poursuivi :

– Les Blancs nous matraquent et nous tuent à vue et vous, vous caressez leurs femmes !

Albert était parvenu à bégayer :

– Je paie, je paie...

– Eh bien moi, je vous le ferai gratis !

Désormais, deux fois par semaine, quand son révérend de mari initiait la chorale enfantine aux subtilités du gospel, Harriett initiait Albert, pourtant passablement roué, à certains attouchements bien américains. Albert en sortait vanné :

– Dieu, quelle bougresse !

Quand ils avaient repris leur souffle, la tête bien calée au creux de son épaule, Harriett lui contait la grande insurrection de Nat Turner dans le comté de Southampton en Virginie.

– C'était un saint et un juste. L'Esprit était en lui.

Par contre, Harriett n'avait jamais entendu parler de Marcus Garvey.

Quand Harriett eut pris Albert contre elle à la manière d'un enfant nouveau-né, il éclata en gros sanglots et les larmes qu'il n'avait pas encore pu verser ruisselèrent le long de ses joues.

– Il était venu dans ma vie quand je venais de perdre tout ce qui lui faisait du soleil. « Hey man !

60

Tu cherches la mort ou quoi? » C'est ainsi qu'il m'a apostrophé et il ne savait pas qu'en vérité, je la cherchais. La vie, la vie pour moi, c'était une mare de boue dans laquelle je ne pouvais pas me désaltérer. Pourquoi faut-il qu'à chaque fois ils tuent ce que j'ai de plus cher?

– Paix, paix!

Le dimanche suivant, à l'heure de service, les fidèles de la petite église baptiste noire purent voir arriver Harriett soutenant, traînant un grand corps déjeté par la souffrance, mais qui consentit à mêler sa voix aux psaumes.

« L'Eternel sonde le juste;
Il fera pleuvoir sur les méchants
Des charbons ardents, du feu et du soufre
Un vent brûlant, tel est le sort qu'ils auront en
[partage! »

Cependant quand Albert se fut convaincu que le feu de Dieu ne brûlerait pas ceux qui avaient tué son ami, son frère, et que ce crime ne serait qu'une toute petite particule d'injustice dans un grand tourbillon, il liquida son compte à la Wells Fargo, se rendit aux bureaux de la Pacific et acheta un billet de première classe pour Colón d'où il entendait prendre un navire pour la Guadeloupe.

La veille de son départ, il claudiqua pour la première fois jusqu'au haut de Telegraph Hill et fit ses adieux à la ville. Ah, elle l'avait bien eu. Il croyait s'y refaire et retrouver nouveau-né le chemin du bonheur. Elle l'avait floué, trompé! Puisse un nouveau tremblement de terre la détruire de fond en comble et effacer son souvenir de la mémoire des hommes! En même temps, l'aigle de feu du soleil s'était enfin rendu victorieux des brumes et il planait souverain sur la baie et toute cette beauté déchirait son cœur endolori! Cruelle, cruelle!

Le voyage fut sans histoire. Cette fois, Albert ne fut pas éjecté de sa cabine qu'il partagea avec un groupe de commerçants français qui rentraient bredouilles d'un voyage d'affaires.

Je possède le journal que tint mon aïeul assis au milieu des embruns du pont, son encrier d'encre violette calé sur un tas de cordages. Il ne présente aucune valeur littéraire. La syntaxe en est lourde et les fautes d'orthographe fréquentes. Aussi, je ne prendrai pas la petite d'en reproduire des extraits. Il m'a permis simplement de savoir quel homme était Albert Louis.

Une intelligence bien supérieure à la normale, mais hélas qu'aucune lecture n'avait enrichie. Une sensibilité d'écorché. Une susceptibilité d'autodidacte. Aucun guide. Aucun modèle, à part Marcus Garvey, entrevu de loin. Bref, ce journal est une suite d'interrogations, de réflexions qui feraient sourire un homme instruit.

Au cours de son escale à Colón, Albert se rendit chez Manoel, son ancien associé. Mais entretemps, l'affaire avait périclité et nul ne savait ce que le Panaméen était devenu. Puis il emprunta le train des travailleurs et reprit le chemin de Gatun.

Dans le village, où personne ne se souvenait de lui, il apprit que le vieux Seewall était mort et que sa femme habitait Bas Obispo avec une de ses filles.

Il alla chercher la tombe de Liza dans le petit cimetière qu'inondaient périodiquement les eaux de la Chagres, emportant les croix de perle, les fleurs artificielles et les bougeoirs de céramique posés par des mains pieuses. Là, il s'assit à même le sol, allongeant devant lui sa jambe raide, et commença de décrire à la morte le goût de potion amère qu'avait sa vie. Heureusement il y avait l'enfant.

– Je ferai de lui un homme. Solide comme un *mapou*[1]. Royal comme un palmier de Ségou. Sa cime dépassera toutes les autres et toi, toi qui verras cela, tu seras heureuse...

Quand le sifflet du train qui se traînait las de la fatigue de tous ces hommes déracinés déchira l'air cotonneux, Albert tira de sa poche un petit sac de peau qu'il emplit de terre. Ensuite, il se leva maladroitement, plus gauche encore de sa douleur.

Cette année-là, le canal était terminé et le monde entier s'émerveillait du travail d'Hercule des Américains.

IX

L'ENFANT avait été nourri de récits merveilleux concernant ce père qui vivait dans un endroit où personne, pas même Ti-Jean traquant la Bête, ne s'était rendu : l'Amérique. Là, des hommes à peau rouge, le torse et les cheveux enduits d'huile, suspendaient des hamacs aux arbres ou descendaient l'eau paresseuse des grands fleuves. Parfois ils décochaient des flèches vers des animaux à corps d'hommes.

Un jour on lui enfila des dessous éblouissants de propreté et qui sentaient le vétiver, puis une petite culotte de velours bleu, une petite chemise à jabot de dentelle avec aux poignets de véritables boutons

1. Arbre de la famille des malvacées.

de manchette. Ensuite on dessina à grand-peine une raie dans ses cheveux crépus. Cependant, il ne rit pas de se voir si beau en ce miroir. Il avait peur. Il savait que son père revenait...

Vers quatre heures, on prit la direction des quais. Théodora marchait devant sous son parasol et les gens lui demandaient :

– *Sé jodi la*[1] ?

Elle hochait la tête et se rengorgeait, son sac de velours se balançant au bout de son bras. Dans la Darse, un énorme bateau noir et rouge était accosté relié à la terre par des passerelles noires d'hommes, de femmes, d'enfants, de porteurs... A présent Théodora gémissait comme en gésine :

– *Pitite-mwen! Pitite-mwen*[2] !

L'enfant avait très chaud. Une sueur acide coulant de son front inondait ses yeux et il n'osait l'essuyer d'un revers de manche de peur de se salir. Dans son émoi, Théodora avait oublié de l'asseoir sur le haut pot de chambre en terre qu'elle gardait derrière un rideau d'indienne à fleurs et il souffrait le martyre.

Soudain il vit apparaître un homme entièrement vêtu de noir, à l'exception d'une chemise à haut col blanc qui lui enserrait la gorge comme un garrot, la chevelure rasée de si près qu'on lui voyait la peau du crâne et s'appuyant d'un poids que l'on évaluait considérable sur une canne à pommeau d'argent. L'homme se mit à descendre la passerelle d'un lourd pas heurté tandis que son regard, tel un phare, balayait sans s'arrêter l'océan des familles éperdues. L'enfant tressaillit quand ce phare s'immobilisa sur lui, l'enserrant de sa lueur, soulignant les détails de son visage, les cicatrices laissées par tant de jeux et de rixes sur ses bras ou

1. « C'est aujourd'hui ? »
2. « Mon petit ! Mon petit ! »

ses jambes. L'homme s'approcha de lui à le toucher et, regardant enfin Théodora qui à présent sanglotait dans son mouchoir, laissa tomber :

– Il est bien petit !

Les gens racontent que lorsque Albert Louis revint de son séjour de dix ans à l'étranger, il confia tant de dollars américains à la banque que le directeur blanc lui-même sortit de son bureau pour contempler ce fleuve vert. Ils racontent aussi qu'il acheta pour une bouchée de pain une bande de terrains insalubres à l'ouest de La Pointe et y fit construire, surveillant lui-même les travaux et rudoyant les ouvriers dès qu'ils s'arrêtaient pour manger un peu de farine de manioc et d'avocat mouillé d'huile, un gigantesque lakou. Ce type d'habitation n'existe plus guère de nos jours. Au moment où se situe cette histoire, il offrait un refuge à tous ceux qui quittaient les plantations pour chercher l'ascension sociale de la ville. Ensuite, Albert fit l'acquisition d'un magasin d'import-export ayant appartenu à un Blanc de Saint-Martin trop accablé par la mort de sa femme pour se soucier de la couleur de son successeur. Un nègre dans l'import-export ! De mémoire de Pointois, cela ne s'était jamais connu et les gens affluèrent quai Louis-Philippe pour voir Albert réceptionner avec ses trois employés les caisses de morue salée, les sacs de riz ou les fûts d'huile qui allaient assurer son enrichissement.

Enfin, il se porta acquéreur d'un terrain face à la mer dans une zone encore peu mise en valeur de La Pointe, y transporta des ouvriers par camions entiers et fit surgir de terre une maison haute et basse avec galetas logeable et balcon à chaque étage, celle-là même où a grandi ma mère.

Un tranquille matin de septembre, les gens de La Pointe purent voir s'étirer à travers les rues bruyantes une caravane de porteurs, les jambes arquées, le dos voûté sous le poids d'énormes caisses. C'était le mobilier d'Albert Louis, tout droit venu de Bordeaux, qu'ils charroyaient depuis le ventre d'un navire à quai. Suivant ses indications, ils le disposèrent dans les douze pièces de la nouvelle demeure. Quand Albert planta sur les balcons des bougainvillées en pots et des *six mois-six-mois*[1], la fureur monta et déborda.

Certes il ne manquait pas à La Pointe de nègres tenant le haut du pavé et faisant la pluie ou le beau temps en politique. Mais il s'agissait de docteurs, d'avocats, voire d'instituteurs, c'est-à-dire de gens grimpés là où ils étaient par la force de l'instruction. Qui était Albert Louis ? Un ancien coupeur de cannes dont la mère ancienne amarreuse portait le costume matador et ne savait pas lire. Pauvre Théodora ! Dans tous les salons, on la ridiculisa. Au milieu d'éclats de rire, on se répétait ses fautes de français ! Elle disait :

– *Bon Dié, je suis faillie m'estromain*[2] !
– *Les matins, je fais un petit pé té*[3]...
– *Je suis restée mofoise*[4] !

On fit sortir, pour les montrer du doigt, des maisons où elles se louaient, des lolos où elles vendaient et des bars où elles astiquaient le comptoir en offrant de temps à autre leurs services à des clients pressés, les nombreuses sœurs d'Albert. Et on souligna que la seule présentable était Maroussia, mariée à un maître voilier de Port-Louis. Un

1. Poinsettia.
2. « Bon Dieu, j'ai failli me faire mal à la main ! »
3. « Chaque matin, je me fais un peu de thé ! »
4. « Je suis restée sans paroles (interdite) ! »

dimanche, quelqu'un arriva avec une fameuse nouvelle. Parole d'homme, Albert faisait du kimbwa! Il l'avait vu, de ses deux yeux vu, s'asseoir dans un coin écarté du cimetière où il n'avait couché aucun mort et arroser de larmes un pied de tubéreuses avant de baiser la terre autour de lui et d'entonner une incantation à bouche fermée. De là à expliquer par des procédés obscurs et magiques l'origine de sa fortune... il n'y avait qu'un pas!

De tout cela, Albert semblait n'avoir nulle conscience, marchant droit comme un I majuscule de son magasin des quais dont il avait repeint la façade l'agrémentant d'une plaque :

Albert Louis
Import-Export

à sa maison de la rue du Faubourg-d'Ennery avec un crochet par le bureau de poste d'où chaque jour il expédiait une lettre pour San Francisco à l'adresse de Mrs. Harriett Dennis. Quant à Théodora, elle était au septième ciel, surtout quand, dans le serein, elle s'asseyait sur le balcon pour bercer son petit-fils et lui farcir l'esprit des histoires dont se régalent les nègres des plantations. Une seule ombre à son bonheur! Son fils ne se souciait pratiquement pas d'elle! Aux repas, il prenait place en face d'elle de l'autre côté de la table de chêne et mastiquait lourdement. En revenant du magasin, il s'enfermait dans une pièce du premier étage qu'il appelait son bureau et, quand elle frappait timidement aux montants de mahogany pour réclamer un peu de monnaie, elle le trouvait bourru, retranché derrière La Voix du Peuple. Ah non, ce n'était pas le genre de vie qu'elle avait attendu!

Ce qu'elle ignorait, Théodora, c'est que son fils vivait ses jours à travers un brouillard de souffrance, fait d'humiliation et de regrets, et adressait constamment derrière le rempart des lèvres serrées sous la moustache une supplique à l'enfant.

– Venge-moi! Venge-moi de tout cela! Est-ce ma faute si leurs pères ont appris à lire avant le mien? Est-ce que nous ne sommes pas tous sortis du même ventre, *bossales*[1] à la queue leu leu, avant d'être dispersés pour féconder les mornes? Venge-moi de leurs rires! Pourquoi suis-je revenu dans ce pays sans femme et sans ami? Ils dorment sous la terre, ces deux-là que j'ai aimés...

« J'habitais à Chinatown dans l'odeur du gingembre et du poivre. Ma fenêtre s'ouvrait sur des boutiques aux noms célestes *Paix et affluence, Foi et Charité*. Le soir, je me roulais dans les délices de l'opium ou bien j'allais perdre mon argent dans la fumée des *tongs toys*[2]. Ici, j'arpente la solitude! »

X

L'ENFANT, fluet, marchait sur ses dix ans. Un jour qu'il revenait de l'école, il vit une file d'hommes piétiner le long du canal Vatable. Tous très jeunes, visiblement du même âge, vêtus d'uniformes kaki et conduits par quelques Blancs aux oreilles rouges comme il se doit. Tout surpris, il interrogea un badaud, planté en terre à côté de lui :

– Qu'est-ce que c'est?

L'homme le regarda :

– Ce sont des soldats!

– Des soldats!

– Oui, petit couillon, des soldats! Tu ne sais pas que c'est la guerre en métropole?

1. Esclave non baptisé fraîchement descendu du négrier.
2. Sorte de loteries.

Oui, l'enfant avait vu dans son livre d'Histoire de France des soldats sur les champs de bataille napoléoniens. Mais ils n'étaient pas noirs d'abord et ne ressemblaient nullement à ces jeunots-là, boitant au pas!

Il entra en courant chez lui et hurla :

– Bonne maman, j'ai vu des soldats. Il y a la guerre en métropole...

Malheureusement, Albert, qui à cette heure aurait dû se trouver dans son magasin à compter son avoir, s'entretenait avec l'ébéniste Narcisse à qui il commandait une armoire. En entendant l'enfant, il pirouetta aussi vite que le lui permettait sa mauvaise jambe, le saisit par la peau du dos et lui administra trois soufflets à travers la figure :

– Guerre ou pas guerre, tout ça c'est des affaires de Blancs! Et puis que je ne t'entende plus appeler la France, la métropole.

L'enfant essuya le sang qui coulait de sa bouche. Pour la première fois, il osa soutenir le regard de son père avant de se jeter dans l'escalier qui menait au deuxième étage. Dans sa chambre, il s'abattit sur son lit mordant son oreiller et sanglotant :

– Je le hais! Je le hais!

XI

« San Francisco le 24 mars 19**

Très cher Albert,
Notre petite communauté vient encore de s'agrandir. Trois nouvelles familles sont arrivées de l'Alabama. Elles ont traversé tout le pays en carriole traînée par des mules, voyageant de nuit et se terrant de jour tant elles craignaient pour

leur vie. *La semaine dernière, le révérend Kelly a procédé à près d'une douzaine de baptêmes et le spectacle de la congrégation en robe blanche, battant des mains et chantant ce gospel que vous aimiez tant,* Jesus is my Lord, *était merveilleux.*

A part cela cependant, les choses vont plutôt mal pour nous. Tout le personnel noir a été chassé du Palace Hotel par décision raciste de la nouvelle direction. Nos hommes sont sans ressources et nos femmes doivent faire double tâche. Comme il nous devient impossible de trouver à nous loger en ville, nous avons dû traverser la baie et nous fixer à Oakland[1]. L'endroit est marécageux en certaines places, très boisé en d'autres, mais nous ne reculons pas devant la peine. Nous avons déjà fait sortir de terre une église, une école pour nos enfants, un dispensaire pour nos malades. Un représentant de la NAACCP est venu de Los Angeles et nous a encouragés dans nos efforts. Compte tenu, nous a-t-il rappelé, de ce qui se passe dans le reste du pays, la Californie demeure un paradis. Avez-vous entendu parler des massacres de East Saint Louis où des centaines des nôtres ont péri? Peut-être de tels événements n'ont-ils aucun écho dans votre lointaine Guadeloupe!

Je prie pour vous chaque jour de ma vie. Si un homme mérite un peu de bonheur, c'est bien vous.

Votre affectionnée Harriett. »

C'est la seule lettre d'Harriett que j'aie retrouvée dans les papiers de mon aïeul. Il semble cependant qu'ils aient correspondu jusqu'à la mort prématurée de cette dernière en 1936.

1. Futur berceau des Black Panthers.

XII

Un matin de mars, et il était revenu à La Pointe depuis un peu plus d'un an, Albert entra dans la chambre de Théodora, qui respirait de l'alcali volatil pour laver le sang de sa tête, et lui dit :

– Maman, je vais me marier.

C'est pour sûr que Théodora se trouva mofoise ! Elle bégaya :

– Comment ça ?

Albert ne répondit pas vraiment à la question, poursuivant :

– Elle s'appelle Elaïse Sophocle. Elle est institutrice.

Quand l'enfant revint de l'école à quatre heures, il trouva Théodora, les yeux violacés et gros comme des œufs de canne. Il frémit :

– Qu'est-ce qu'il t'a fait ?

– Marier ! Il veut se marier !

Elaïse Sophocle vint le lendemain à six heures tapantes faire la connaissance de sa future belle-mère et de son futur beau-fils. Elle était accompagnée de sa mère qui portait mouchoir, mais robe à l'européenne. Elle n'avait guère plus de vingt ans et, à première vue, paraissait laide, insignifiante, le corps emprisonné dans une robe d'un bleu malgracieux, son épaisse chevelure bien graissée tirée en arrière et roulée en un chignon fiché d'épingles en écaille. Mais quand elle avait le courage de relever la tête et d'offrir son regard d'un marron plus clair que sa peau de nuit veloutée, quand sa bouche s'étirait en un sourire plein d'ombre et de douceur, alors on savait que celui qui en faisait l'acquisition se dotait d'un bijou.

Comme Louise Sophocle, la mère, entamait la conversation en créole, Théodora la remit dans le chemin du français pour lui rappeler dans quelle famille sa fille entrait. A dater de ce moment-là, les deux femmes se haïrent et ce fut une lutte à mort autour du berceau des enfants à naître.

Elaïse Sophocle était la fille naturelle d'un des premiers hommes politiques de notre pays, celui-là que battit à plates coutures Légitimus quand il fut élu député et qui en conçut tant de dépit qu'il se retira à Capesterre pour faire l'élevage de poulets. Son père ne s'était jamais soucié d'elle et Louise, méritante, l'avait élevée en vendant des gâteaux patates et des gâteaux marbrés derrière la cathédrale Saint-Pierre-et-Saint-Paul. On s'étonne que ces commerces-là rapportent de quoi faire d'une fille une institutrice! En tout cas, Elaïse Sophocle fut l'une des premières de sa génération à obtenir le brevet élémentaire qui donnait alors accès à l'enseignement.

Assise dans sa berceuse dans le petit salon de sa maison, rue Rouget-de-Lisle, Louise, la mère, avait vu de nombreux hommes défiler pour lui demander la main de sa fille. Elle les avait écoutés poliment avant de mener son enquête sur leurs comptes en banque et leurs promesses d'avenir. Puis elle leur avait donné sa réponse. Invariablement négative. Ce manège durait depuis deux ans, et les gens commençaient de rire en prévoyant qu'Elaïse finirait par rapporter à sa mère un ventre à crédit, quand Albert était venu prendre place dans le salon exigu et encombré. Elaïse n'avait pas été consultée. Un jeudi où elle se permettait une grasse matinée, Louise, lui portant son bol de café, lui avait dit :

– A quatre heures, Albert Louis vient te parler.

Et elle avait compris ce que cela signifiait.

La cour d'Albert dura exactement trois mois. Il rentrait faubourg Frébault pour se changer ayant sué tout le jour dans ses costumes noirs et revenait à petits pas vers la rue Rouget-de-Lisle, s'arrêtant chez Mélanie pour acheter des chadèques ou des « pistaches » bien grillées qu'affectionnait Louise, la mère.

Il n'adressait pas un mot à Elaïse, sachant qu'il aurait des années faites de mois, de semaines, de jours, d'heures, de minutes et de secondes à passer à côté d'elle, qu'il faudrait meubler de paroles. Et elle n'osait penser au terrible moment où il faudrait se mettre nue devant ce redoutable inconnu et le laisser déchirer la chair peureuse de ses cuisses.

L'annonce des fiançailles d'Elaïse et d'Albert Louis défraya la chronique. Si douteuse était la réputation d'Albert que le R.P. Altmayer, qui avait préparé Elaïse à la première communion et, semaine après semaine, le jeudi, avait confessé ses péchés de jeune fille, sortit de son presbytère pour mettre Louise, la mère, en garde contre la tentation de vendre son enfant. Victor Achille, employé des contributions directes, qui, fou d'amour pour la fille, désespérait d'offrir à la mère un compte en banque de nature à la satisfaire, tomba raide, foudroyé par une attaque, et sa paralysie fut imputée au kimbwa d'Albert.

La semaine précédant le mariage, il plut sans discontinuer et la rivière aux Herbes qui coupe La Pointe d'un filet d'eau morose enfla et vint déverser dans la mer des torrents boueux. Puis, le dimanche de la noce, le ciel s'étendit au-dessus des maisons sans un nuage tandis que le nouveau-né du soleil venait rire de sa bouche édentée et baveuse.

Sur un des murs du salon de la maison de la rue du Faubourg-d'Ennery, celle-là même où a grandi ma mère, est fixée la photo de ce mariage et je pense qu'elle l'a regardée sans la voir comme ces objets trop familiers auxquels nous ne prêtons aucune attention. Albert si grand à côté d'Elaïse si petite. Albert si sombre à côté d'elle si lumineuse, investie de cette beauté qui ne devait plus la quitter. Albert englué dans ses souvenirs d'humiliations et de souffrances. Elle espérant malgré tout voir sourire une aurore de gazouillis d'enfants.

A la fin de l'après-midi, pendant que le Feneteau-Les-Grappes-Blanches se vidait par dames-jeannes, Albert monta dans un tilbury avec Elaïse et prit le chemin de Port-Louis où sa sœur Maroussia et son maître voilier possédaient une maison.

Or, il se trouvait que la maison d'en face était dans le deuil, un télégramme du ministère de la Guerre ayant annoncé la mort du fils aîné.

Gaston Philibert. Vingt-trois ans.

Un des 1 637 Guadeloupéens ensevelis dans la boue des tranchées de 14-18 sans savoir pourquoi.

Quand Albert apprit pourquoi cette maison était tendue de noir et les femmes en pleurs cependant que les hommes se soûlaient mélancoliquement, il partit comme un fou dans la direction de la mer. Il ne revint que sur le coup de minuit, puant le rhum agricole, pour prendre d'assaut le corps fragile et d'instinct rebelle d'Elaïse. Un beau sang rouge tacha le mitan du lit et du même coup fut conçu mon grand-père Jacob! Jacob! Un prénom de Libanais et il fallait être une créature de l'insolite comme Albert Louis pour baptiser ainsi son premier-né! Jacob, aîné des garçons que devait porter Elaïse et qui eurent nom successivement après lui Serge, René, Jean!

Liza la morte ragea et pleura beaucoup cette nuit-là, elle qui n'avait jamais rien redouté. Car elle le sentait, l'amour naissait entre ce couple mal assorti, un amour qui ne devait jamais se trahir en mots ni s'épancher en mièvreries. L'amour quand même, fort comme la vie!

XIII

Jusqu'alors, l'enfant avait été fluet et de petite taille. Brusquement il se mit à forcir et grandir. Il dépassa Théodora de deux têtes, Elaïse d'une tête et vint se planter droit comme un *iroko*[1] à hauteur d'Albert vers lequel il n'eut plus besoin de lever les yeux. Paradoxalement, c'est à ce moment-là que tous commencèrent de l'appeler de ce surnom que lui avait forgé l'affection d'Elaïse. Bert.

Bert était élevé selon de rigoureux principes qui présentaient cette particularité de n'être jamais énoncés et néanmoins devaient le guider comme autant d'invisibles signaux.

Il ne fallait fréquenter ni les Blancs ni les mulâtres. Les Blancs étant les ennemis naturels et les mulâtres d'odieux bâtards ayant hérité de l'arrogance de leurs pères et oublié qu'ils sortaient de ventres de négresses.

Mais surtout, il fallait fuir les autres nègres, car de toute éternité les nègres ont haï leurs semblables et cherché de toutes leurs forces à leur nuire!

Il fallait donc vivre seul. Superbement seul.

Aussi, Bert se réfugiait dans la lecture. Depuis le matin quand il ouvrait sa fenêtre pour ne pas rater le premier rayon du soleil jusqu'au moment où Théodora l'appelait:

— Doudou, j'ai fait un ti di té!

1. Arbre.

Dès son retour de l'école au lieu d'apprendre ces ennuyeuses déclinaisons « *Rosa Rosam Rosae...* » jusqu'au moment où Elaïse l'appelait :

– Tu as fini tes devoirs?

Et après le dîner au cours duquel il s'efforçait d'ignorer le méthodique va-et-vient des mâchoires de son père broyant sans mot dire le poisson frit, le gratin de christophines ou la fricassée de poulet pour fixer le ventre lourd de promesses d'Elaïse et son sourire soleil.

Deux événements se produirent cette année-là à la suite desquels il ne fut plus le même, entrant doucement en adolescence.

Chaque semaine, Théodora allait encaisser les loyers du lakou de son fils et lui ramenait la recette directement au magasin où il possédait un coffre-fort. Elle lui transmettait aussi les doléances des occupants auxquelles d'ailleurs il ne prêtait jamais attention. Un samedi, sous prétexte que ses vieilles jambes ne pouvaient pas la porter, elle envoya Bert à sa place. Bert ignorait que son père possédait un lakou et, plein d'une étrange appréhension, tra-versa la ville en diagonale, sourd aux sollicitations des marchands de sinobol, s'arrêta dans la Darse pour regarder les voiliers de Marie-Galante et repartit shootant un caillou.

Le lakou s'ouvrait sur la rue par un boyau puant, resserré entre deux cases. Comme il avait plu la veille, on avait jeté une passerelle en plan-ches sur la gadoue et gare à celui dont le pied flanche! Cela menait à un quadrilatère de deux étages en caisses à savon, ceinturé d'un balcon où grouillaient des femmes occupées à cuisiner, des enfants au sein ou dans les jambes, mégères féro-ces et édentées qui à la vue de Bert appelèrent leurs hommes en maillots de corps, vautrés à l'intérieur. Bert suffoqua. Déjà cris, rires et injures fusaient :

– *Vini pou mwen kasé grin-aw[1]!*

Ce qui se passa ensuite amena en l'esprit de Bert pourtant peu religieux des images du Chemin de Croix de Jésus, fils de l'Homme. Il lui fallut recevoir l'argent quand on voulut bien le lui donner, le compter, distribuer les reçus préparés à l'avance sous la dure grêle des quolibets et des insultes. Dix fois, Bert faillit s'évanouir. Dix fois, il faillit se pencher par-dessus la balustrade pour vomir son dégoût et sa haine de son père. Il parvint à se dominer. Quand, mission terminée, il s'engageait dans le corridor menant à la rue qui brillait comme la Terre promise, une pierre le frappa en plein dos et le fit hoqueter le sang. Il se retourna et vit un malabar s'avancer vers lui. Il prit ses jambes à son cou.

– Il faut que je le tue. Que je le tue! Seul son sang me lavera de ce qu'il m'a fait aujourd'hui!

Pourtant, un garçon de onze ans peut-il tuer son père?

Ivre de rage et de douleur, Bert entra comme un bolide dans la maison paternelle, escalada l'escalier et, sur le palier du premier étage, se heurta à Mme Labasterre, la sage-femme, et à Théodora dont les pauvres jambes étaient miraculeusement guéries et qui exhibait dans un large sourire ses dents en or :

– Viens pour le voir!

Il se laissa entraîner dans la chambre à coucher d'Albert et d'Elaïse où il n'avait jamais pénétré, ignorant que les meubles de coubaril en occupaient tout l'espace et que les guéridons étaient encombrés de photographies dont l'une représentait son père jeune et tête nue à côté d'un homme au visage ouvert et souriant dans une rue inconnue où se tenaient debout des enfants asiatiques, vêtus

---

1. « Approche que je te casse les couilles! »

comme des Jésus Christ-Rois. Dans le lit, large comme la rue Frébault, tout comme la poitrine d'Elaïse lasse et belle de sa lassitude même, il vit dans un empaquetage de dentelles, de broderies anglaises et de toile de lin le minois triangulaire et maussade d'un chaton aux poils mouillés. Elaïse murmura :

– Embrasse-le !

Il ne le put et, toute sa vie, il devait porter en lui le remords de ce baiser refusé à son frère nouveau-né.

XIV

JUSQU'ALORS, Liza avait laissé son fils en paix. Soudain elle commença de le tourmenter. Il s'éveillait la nuit pour la trouver soupirant et pleurant à fendre l'âme au pied de son lit. Quand il essayait de se plonger dans une lecture, elle étendait sa main en travers de la page et les caractères se brouillaient devant ses yeux. Quand il riait, elle le frappait vicieusement au creux de l'estomac et son rire se changeait en sanglots. Il se mit à redouter l'ombre. Il se mit à peupler le silence de voix audibles pour lui seul. Et désormais, on le vit, raide, aux aguets, sursautant au moindre bruit, guettant son invisible bourreau. Il maigrit, il s'allongea encore. Ses traits se creusèrent et tout le monde mit cela au compte de la puberté.

Je vais hasarder une explication. Liza n'avait pas pris ombrage de l'amour que son fils portait à Théodora. Au contraire. Elle se réjouissait de le voir adulé, pomponné, fantasque et capricieux. Malgré l'âge, Théodora mettait ses genoux en terre et portait sur son dos l'enfant qui la fouettait avec de grands éclats de rire. Mais Liza ne put supporter l'affection de son fils pour celle qui déjà lui avait pris son homme. Bert adorait Elaïse.

Comment faire autrement? Son mari avait deux fois son âge. Il lui faisait l'amour sans plus lui parler qu'au courant de la journée. Chaque semaine, il lui remettait une somme dérisoire pour les besoins d'une famille sans cesse grandissante et elle devait utiliser jusqu'au dernier sou son salaire d'institutrice de quatrième classe. En dépit de tout cela, Elaïse exsudait la tendresse comme une fleur, le parfum. Il lui suffisait de poser sur un malade ses mains fines et veinées pour que toute douleur disparaisse et que s'installe la paix. Le dimanche, elle chantait si suavement à l'église où elle se rendait seule avec ses enfants, Albert refusant de l'accompagner, qu'on la priait de mettre son don au service de la communauté et de participer à ces associations artistiques, « La Torche », « Le Flambeau », qui commençaient de se créer parmi le corps enseignant.

Elaïse était l'eau de la source, le petit vent qui se forme au-dessus de la mer et vient répandre sa fraîcheur sur des fronts suants. Elle était la flûte des mornes taillée dans le bambou, qui croît au bord de la rivière. Oui, Bert l'adorait!

Comme tous les gens de La Pointe d'ailleurs!

A sa mort, ils s'écrièrent avec ensemble :

– Ah oui, la femme d'Albert Louis, c'était un ange du bon Dieu...

Et les rues s'emplirent des enfants en robes blanches, les mains pleines de roses et de lys de l'école qui porte aujourd'hui son nom :

– Ah oui, c'était une enfant du Bon Dieu! Chaque diable en Enfer a son ange. Elle était celui d'Albert...

Ne voilà-t-il pas que dans sa perversité jalouse de défunte Liza vint truffer l'amour de Bert de rêves de chair et d'inceste, le faisant loucher vers les beaux seins qu'Elaïse dénudait pour allaiter Jacob, épier son corps quand chaque jeudi elle prenait son bain dans la cour, Théodora lui frottant les épaules et le dos d'un bouchon de feuillages et s'éveiller les cuisses humides après de fiévreuses dérives. Le pauvre Bert n'en pouvant plus, épuisé par ces désirs du corps qui n'entendaient pas raison, gémit un jour :

– Quel malheur que tu ne sois pas ma mère!

Elaïse, se méprenant, virevolta sur ses botti- nes :

– Tais-toi! Ta mère était... Ta mère était...

– Qui était-ce en vérité?

Elaïse prise de court rassembla les rares élé- ments de connaissance dont elle disposait et mur- mura :

– C'était une négresse anglaise que ton père avait connue à Panama...

La phrase fut magique. Désormais, la morte entra dans la vie de son fils qui partagea ses rêves entre deux femmes. Si la vivante était sereine, posant la main sur son front pour calmer ses terreurs, la morte était violente, toujours irritée, et l'adolescent, tour à tour doux et exalté, docile et révolté, ne savait plus à quel saint se vouer.

Quand Albert apprit par son journal favori qu'al- lait se tenir à Paris un vaste Congrès réunissant les délégués de tous les peuples noirs de la terre, de l'Afrique aux Amériques, il perdit la raison et le jugement. Lui qui avait observé une réserve à la fois orgueilleuse et prudente, il écrivit aux hommes politiques qui devaient se rendre à ce Congrès pour les assurer de son soutien dans cette exaltante mission de réhabilitation de la race déchue et pour leur offrir humblement de les accompagner, malgré son peu d'instruction. Pendant deux longues semaines, ses lettres restèrent sans écho.

Puis, avec un ensemble parfait parurent dans *La Vérité*, *Le Libéral*, *Le Citoyen*, *Le Peuple*, c'est-à-dire les grands journaux de l'époque, toutes tendances confondues, des articles d'une rare violence dénonçant un Shylock qui prétendait se vêtir des oripeaux de l'ami du peuple, un exploiteur qui prétendait changer de camp. Sans jamais nommer Albert, ils peignaient le magasin où peinaient trois employés sous-payés, la triste promiscuité du lakou dont les toits prenaient l'eau et les cloisons les poux de bois, les comparant à la magnificence de la maison de la rue du Faubourg-d'Ennery.

En particulier, l'éditorialiste du *Peuple* concluait par ces mots : « Qui prétend-on tromper ? Un exploitateur n'a pas de couleur. Il n'est ni noir ni blanc ni mulâtre. Les Guadeloupéens, qui depuis qu'ils ont quitté la nuit de l'esclavage ont tant de fois donné la preuve de leur maturité politique, ne se laisseront pas abuser par des mascarades. A bon entendeur salut ! »

Comme si ce n'était pas suffisant, dans le devant-jour, alors que par les rues ne trottinaient que des vieilles filles et des vieilles femmes rats d'église se hâtant d'aller confier leurs souffrances à l'Eternel, des hommes de main vinrent décharger une tinette pleine à ras bord devant le magasin. Une main venimeuse souilla entièrement la plaque de bakélite. Quand le premier employé vint lever le rideau, il patina dans la merde et se précipita pour avertir Albert qui prenait encore son café chez lui, lui évitant ainsi d'en faire autant.

Comme après la mort de son ami Jacob, Albert décrocha sa carabine rouillée et parla de descendre hommes politiques et journalistes. Puis sa fièvre tomba et il s'enferma. Pendant une semaine entière, Elaïse dut tambouriner et supplier à la porte de son bureau afin qu'il accepte un peu de nourriture. Puis il sortit de sa tanière.

La campagne de presse de 1920 acheva de modifier le caractère de mon aïeul qui à nouveau mérita pleinement le surnom de Soubarou. Personne n'entendit plus le son de sa voix. Ses conversations se réduisirent à deux ou trois grognements plus ou moins brefs qui signifiaient sa satisfaction, son impatience ou sa colère. C'est paradoxalement à cette époque qu'il prit l'habitude, une fois postée la lettre à Harriett Dennis, d'entrer au *Dona Flor*, la nouvelle boutique de fleuriste, et d'acheter à son Elaïse un bouquet d'orchidées.

Les enfants se mêlent rarement des querelles d'adultes.

Au lycée, on laissait la paix à Bert même si on lui faisait place à part. Néanmoins, quand on sut que des hommes de main avaient déversé des kilos d'excréments sur le trottoir du magasin de son père, cette trêve fut rompue. Comme il apparaissait sous les manguiers de la cour, les élèves s'exclamèrent avec ensemble :

– Oh, que ça pue!

Bert vacilla, puis alla s'asseoir sur un banc, les yeux perdus dans le lointain. Quand la cloche sonna, il se leva. Au fur et à mesure qu'il approchait de l'emplacement réservé à sa classe, les gamins s'éparpillèrent dans tous les sens, se bouchant le nez et hurlant :

– Oh, que ça pue!

Bert, vaincu, les épaules voûtées sous le poids de la honte du père, se dirigeait vers la sortie quand Gilbert de Saint-Symphorien se détacha de la mêlée et tonna :

– Ce n'est pas lui qui pue! C'est vous, c'est votre sale engeance de parents!

Ce fut là le début d'une amitié qui devait durer toute la vie. Gilbert de Saint-Symphorien était un mulâtre, fils d'un avocat tellement adulé que le pays tout entier l'appelait « Sympho ». Il passait pour libéral parce qu'il avait évité la geôle à de pauvres hères voleurs de bœufs ou d'ignames et tarabiscoté un *béké*[1] soupçonné du viol et du meurtre d'une servante. En fin de compte, c'était un amoureux transi qui avait commis le forfait, mais l'audace de Sympho était demeurée légendaire. Contrairement à ce qu'on aurait pu attendre, Gilbert, entièrement livré à lui-même, était un chenapan. Un driveur, disait en soupirant celle qui l'avait baptisé. Le jeudi, il cachait son cartable et son violon derrière un sablier de la place de la Victoire et, au lieu de s'enfermer chez Mlle Artémis, partait en diagonale ou droit devant lui. Le voilà maître des trottoirs, drapeau au vent des rues, le short de drill vite maculé, les chaussettes en tire-bouchon et ses beaux cheveux bouclés le couronnant en tignasse de gamin arabe tandis que ses dents laiteuses riaient dans son visage à peine basané. Bert, jusque-là boutonné jusqu'au col, commença à se défaire et le suivit, peur panique au ventre à l'idée de tomber nez à nez sur quelque ami de son père ou d'Elaïse.

Je retrouve nos deux lurons chez Loretta, une *dame-gabrielle*[2] mûre, mais qui les aimait adolescents. Oh, elle se souvient !

— Bert était tellement honteux qu'il entrait dans le lit, la tête et la queue basses ! Un mal de chien à le faire se mettre à l'équerre ! Je lui faisais honte et lui disais : « Tonnerre de Dieu ! Tu oublies donc que tu es un nègre ! »

Ce qu'elle ignorait, Loretta, c'est que Bert lui faisait l'amour en songeant à Elaïse, désespérant

1. Blanc créole, descendant des planteurs.
2. Prostituée.

de prendre la place du père et de s'abreuver à cette source-là.

– Ah! quel goût il aurait l'amour avec elle! Entre ses draps, contre sa peau! Au lieu de ce corps qui lâche de toutes parts, le sien si ferme malgré les maternités et les coupes débordantes de ses seins!

Je retrouve aussi leur trace à Gosier. Depuis les bars où les pêcheurs se rincent la gorge au 55° et suçotent des mégots aussi bruns que leurs chicots jusqu'aux terrains de boxe, Gilbert, fils d'avocat, petit-fils de greffier, rêvant de se faire un avenir dans ce domaine. Allez y comprendre quelque chose! Bert forci, mais pas trop costaud tout de même, regarde son ami rebaptisé pour l'exploit Sonny se faire démolir et essuie de son mouchoir le sang de son nez.

Je les vois enfin dans un canot chargé de victuailles ramant vers l'îlet.

Puis M. et Mme de Saint-Symphorien, lassés des zéros à l'encre rouge de leur fils et voyant poindre la honte pour leur nom, expédient Gilbert dans un lycée à Paris. Les deux amis s'écrivent tous les jours.

> *« Mon cher Bert,*
> *Tu ne peux t'imaginer la ville qu'est Paris. Notre petite La Pointe que nous chérissons tous y figurerait à peine un quartier. Un fleuve sur lequel se pressent des chalands la coupe en deux et des pigeons venus du monde entier se perchent sur ses monuments. La nuit n'y tombe pas et à près de minuit, le ciel est traversé de lumière. Comme tu me manques...! »*

Bert dormait avec ces lettres sous son oreiller de peur qu'elles ne tombent aux mains du père. Quelle histoire! Lui, l'ami d'un mulâtre, et quel mulâtre! Sûrement un de ceux qui avaient déchaîné les chiens de la presse locale!

C'est à cette époque qu'Albert acheta à un planteur ruiné par la chute des cours du sucre qui suivit l'après-guerre une demi-douzaine d'hectares à Juston. Une bicoque en bois du Nord s'y élevait, et désormais le samedi il emmena son fils pour faire la chasse aux rats qui y avaient élu domicile. Il s'agissait d'appâter les rongeurs et, une fois qu'ils avaient pointé le museau hors de leur tanière, de leur fracasser la tête d'un coup de gourdin. Ensuite, on brûlait les cadavres sur un boucan. A chaque fois, Bert manquait s'évanouir, serrant les dents pour ne pas rendre boyaux et tripes. Il avait beau courir jusqu'à la Sanguine qui maraude aussi par Juston, il ne pouvait effacer cette odeur de vermine, de sang et de carne roussie.

Au cours de ces nuits sans lune et sans silence de Juston, dans le couinement des chauves-souris, le coassement des grenouilles et le chant enragé de la mer, Liza et Elaïse se livrèrent un rude combat. Quand Bert, plein de fièvre, s'allongeait sur Elaïse et s'apprêtait à ne faire qu'un avec elle, Liza hors d'elle-même lui décochait un coup vicieux à la base du dos et lui ôtait toute idée de plaisir. Quand il se lovait contre l'épaule de la première pour bégayer la morosité de ses jours, la seconde, du coude, lui mettait la bouche en sang et il restait dans le noir à haleter. Parfois, ne pouvant trouver le sommeil, il sortait sous la galerie. La noirceur l'enserrait. Les récits de plantations dont Théodora l'avait abreuvé faisaient la ronde dans sa tête et il ne se fiait plus ni à ses yeux ni à ses oreilles. Etait-ce le battement du gwoka ou celui des ailes des volants? Ce clignotant, était-ce celui d'une bête à feu ou d'un esprit ayant perdu la route? Qu'est-ce qui était tapi au faîte de l'ylang-ylang? Brusquement trois crapauds détalaient et, souffle coupé, il se précipitait à l'intérieur où Albert, qui pour raccourcir les heures avait vidé force rhum agricole, ronflait comme une toupie. Ce vacame ne le rassurait pas et il attendait le lever des étoiles blanches du matin.

XV

A LA différence de douze de ses enfants sans père reconnu, Nirva, une des sœurs d'Albert, avait une fille, Létitia, née de l'imprimeur Jean Repentir, lui-même fils de l'imprimeur Jean Repentir. Comme sa femme, malgré deux pèlerinages à Lourdes et des neuvaines à Notre-Dame-du-Grand-Retour, sans parler de potions et décoctions diverses avec les plantes de son jardin, n'avait pu le rendre légitimement père, Jean Repentir tenait à sa Létitia comme à la prunelle de ses yeux. Hormis son nom, il lui avait tout donné et avait fait d'elle à seize ans une élève, assez médiocre à la vérité, au cours secondaire de jeunes filles de La Pointe. Un jour que Létitia, revenant de l'école, flânait, peu pressée de rentrer chez elle pour entendre bougonner Nirva dont le lolo périclitait, elle croisa un garçon qui lui jeta :
– Votre nom ou je meurs !
Elle pressa le pas.
Ce garçon, frère cadet d'un conseiller municipal, se nommait Camille Désir et était maître répétiteur au lycée. Il était comme son frère et son père franc-maçon de la loge « Les Elus d'Occident ».
De son mariage avec Létitia date l'arrêt des hostilités contre mon aïeul Albert.
La noce eut lieu dans la maison de la rue du Faubourg-d'Ennery qui de ce jour prit sa place

parmi les demeures notoires de notre ville, rassemblant pour la première fois en la personne des alliés et amis des Repentir et des Désir des notables reconnus ayant banc à la cathédrale et tombeau au cimetière. Tout cela venait trop tard pour Albert qui monta à son bureau et s'y enferma. Camille Désir, qui, au travers des calomnies qu'il avait entendues sur lui, s'était fait son idée sur le personnage, vint l'y rejoindre et le trouva col ouvert, une bouteille de rhum dont il buvait au goulot. Mystérieusement l'amitié flamba entre ces deux hommes apparemment peu faits pour s'entendre et que tant d'années séparaient. Camille Désir inaugura dès ce jour-là sa fonction de confident mentor.

– Je ne suis pas à ma place parmi ces fumeurs de havanes, brodeurs de français français et marieurs de femmes à peau *chappée*[1] ! Je suis une igname Grosse Caye, noire comme la terre dont elle sort. J'aime ma race et je veux la perpétuer...

– Moi non plus, quoi que tu en penses, je ne me sens pas pareil à eux. Je suis un communiste. As-tu lu Marx ?

Albert n'avait jamais entendu ce nom-là et s'entendit conter avec incrédulité que la race ne comptait pas, car seule importait la classe. Il secoua vigoureusement la tête :

– Non, non, non ! On me hait parce que je suis un nègre !

Ce devait être le début d'empoignades sans fin entre les deux hommes.

Pour l'heure, ils baptisèrent leur amitié nouveau-née dans le rhum agricole et Camille Désir redescendit fin soûl prendre livraison de sa nouvelle épouse. Non sans avoir entendu un long discours sur Marcus Garvey.

1. Peau claire.

– Cet homme-là disait des choses que je n'ai jamais entendu dire à personne. « *I shall teach the Black Man to see beauty in himself.* » Tu sais l'anglais? Tu sais ce que cela veut dire? Que la race noire est belle. Qu'elle est grande. Qu'elle étonnera le monde.

Camille haussait les épaules.

– Que chantes-tu là? Ce sont les prolétaires de toutes couleurs qui un jour prendront leur revanche et étonneront l'univers! (Débat qui n'est pas encore résolu!)

Le vieux cœur de Théodora ne supporta pas la fierté que lui causait le mariage de sa petite-fille avec un homme muni d'un tel bagage intellectuel. Il céda. Deux jours après la noce, elle tomba en travers de son lit et ne put se relever. Comme Elaïse s'affolait, elle lui souffla, négligeant de se déchirer la bouche avec le français :

– *Sé douvan zot kalé à pwezen. Mwen pé pati*[1]!

Elle passa avec un sourire de félicité.

On crut qu'Albert allait devenir fou.

Lui qui depuis son mariage n'adressait plus la parole à Théodora, n'ayant plus besoin de lui remettre l'argent de la semaine, enfourcha un cheval et disparut au grand galop. On le chercha vainement à Juston. On battit les sous-bois. On remonta la trace Victor-Hughes jusqu'au pied de la Soufrière en inspectant chaque monticule de terre grasse au pied des fougères arborescentes. On brûla des champs de canne pour éventuellement l'en déloger comme une mauvaise bête. On désespérait quand il resurgit, les yeux rouges comme des piments cayenne et l'haleine à tuer la mouche, au milieu des parents, alliés et amis correctement endeuillés!

1. « Vous allez de l'avant. Je peux partir! »

Elaïse, qui connaissait son homme, avait insisté pour qu'on garde le cercueil ouvert et on le ferma en sa présence. Comme on vissait le dernier clou et que le vieux visage débonnaire disparaissait à jamais, il tomba à genoux.

Personne ne prêtait attention à Bert debout dans un coin, un brassard entourant sa manche droite.

L'adolescent vivait ses jours dans une solitude extrême. Elaïse, qui venait de mettre au monde son second garçon, mon grand-oncle Serge, partageait son temps entre les biberons d'eau de riz pour prévenir les diarrhées et les poudrages de farine moussache pour éviter l'urticaire. Aussi n'avait-elle plus guère le temps que de lui effleurer le front de baisers légers et distraits comme des oiseaux fou-fous.

Au lycée, comme les maîtres l'interrogeaient rarement, il passait des heures sans ouvrir la bouche. Pas un ami. Gilbert s'étiolait dans son pensionnat à Paris et ses lettres longues cependant de dix pages ne compensaient pas son absence.

Il ne lui restait que cette vieille présence constamment adorante. Voilà qu'elle l'abandonnait à son tour et qu'il était seul.

Seul au monde.

Aussi, il tenta de surmonter l'aversion que son père lui causait et de se rapprocher de lui. Le samedi, il serrait les dents et mettait à mort les rats. Une nuit où Liza le tourmentait plus qu'à l'accoutumée, il alla chercher un souffle d'air sur la galerie au côté d'Albert dont la pipe rougeoyait dans le noir. Albert ne tourna pas la tête dans sa direction. Néanmoins, au bout d'un moment, sa voix grinça :

— Comme tu me vois là devant toi, tu crois que j'ai une roche au cœur ? C'est que tu ne sais pas par où je suis passé! Ils ont tué ma femme, ta mère. Ils ont tué mon ami, mon frère. Qui eux? Mais les Blancs! Ce sont des démons, ne t'approche jamais d'eux. Ne souille jamais ton sang avec le leur! Ah, j'étais comme un zombie! C'est elle, Elaïse, qui m'a mis une pincée de gros sel sur la langue et j'ai recommencé à faire comme les vivants! De l'argent! Des enfants! Tu fais de l'anglais à l'école? Alors traduis : « *I shall teach the Black Man to see beauty in himself...* »

Puis Albert se leva et laissa Bert estomaqué, se demandant si ce n'était pas un tour que la nuit lui jouait! Il se hâta d'écrire à Gilbert qui répondit par retour du courrier :

   « *Mon cher Bert,*
   Je ne sais où tu as déniché cette phrase. En tout cas, elle est belle et signifiante. Veux-tu que nous en fassions notre devise?
   Ton ami qui t'aime
   Gilbert. »

Le rapprochement entre le père et le fils tourna court.

Une polémique dont les journaux locaux se firent abondamment les échos vint ranimer le brasier des espérances d'Albert et le rendre hargneux, indifférent à tout autre que lui-même. L'intellectuel noir américain Du Bois, le député sénégalais Blaise Diagne et un député guadeloupéen se disputaient sur le soutien qu'ils devaient apporter aux idées de Marcus Garvey. Marcus Garvey! C'est ainsi qu'Albert apprit que son idole était vivante, bien vivante! Tout le reste importait peu, la tenue de Congrès dit panafricain à Londres, Bruxelles, Paris, les torrents de flatterie déversés sur le député guadeloupéen, « leader des Français noirs » et patati et patata. Seule comptait cette information :

Marcus Garvey était vivant à New York. Il pressa Camille Désir de collecter plus d'informations grâce à ses entrées dans le monde politique et ce dernier lui apprit que Garvey faisait paraître un journal dont il se procura même un exemplaire, *The Negro World,* et était propriétaire d'une compagnie de navigation qui devait ramener tous les nègres en Afrique.

A ce point de l'entretien, Albert battit des paupières :

– En Afrique ? Pourquoi ?

Camille Désir leva les yeux au ciel :

– N'est-ce pas la terre d'où nos ancêtres viennent ! Ton M. Garvey, dont j'entends dire que c'est un dangereux illuminé, oublie naïvement que trois siècles sont passés et que beaucoup d'eau a coulé sous les ponts !

A vrai dire, Albert ne s'embarrassa pas de toutes ces considérations. Il était emporté par le torrent de sa joie. Bondissant comme un enfant. Il écrivit illico une épître fleuve à Marcus Garvey lui rappelant qu'il l'avait suivi à Panama, lui contant la mort de son frère dont il ne se consolait pas et lui proposant son aide financière pour la réalisation de sa tâche exaltante.

Cette lettre parvint-elle à destination ? Il est permis d'en douter.

En tout cas, Albert attendit vainement une réponse pendant des semaines, le visage plus fermé, les grognements plus rares et inaudibles, à mesure que les jours succédaient aux jours. Un soir où Bert prenant son courage à deux mains s'approchait de lui, pour lui demander de l'accompagner à Juston, il le frappa furieusement avec sa canne, lui brisant l'arcade sourcilière. Là, Elaïse se fâcha. Après avoir mis au front de Bert qui pissait un rouge sang frais un petit emplâtre de feuilles de piment, elle traîna une paillasse dans la chambre de ses garçons. Elle y dormit deux semaines. A la fin de la deuxième semaine, Albert revenant du magasin lui tendit, muet et raide, une gerbe d'arums. Elle fondit en larmes et regagna la chambre conjugale. Cette nuit-là fut conçu mon grand-oncle René qui devait avoir la vie si brève.

XVI

PENDANT ce temps-là, mon grand-père Jacob marchait sur ses six ans. C'était un gamin silencieux et féroce qui pendant que sa mère faisait classe à Dubouchage griffait la servante et piétinait ses jouets. Les gens reconnaissaient bien là le caractère de son père et ne se hasardaient à aucune de ces caresses ou paroles mièvres que l'on réserve aux enfants.

Il était laid sans rémission. On se demandait où il avait été chercher cette laideur-là! Laid et noir. Noir bleu comme certaines icaques. A cause de cela sans doute, c'était le préféré d'Elaïse qui enfouissait le petit visage disgracié entre ses seins et chantonnait :

> « *Ti Kongo à manman*
> *Ola Ti Kongo an mwen*[1] *?* »

En retour, le petit garçon gazouillait un chapelet de mots tendres en promenant ses doigts sur les yeux, le nez et la bouche de sa mère.

« Maman - doudou - chérie - ccocotte - chouboulloute... »

1. « Petit Congo à maman/Où est mon petit Congo ? »

XVII

Bert fut reçu avec mention bien à la première partie du baccalauréat ès sciences.

Elaïse pleura toutes les larmes de son corps que Théodora ne soit pas présente en ce jour de gloire. Ah, elle avait marché à grands pas, la lignée de l'amarreuse, et laissé la canne loin derrière! Voilà qu'on n'apercevait plus l'excroissance malsaine des cases nègres, tellement dégradées du malheur de l'homme que les anses du pandanus ne parvenaient pas à les embellir! Voilà qu'on se hissait à hauteur d'habitation, qu'on atteignait la tête du morne! Un nègre bachelier! Combien de nègres bacheliers y avait-il à La Pointe, voire à la Guadeloupe? Nirva fit dire une messe d'action de grâces. Albert lui-même chargea Elaïse de remettre à l'impétrant une montre gousset en or suspendue à une chaîne de cinquante centimètres et portant gravées les initiales « J. H. A. », tandis que Camille Désir lui offrait les *Œuvres complètes* de Marx et Engels en prenant soin de souligner certains passages à l'encre rouge. Mais Bert ne tourna pas les pages de ces volumes rébarbatifs et cartonnés. Gilbert! Gilbert de Saint-Symphorien, cancre content recalé au bac, passait les vacances à Montebello dans la maison de changement d'air de ses parents. Bravant les préjugés de deux familles, Gilbert franchit le seuil du magasin aux odeurs de hareng saur et de morue salée pour inviter Bert chez lui et l'audace de ce fringant jeunot mulâtre en costume de tussor arracha à Albert un grognement que l'autre se hâta d'interpréter comme un acquiescement.

Montebello!

En épousant Adrienne Crespin, bâtarde de l'usinier Hyacinthe de Belle-Eau, Gilbert de Saint-

Symphorien, père de Gilbert, avait reçu dans le panier caraïbe de la dot de sa femme douze hectares de terre à ignames et une maison de maître sis dans la jonction avec Carrère. Gilbert n'entendait nullement demeurer enfermé dans ce fief de la mulâtraille et le fit entendre très vite à Bert, tout pantois parce que Mme de Saint-Symphorien chantait le soir en tapotant sur son piano et que des cousines, vierges aux chevelures de sirènes, dormaient au galetas dans le chaste enclos des moustiquaires.

La lune goguenarde de son œil unique et les deux garçons se faufilent par la porte de la cuisine, déchaînant l'alarme des bergers allemands. A la moitié du morne, Omer tient un débit de boissons où Gilbert appelle chacun par son prénom :

– Ti-Pol, saou fè[1] ?

Au pied du morne, la couche de Céluta est assez large pour qu'on s'y vautre à deux. Au bourg de Petit-Bourg, il y a une négresse noire prénommée Délices, dont le pubis volcan crache en lieu de lave une brûlante eau marine. Bert, qui peu à peu s'est guéri d'Elaïse, découvre la mort brève du plaisir sous son toit bas que piétinent les pluies de septembre. Elle se souvient, Délices !

– C'était comme un cheval de course qui commence de réaliser l'excellence de son galop ou un coq de combat, la puissance de ses ergots. Je lui disais : « Tonnerre de Dieu, nègre ! Tu veux me tuer ou quoi ? Trois fois déjà que tu as chanté comme le coq de saint Pierre ! Laisse-moi dormir ! » Mais il ne l'entendait pas de cette oreille.

Entre deux beuveries et deux coucheries, Gilbert, sérieux comme un ivrogne, sermonnait son ami :

– La couleur ne compte pas. Mulâtre ou nègre,

1. « Ti-Paul, ça va ? »

94

ça ne veut rien dire! Ce qu'il faut haïr, ce sont les bourgeoisies, petites et moyennes, c'est-à-dire ta classe et la mienne! Toutes deux pareillement tournent le dos au peuple! Or, il faut revenir vers lui qui est toute sagesse...

Bert ne prêtait aucune attention au bonimenteur. Il découvrait pleinement son corps, sa sève bouillonnant en son mitan et débordant non plus dans une étreinte solitaire et glacée, mais dans un furieux corps à corps!

Le 15 août, jour de la fête de Petit-Bourg, les deux lascars arpentant les rues, fichent des fléchettes dans l'œil des jeux de précision, décapsulent des bouteilles de champagne et puis, de soûleries en fanfaronnades, se retrouvent dans un coup de main à Grande-Savane et mangent un macadam sur des feuilles de bananiers vernies au pinceau.

Pendant ces vacances-là, Liza laissa à son fils une paix royale. Elle lui permit de caracoler, d'éparpiller sa semence, de tourner les pages du *Clavecin bien tempéré* de Mme de Saint-Symphorien et tenter d'être galant avec les cousines. Indulgente et soudain apaisée, jusqu'au moment où les morts doivent se séparer de leurs vivants, assise à son chevet, elle veillait sur son petit qui, vanné de bonheur, ronflait. Ces vacances à Montebello qui devaient durer une semaine en durèrent quatre. Au début de la cinquième semaine, les sabots du cheval du facteur arrachèrent des étincelles au béton de la longue allée bordée de cocotiers. Un mot très sec du père invitait le fils à revenir à la maison. La mort dans l'âme, après un ultime corps à corps avec Délices, Bert prit le dernier voilier pour La Pointe. Sur la petite jetée, Gilbert agitait son mouchoir dont la blancheur trouait l'ombre qui descendait. Bert arriva avec la nuit rue du Faubourg-d'Ennery et la servante, qu'on levait aux aurores pour couler le café, dormait déjà comme une souche sur sa paillasse.

Le lendemain matin alors qu'en buvant son chocolat il décrivait à Elaïse les plaisirs de ces jours proches et déjà si lointains, irréels dans cette salle à manger où les meubles Henri II se regardaient en chiens de faïence à travers leurs housses, Albert traversa la pièce et sans s'arrêter lui annonça qu'il allait étudier à l'école industrielle d'Angers. Dans son saisissement, Bert trouva la force d'articuler :

– Je ne retourne pas au lycée? Pourquoi?

Albert ne prit pas la peine de répondre.

Dehors, dans la rumeur naissante de la rue, les fers aux talons de ses bottes commencèrent de cliqueter. Comme Bert pour une fois au bord de la révolte cherchait le regard chaviré d'Elaïse, celle-ci eut un grand geste d'impuissance et sortit de la pièce en courant.

J'avoue que nous touchons là à un mystère! Pourquoi Albert interrompit-il les études brillamment commencées de son fils? Qui lui avait mis dans la tête cette école industrielle d'Angers?

Tout ce que la famille comptait de braves osant le regarder dans le blanc des yeux défila soit au magasin, soit à la rue du Faubourg-d'Ennery. Camille Désir planta là Marx et Engels et des après-midi entiers expliqua que Bert muni de la deuxième partie du baccalauréat pourrait encore mieux servir la race. Il pourrait devenir médecin, avocat, ingénieur des Ponts-et-Chaussées, ouvrir à deux battants les portes des Grandes Ecoles et occuper sur leurs bancs des places jusqu'alors interdites aux nègres. Albert, les paupières tirées sur ses yeux sans lustre, suçotait sa pipe et ne répondait rien. Maroussia, la femme de Marcel, le maître voilier de Port-Louis, ne s'avoua pas vaincue, elle qui avait toujours eu un faible pour son neveu. Elle alla chez Man Melissa, qui avait dénoué bien des affaires emmêlées de Marcel, en particulier celle de son procès avec un club nautique. Man Mélissa, ayant allumé tant de bougies qu'il faisait clair comme en plein jour dans la pièce, au plancher aspergé d'eau bénite, aux cloisons tapissées d'images de la Vierge Marie, de l'Enfant Jésus et de sainte Thérèse de Lisieux, prit un air contrarié :

– Il ne faut pas que le garçon parte! S'il part, c'est pour lui cyclone et naufrage...

– Que faire?

La voix de Maroussia était angoissée. Mais Mélissa resta calme :

– Ton frère-là, ce n'est pas un nègre ordinaire. Il se rencogne au fond de sa conque comme un *lambi*[1] et tu ne peux rien faire. Rien de rien! En plus, en ce moment, il se méfie et dort les yeux ouverts comme un crapaud! Est-ce qu'il y a quelqu'un qu'il aime?

Sans hésiter, Maroussia fit :

– Elaïse!

On mit donc Elaïse dans la confidence. Désormais, elle mêla aux repas, casse-croûte, cafés, tisanes d'Albert de la poudre de papaye, des cœurs de poulet et mille autres ingrédients destinés à lui amollir le caractère. Rien n'y fit.

Le 3 septembre 1924, Albert signifia à son fils qu'il lui avait réservé une couchette de troisième classe sur le paquebot *Cherbourg* qui se rendait au Havre. Il partait le lendemain.

Cette nuit-là, Liza mena sabbat.

Elle se jucha dans une des fenêtres du galetas et son hurlement résonna comme la grande plainte du vent sur la mer. Les gens inquiets bougèrent

---

1. Gros mollusque dont la conque est utilisée comme trompe marine.

dans leur sommeil. Etait-ce un cyclone qui se préparait ?

Puis Liza descendit à l'étage où dormaient les enfants et planta des cauchemars dans la calebasse de leurs têtes, tellement atroces qu'ils se mirent à hurler à leur tour et trempèrent leurs lits jusqu'aux sommiers. Enfin elle s'attaqua à la chambre d'Albert et d'Elaïse. Folle de l'injustice faite à son fils, elle devint elle-même injuste et frappa l'innocente Elaïse de ce mal qui devait l'emporter bien avant son temps, diaphane et vidée de son sang. Elle n'épargna pas Albert. Néanmoins, coutumier qu'il était des cauchemars et des insomnies où se rallumaient les vieilles peurs et les éternelles souffrances, il ne s'émut pas outre mesure.

Mon grand-père Jacob plus qu'un autre entendit ce terrible sabbat. Mais il l'attribua à Théodora. Lui qui avait adoré Bonne-Maman s'était mis à la redouter depuis qu'il l'avait vue boursouflée de pourriture dans son cercueil, le menton soutenu par une ferme bandelette de coton, car ses mâchoires béaient sur ses dents en or de Guyane. Il se recroquevilla sur son lit, mais les draps inondés d'urine lui collaient à la peau et il finit par aller chercher refuge dans celui de Bert qui, lui, trempait son oreiller.

XVIII

Les souvenirs de mon grand-père Jacob commencent réellement avec l'année 1928, l'année de ses treize ans. Jusqu'alors, sa vie, triste comme un livre sans images, s'écoulait sans offrir d'aliment à sa mémoire. A sept heures moins le quart, Elaïse le hélait :

– Ti Kongo, lève-toi !

Il se mettait debout, s'assurait qu'il n'avait pas mouillé ses draps car alors la servante pour lui faire honte les suspendrait sur une ligne dans la cour et il tâterait de la canne de son père, descendait se laver à l'eau froide, remontait enfiler les vêtements qu'il avait la veille posés sur une chaise et bourrait son cartable des premiers livres venus. Puis c'était l'épreuve du petit déjeuner. Par une alchimie quotidienne, le regard de son père changeait le Ya bon Banania en bile nauséabonde, le pain natté en croisillons d'orties qui démangeaient langue et palais. Enfin, il prenait Serge par la main et partait pour l'école qu'il n'aimait guère, mais où Albert au moins n'était pas. Il adorait sa mère. Hélas ! il avait à présent trois frères brigands ! Aussi cette attention dont il avait tant besoin lui était mesurée comme les tranches de gâteau marbré du goûter. Aussi, dès qu'il le pouvait, il se précipitait sur elle et, les yeux pleins de larmes, puisées à il ne savait quelle source, la couvrait de baisers. D'abord, elle les lui rendait. Ensuite, elle prenait une voix sévère et le repoussait doucement :

– Allons ! Assez à présent !

Pourquoi assez ? Alors qu'il ne rêvait que de se perdre à nouveau dans sa chair, de revenir l'habiter et de demeurer là, fœtus éternel qui refuse la vie dans le monde.

L'année 1928, année de ses treize ans, trois événements se produisirent qu'il ne put jamais dissocier, la terreur, la douleur, l'angoisse causées par chacun d'entre eux se mêlant au creux de son cœur et s'insinuant dans les replis de son cerveau. Un matin, Albert apparut dans la salle à manger, le fixa comme s'il était un ravet sur un fruit et lui annonça qu'il ne retournerait plus au lycée.

Comme Bert quatre années auparavant, il trouva la force de soutenir son regard et d'interroger :

– Je ne retourne pas au lycée ? Pourquoi ?

Albert, bien sûr, ne répondit rien et continua sa progression vers la porte dont Serge s'éloignait de toute la vitesse de ses petites jambes. Armé de l'audace que donne le désespoir, Jacob sortit pour tenter d'obtenir une explication.

Sous le ciel bas et plombé, des feuilles de tôle jouaient au cerf-volant et se poursuivaient en criant : « You ouh. » Les maisons basses, décoiffées, tombaient sur leurs talons et la mer d'ordinaire étale qui barrait le bout de la rue arrondissait le dos comme une bête en colère qui griffe et mord de droite et de gauche. Une pluie torrentielle se mit à tomber. Effrayé, de l'eau déjà jusqu'à la ceinture, il rentra dans la maison et hurla :

– Petite mère !

La servante qui accrochait ses draps dans la cour lui lança, venimeuse :

– *Kiteye trankil*[1] !

Il gravit l'escalier quatre à quatre et trouva Elaïse sous un parapluie ouvert dans sa chambre qui prenait l'eau du ciel de toutes parts, Serge, René et Jean blottis contre elle. Elle gémit :

– Il est mort ! Il est mort ! Bert est mort !

Il bégaya :

– Bert !

Elaïse sanglota plus fort :

– Votre père m'avait défendu de vous le dire ! Jure-moi, JURE-MOI que ça restera un secret entre nous deux !

Il fondit en larmes :

– De quoi est-il mort !

– Un accident ! Un terrible accident !

A ce moment le balcon de la maison s'effondra dans un grand bruit de tôle et les petits se mirent à hurler.

1. « Laisse-la en paix ! »

Le lendemain matin (mais était-ce le lendemain matin?), Elaïse vint le réveiller à cinq heures et demie :

– Ti-Kongo, lève-toi! Tu dois venir avec moi à la messe, prier pour lui!

L'adolescent obéit.

Une pluie fine détrempait encore la rue encombrée de feuilles de tôle, de planches et d'animaux crevés. Un bœuf était couché en travers du trottoir et deux hommes s'efforçaient de le haler au moyen d'une corde attachée à ses cornes.

Le cyclone de 1928 et le raz de marée qui le suivit firent mille cinq cents morts, autant de disparus et plus de dix mille blessés. Dans certaines communes, le bois manqua pour les cercueils et les curés des paroisses s'enrouèrent de chanter le *Dies irae.* Sur le parvis de l'église Saint-Jules, on avait dressé des tentes et des femmes en haillons détrempés s'efforçaient de nourrir des enfants. Elaïse allait de l'une à l'autre, les yeux noyés de larmes, mais Jacob savait à force d'intuition d'amour qu'elle pleurait surtout d'une autre blessure. Jacob passa le temps de la messe à imaginer Bert raide dans son cercueil. Avait-on attaché son menton comme celui de Bonne-Maman et mis du coton dans les trous de ses narines? Qui l'avait veillé? Combien de chandelles pleurant leur suif dans des soucoupes? Et où avait-on trouvé le rhum? Elaïse lui signifia de la suivre à la table sainte et il n'osa refuser, bien que les nuits précédentes il ait longuement joué avec son sexe rigide sous les draps. L'odeur de son indignité l'écœura et il se mit à sangloter. Elaïse, se méprenant, le serra contre elle :

– Ne pleure pas! Il est dans la paix éternelle!

Au sortir de l'église, un ciel bleu innocent couvrait La Pointe. Elaïse baisa Jacob au front, soufflant :

– JURE que tu ne parleras de tout cela à personne !

Il secoua la tête et prit la direction du magasin. Il remplaçait Julien, le premier employé, qui avait fait un coup de sang parce qu'Albert lui refusait une augmentation après l'accouchement de sa femme et prédit que ce dernier mourrait comme un chien.

Jacob s'apprêtait à haïr l'antre aux odeurs fortes au fond duquel Albert était tapi comme une monstrueuse araignée, vérifiant inlassablement les livres de compte. Il ne savait pas que c'était aussi le temple d'un dieu dont comme Albert, plus qu'Albert, il allait devenir le fervent : l'argent ! Le commerce de la morue, des harengs, de l'huile, du saindoux, du riz, des pois rouges et des pois verts cassés n'était peut-être pas glorieux, mais il rapportait de l'argent. Des liasses et des liasses de billets, peut-être malodorants, que l'on enfermait dans une banque et qui, là, produisaient encore et encore d'autres liasses de billets, malodorants, qu'importe ! Bientôt, ce fut Jacob le vrai patron, le chef, refusant ou décidant le crédit, rabrouant les employés et leur donnant congé. Son autorité s'étendit. Il devint le maître du lakou et inaugura son ère en mettant sur le trottoir six familles qui avaient tout perdu pendant le cyclone et ne pouvaient payer leur loyer.

Pendant que le fils se métamorphosait, il en était de même du père. Voilà Albert vieux corps, habillé n'importe comment, la barbe bourgeonnante, les chaussures crottées ! Lui si soigneux de sa personne !

Les gens ne manquèrent pas de remarquer ce changement. De quand datait-il ?

Un ancien employé, Julien, justement celui-là qu'avait remplacé Jacob, raconta que tout avait commencé avec une lettre qu'Albert avait reçue environ deux ans auparavant et qu'il avait lue et relue dans son bureau cagibi avant de se précipiter dehors comme si une fourmi toc-toc l'avait piqué au talon! Par la suite, d'autres lettres étaient arrivées qu'il empilait sans les ouvrir dans un tiroir.

Si on avait interrogé les enfants, ils auraient eu, eux aussi, beaucoup à raconter. Un soir ils s'étaient mis à table sans leur père après des coups d'œil anxieux de leur mère à la pendule. Puis Albert était entré tanguant à travers la salle à manger comme un gommier sur le canal de la Dominique et maniant d'invisibles rames. Sans raison, il avait abattu sa canne sur la pauvre tête de Jacob et, comme Elaïse se levait dans un grand mouvement de protestation, il avait hurlé distinctement :

– J'aurais dû le tuer! C'est le tuer que j'aurais dû!

Puis il s'était dirigé vers l'escalier, Elaïse sur ses talons!

Elaïse n'était pas redescendue. Ils avaient fini de manger leur soupe grasse sous l'œil de la servante et en avaient profité, à l'exception de Jacob qui larmoyait et frottait sa bosse, pour chahuter et enfiler un chapelet de jurons en créole.

A dater de ce jour, l'atmosphère familiale déjà si pesante s'était encore alourdie. Albert ne grognait même plus. C'était un zombi perdu! Elaïse ne chantait plus en leur frottant le cou de bay-rhum ou en leur démêlant les cheveux. Au contraire, à tout moment, elle soupirait! Même, elle se mit à leur administrer des taloches qui leur faisaient bien plus de mal que les régulières rossées à coups de canne de leur père...

Ce fut cette année-là qu'Albert acheta une automobile pour Elaïse. Une Citroën C4 marron agrémentée de chromes, avec une batterie de phares de diamètres différents comme des casseroles, de part et d'autre du nez camus du capot.

Elaïse commença par se faire conduire à l'église par un neveu habile en mécanique. Puis trouva l'équipage trop ostentatoire pour aller prier Dieu et recommença de cheminer à pied sous son parasol.

Alors la C4 se rouilla. Des araignées tissèrent leurs toiles dans les angles des fauteuils dont le cuir verdit et blanchit de moisissure. Un oiseau fit son nid dans le cornet du klaxon et, un jour qu'on ouvrit par hasard le coffre arrière, on trouva qu'une chatte y avait installé sa portée !

Moi, j'assimile ce cadeau, plus dispendieux qu'orchidées ou gerbe d'arums, à une supplication maladroite. Albert avait gros à se faire pardonner.

DEUXIÈME PARTIE

I

D'ANNÉE en année, mon grand-père Jacob devint le chef incontesté de la maison Louis.

Les gens disaient :

– *I pi mové ki papaye*[1] !

Et sûr qu'il l'était ! Il fit poser des cloisons de contre-plaqué dans les pièces du lakou, les divisant en deux et doublant du même coup le nombre de ses locataires. Il renvoya les trois employés du magasin pour prendre à leur place un des fils de sa tante Nirva, homme ayant passé la trentaine et père de cinq enfants qu'il commandait du haut de ses dix-huit ans ! Il acheta six hectares autour de ceux qu'Albert possédait déjà à Juston et les planta en cultures vivrières, faisant bâtir en outre caloges à lapins, poulaillers, porcheries, parc à bœufs, ce qui fait qu'Elaïse n'eut plus besoin de s'approvisionner à l'extérieur. L'abondant surplus il le vendait aux paysannes de Juston qui, à leur tour, le revendaient sur les marchés de Goyave et de Petit-Bourg. Jacob parvint à acclimater une variété de pamplemousse venue de la Dominique, juteuse et sans pépins.

Puisque son fils avait tout pris en main, Albert eut loisir de se laisser aller complètement, le dos

1. « Il est plus méchant que son père ! »

bossu, traînant les pieds, des plumeaux de poils blancs lui poussant aux narines et aux oreilles. Il avait toujours passé les week-ends à Juston, il y passa désormais le plus clair de la semaine, Elaïse venant l'y rejoindre quand elle n'avait pas classe. Elle détestait la campagne, Elaïse, ces nuits qui n'en finissent pas, ce tintamarre de la pluie sur les tôles, ces concerts d'aboiements de chiens, ces moustiques avides à sucer le sang et que la fumée des boucans ne chasse pas, ces rats rongeurs rétifs que ses garçons débusquaient dans tous les coins. Elle la détestait surtout parce qu'elle y sentait plus qu'ailleurs la présence de Liza. La rivale vaincue de jour prenant revanche de nuit. Elle rôdait au moment des repas. Elle tournoyait en ronds de plus en plus serrés au-dessus du lit, gâtant le plaisir qu'Albert dispensait encore généreusement. Elaïse attendait l'estocade et ne fut pas surprise quand un matin, elle s'éveilla, perdant son sang à gros bouillons. Albert, debout avant le jour comme à l'accoutumée, donnait des tuteurs aux ignames. Elle éleva la voix pour héler un de ses garçons, mais ne bredouilla qu'un gémissement avant de dériver sans force dans l'océan rouge qui l'entourait. Vers neuf heures, surpris car elle ignorait les grasses matinées, Jacob vint entrebâiller sa porte et tomba à genoux.

Ce fut la première des grandes hémorragies d'Elaïse.

Comme la famille, frappée dans ce qu'elle avait de plus cher, ne faisait que gémir, sangloter, prier Dieu ou consulter des séanciers, l'infirmière Jeanne Lemercier prit les choses en main, exécutant les prescriptions du docteur tout en y ajoutant des innovations de son cru, car elle venait de Marie-Galante, l'île aux feuilles à guérir, qui en quelques semaines assirent Elaïse faible, mais souriante, dans une berceuse à côté de son lit. Cette infirmière avait une fille unique, Ultima, Tima, beau nom pour une première et dernière-née à la fois, qui l'assistait dans ses veilles et dans ses soins, jeune personne arrogante et difficile qui avait repoussé un à un tous les nègres honnêtes que sa mère lui présentait et les gens disaient qu'elle n'aimait pas sa couleur. Un jour, au chevet de sa mère, Jacob se heurta en pleine poitrine à la beauté de Tima. Il recula sur le palier et resta là à haleter sous le coup de cette merveilleuse et cruelle douleur. Il n'avait jamais regardé d'autre femme que sa mère et brusquement se rendait compte qu'il mourrait s'il ne possédait cette inconnue-là.

Qu'elle était belle, ma grand-mère Tima! Le teint noir et brillant, les cheveux fournis comme une forêt coiffés en grosses « vanilles », graissées à l'huile de carapate, les prunelles brillant du feu de l'arrivisme et de la sensualité. Les gens disent qu'elle épousa mon grand-père Jacob sans amour, à cause de son compte en banque, du magasin, du lakou, des deux maisons et des hectares de terres à ignames de Juston! Et c'est vrai que Jacob n'avait pas embelli avec les années, vêtu comme l'as de pique, coiffé d'un casque colonial trop large qui lui tombait au raz du nez, des bottes de soudard aux pieds!

Pour sa Tima, ce garçon à moitié ignorant qui n'avait jamais rien fait que vendre avec profit devint fin connaisseur de tapis, de bibelots et de paravents. Il eut l'idée de nanifier des arbustes et des arbres et ainsi entrèrent dans des pots de terre des oiseaux de paradis, des immortelles et un jaracanda, flamboyant à fleurs bleues dont un nègre de la Grenade lui avait vendu les graines. Il fit installer la première salle de bain de la maison de la rue du Faubourg-d'Ennery, choisissant lui-même les robinets en forme d'hippocampe et les carreaux de faïence en camaïeu. Ce fut aussi lui qui transforma la bicoque en bois du nord de Juston en une maison de changement d'air qui n'eut rien à envier à celles des békés de Saint-Claude.

Huit jours avant son mariage, Jacob réalisa qu'il allait passer avec Tima du stade des conversations languissantes à deux pas de Jeanne Lemercier qui piquait son aiguille dans un chemin de table[1], avec pour finir un chaste baiser sur la joue, à une effrayante intimité entre deux draps. Or à dix-neuf ans, il n'avait jamais fait l'amour! Comment s'en sortir? Il avait d'instinct un tel respect de la femme que l'idée d'aller glaner un peu d'expérience auprès d'une dame-gabrielle ne l'effleura même pas. C'est donc dans les transes qu'il monta dans un tilbury pour conduire Tima à Juston. Les chevaux hennirent en franchissant le pont de la Gabarre, relevèrent la queue pour décharger une tonne de crottin et avalèrent au galop les douze kilomètres. Perdant ses grands airs, Tima se jeta contre Jacob qui, maîtrisant les bêtes et apaisant les terreurs de celle qu'il aimait, se sentit pour la première fois de sa vie grand, fort, invincible. A Juston, devant l'énorme lit à baldaquin qu'il avait lui-même fait installer dans la meilleure chambre, cette inhabituelle confiance en soi faillit bien l'abandonner. Mais un mille-pattes sembla onduler dans la moustiquaire et il profita du nouvel élan de frayeur de Tima pour l'enlacer. Après quoi, il fit un grand saccage de sa virginité...

Dès le lendemain du mariage, Elaïse abandonna à Tima le direction du ménage et celle-ci devint la seule, la vraie Mme Louis! A l'exception d'Elaïse qu'elle traita comme une mère, elle mit la maison au pas. La servante apprit à baisser les yeux et à ne plus répliquer. Les frères de Jacob à faire leurs lits

1. Sorte de nappe.

et à vider leurs pots de chambre. Les parents et alliés à ne visiter que sur invitation. Le seul rebelle, est-il besoin de le dire, demeura Albert qui marchait avec ses godasses boueuses sur les planchers frais récurés, crachait le jus de sa pipe dans les coins et exhibait son pénis musclé pour uriner dans la cour. La guerre se déclara aussitôt entre bru et beau-père, mais la première eut constamment le dessous.

Le mariage de mon grand-père Jacob et de ma grand-mère Tima ne fut pas heureux, car leur mésentente sexuelle gâta tout.

Dès qu'il eut goûté à elle, Jacob conçut une telle fringale de Tima qu'il ne put la laisser en paix ni dans la noirceur des nuits ni dans le grand jour des siestes quand les persiennes baissées ne parviennent pas à donner de l'ombre. Il explorait tous ses recoins, pénétrait tous ses orifices. Quand son membre lui-même las lui refusait tout service, il y allait de la langue et des doigts, chavirant sur la crête d'un plaisir qu'il était incapable de donner. Il voyait bien qu'il lassait, importunait, épuisait Tima et se faisait la leçon. Hélas, il retombait dans son désir comme un pécheur dans son péché. Six mois après le mariage, le corps de Tima, se vengeant comme il le pouvait de ces agressions constantes, expulsa un fœtus. Par deux fois encore, il saigna du sang de son ventre, épais et noir, avant que naisse au monde la petite fille rebelle et surdouée : ma mère. J'ose penser qu'elle fut conçue à un moment de grâce.

Une chose me frappe quand je songe à ma grand-mère Tima, morte sans que je l'aie connue : c'est qu'elle ne travaillait pas. A la différence d'Elaïse qui, à huit heures tapantes devait se trouver dans sa salle d'école, frappant son bureau d'une règle à faire taire les braillards ou à réveiller les endormis avant de faire réciter « Nos ancêtres les Gaulois » ou quelque conte à dormir debout du même genre, revenait rue du Faubourg-d'Ennery pour surveiller le repas de ses garçons brigands, repartait à une heure sous un parasol et ne quittait Dubouchage qu'au moment où la darse est violette, une élève portant fièrement la pile de cahiers qu'elle devait corriger tout en surveillant le dîner que faisait cuire la servante – car Albert, qui ne mangeait pas à midi, était difficile et pouvait bien repousser son assiette après une bouchée – et le travail de ses garçons paresseux, Tima ne travaillait pas. Dans cette chasse où les femmes bataillaient aussi dur que les hommes pour faire honneur à la race, elle ne faisait que harceler ses servantes, ses beaux-frères, sa mère, batailler contre son beau-père avant de s'asseoir sur son balcon, un ouvrage de tapisserie entre les doigts, en chantonnant :

« Ramona, j'ai fait un rêve merveilleux... »

C'était une sirène qui n'avait ni queue ni jambes. Une sirène qui ne charmait plus les passants. Une sirène qui tuait le temps misérablement.

II

Si Albert avait toujours manifesté de l'aversion pour Jacob et une parfaite indifférence pour Serge et René, il semblait affectionner Jean, le dernier garçon, né peu avant le cyclone de 1928.

Jean était beau, on se demandait où il avait été chercher cette beauté-là. Les gens s'exclamaient :
– *Si sété an ti fi[1] !*

1. « Ah, si c'était une fille ! »

Car il avait les yeux marron clair d'Elaïse parfois pailletés d'or qui s'ouvraient en amande sous des sourcils à l'arc si pur qu'on croyait que sa mère l'épilait! Avec cela, il manifesta une bonté déconcertante dans cette famille peu donnante! Ne gardait-il pas les piécettes qu'Elaïse et même Albert lui remettaient pour du *sinobol*[1] ou du kilibiki à l'intention d'un cul-de-jatte qui mettait des fers aux chaussures devant « Le Bonheur des dames »? A Juston, au lieu de chasser le rat avec ses frères, il entrait dans les cases des paysans, s'étonnant de leurs haillons, de leurs rides avant l'âge et des callosités de leurs mains. Les paysans qui haïssaient notre famille faisaient une exception pour ce petit sacripant qui s'essayait à leur parler créole et promenait les mains sur leurs tambours gwoka. Albert au contraire était fort en colère. Quand Jean revenait de ses équipées, il le talochait sec avant de le mettre au piquet en plein soleil de midi. L'enfant fondait en sueur. Des mouches d'insolation lui dansaient devant les yeux, puis il repartait vers le village, une fois qu'Albert s'en était allé auprès de ses chères ignames...

Jean était aussi le gâté de Jacob, son aîné de près de douze ans, comme si un lien privilégié s'était forgé entre le plus disgrâcié et le plus fortuné de la couvée. C'est à Jacob que Jean contait les peines et les gloires de sa vie d'écolier. Il tentait aussi de lui faire partager ses lectures, car il dévorait tout. Ce fut lui en particulier qui tira profit, avec les annotations dans la marge, des *Œuvres complètes* de Marx et Engels que Camille Désir avait offertes à Bert et qui s'empoussiéraient dans un coin. Il n'y eut jamais qu'une ombre entre les deux frères, le choix de Tima que Jean détesta d'instinct au point qu'il refusa de porter sa traîne au mariage. Néan-

---

1. *Show-ball;* friandises antillaises.

moins l'affection entre eux était telle qu'ils n'abordèrent jamais ce sujet, contournant l'obstacle comme d'habiles navigateurs de récif.

Un jour, Jean vint trouver Jacob et lui montra une photo :

– Qui est-ce?

La question surprit Jacob qui s'exclama :

– Mais c'est Bert. Notre frère Bert.

– Ce n'est pas le fils de Petite Mère Elaïse?

De plus en plus surpris, Jacob réalisa soudain que toutes les images de Bert avaient disparu des cadres où elles se trouvaient et que même son nom n'était plus prononcé. Il bredouilla :

– Non, c'était le fils d'une négresse anglaise que Petit Père avait connue à Panama. Il est mort d'un accident.

– Quel accident?

A ce point, les deux frères eurent conscience d'un mystère, d'une rature volontaire, d'une tombe ensevelie à dessein sous des tonnes de béton. Ils se promirent le soir venu d'en parler à leur mère. Il était écrit qu'ils n'en feraient rien. Car ce même jour, on leur ramena Elaïse sur une civière. A quatre heures de l'après-midi, elle était tombée devant son tableau noir, une rigole écarlate serpentant entre les pieds terrifiés de ses élèves.

Ce fut la deuxième grande hémorragie d'Elaïse. La troisième, qui survint un an plus tard, devait l'emporter.

Après la deuxième, des médecins-bourreaux, jargonnant entre eux, lui ouvrirent le ventre et coupèrent des organes qui n'avaient rien à voir à l'affaire. Après la deuxième, elle reprit avec obstination le chemin de son école. Mais ses jours étaient comptés et le matin, ses cinq hommes qui n'en ignoraient rien priaient chacun leur Dieu qu'Il la leur laisse encore un jour. Encore un jour.

Pendant ce temps, les cinq sœurs d'Albert,

Nirva, Mérita, Sandrine, Gerda et Maroussia ne perdaient pas une minute. Nirva qui n'avait jamais enjambé la mer, même pour se rendre à Marie-Galante où une de ses filles s'était mariée, s'arc-bouta sur le pont du *Stella Maris* pour aller consulter un célèbre docteur-feuille de Cap-Haï-tien. Elle en profita pour se faire conduire dans un *péristyle*[1] et là, offrit de pleines calebasses de *manger-loas*[2]. Elaïse se laissait soigner docilement, mais n'était point dupe, le sourire carnassier de Liza siégeant en permanence sur le ciel-de-lit lui ayant signifié sa défaite.

La mort prématurée d'Elaïse Louis née Sopho-cle, décédée dans sa quarante-deuxième année, fut le coup le plus bas que la vie scélérate porta à notre famille.

Quand Albert sortit de l'hébétude où le plongea des semaines durant la disparition de sa femme, il remit à Jacob, le fils qu'il n'aimait pas mais dont l'acharnement au travail avait forcé son estime, procuration sur tous ses comptes et ses biens et prit le chemin de Juston.

Sa vie était finie même s'il devait vivre encore dix ans.

III

MORTES, Elaïse et Liza firent la paix et s'accordèrent pour tenir le ménage de leur Albert.

Dans le matin encore cotonneux, car Albert n'avait pas de sommeil et allait pisser dès cinq heures contre l'ylang-ylang, elles se relayaient pour

1. Temple vaudou.
2. Nourritures offertes en sacrifice aux esprits du vaudou.

faire flamber le feu qu'il n'aurait jamais su apprivoiser. Puis elles faisaient couler du café dans une vieille cafetière d'émail bleu, réchauffaient les cassaves qu'il gardait dans une boîte à biscuits et chictaillaient du hareng saur. Elles ne le grondaient pas de téter à la bouteille de Feneteau-Les-Grappes-Blanches. Un peu de rhum n'a jamais fait de mal à personne. C'est même le meilleur remède à la vie. Albert les remerciait d'un de ses grognements, les laissait laver le quart et la gamelle en fer-blanc et rejoignait les ouvriers qui suaient déjà leur sueur sous le soleil. Les ouvriers le regardaient s'approcher avec agacement. Car s'il était sur leur dos, il ne maniait sérieusement ni la houe ni le coupe-coupe. Il jouait plutôt avec la terre comme un enfant. Il la malaxait, la faisait glisser entre ses doigts aussi noirs qu'elle, coiffés d'ongles pareils à des éclats de silex, y creusait des trous. Yeux fermés, il aimait aussi à tâter la butte au pied des ignames, à soupeser le ventre des giraumons et à suçoter des monbins ou des prunes-café qu'il ramassait sous l'arbre. Vers le milieu de la matinée, il descendait vers la Sanguine, entrait dans un petit bois de bambou et se mettait tout nu. Puis il s'ébrouait dans l'eau lente sans se soucier des sangsues qui s'y agglutinaient.

Parfois un enfant qui s'aventurait à la recherche d'une pomme-rose pour tromper la faim de son ventre le voyait flotter comme une bille de bois et s'enfuyait épouvanté.

Rafraîchi, il remontait vers la maison. Le migan de fruit à pain fondait déjà dans la marmite avec un bout de cochon salé. Mais Albert plantait là le coui que ses femmes lui remplissaient, tétait à nouveau au goulot de sa bouteille et allait ronfler bouche ouverte sur la galerie. Il ronflait des heures d'affilée et rouvrait les yeux quand les chauve-souris zigzaguaient en couinant du toit au fromager.

La vraie vie commençait avec la noirceur de la nuit.

Albert et ses deux femmes bavardaient intarissablement, s'avouant des choses qu'ils ne s'étaient jamais avouées, déballant des ballots de vieux rêves, moisis de n'avoir jamais pris corps. Evidemment des trois, c'était Albert qui parlait le plus. Il avait des obsessions :

— Je croyais que j'allais faire pousser de l'or. Mais c'est le sang de mon frère qui a coulé. Alors je n'ai plus voulu vivre là où il était mort et je suis rentré chez moi. Chez moi ! Et pour trouver quoi ? Si ce n'était pas pour Elaïse, j'aurais retraversé la mer. Peut-être qu'en Jamaïque ou à Cuba, les nègres sont moins méchants.

Parfois, Albert s'agitait et prononçait des paroles sans sens :

— Lui ! Lui ! Qu'est-ce qu'il m'a fait ? Lui qui devait être le mapou de ma vieillesse. J'aurais dû le tuer ! Et le jour même de sa naissance. D'ailleurs, j'aurais dû le prévoir qu'il me tuerait ! Il avait déjà tué sa mère !

Alors Elaïse et Liza se hâtaient de le calmer d'un bon coup de Feneteau-Les-Grappes-Blanches. Elles le prenaient chacun par un bras pour une petite promenade, lui levant la tête vers les constellations le Grand Chien, le Petit Chien, le Taureau, la Grue, la Carène, la Couronne boréale, la Baleine pour lui faire oublier sa Terre. Il y prenait goût, alors, elles poussaient jusqu'à la plage de Viars pour voir clignoter La Pointe. Les habitants de Juston qui les entendaient passer en rigolant et bavardant se signaient !

Ah oui, qu'ils en avaient peur du Soubarou et que d'histoires circulaient sur son compte ! Chaque nouveau-né qui ne pouvait se faire au monde visible et retournait d'où il sortait, chaque garçon imprudent qui tombant d'un quenettier se fracassait le crâne, chaque gommier qui chavirait en haute mer avec ses pêcheurs, était de sa responsabilité! Lui-même était dans le crapaud nocturne, le chien aboyant à la lune ou rôdant sans laisse.

Partout, il était partout! Et pour se protéger, des peureux élevèrent aux quatre coins de la propriété des autels à la Vierge Marie qu'ils bourrèrent de fleurs et de fioles d'eau bénite.

A vrai dire, cette mauvaise réputation ne tourmentait pas le trio. Ayant disposé de sa rivale de chair et d'os, Liza avait retrouvé le bagou et les blagues de sa jeunesse. Une fois qu'avec Elaïse, à force de promenades, de coups de rhum et de causers, elle avait endormi leur homme, elle partait dans d'exubérants récits de sa vie à Panama. Elaïse, fille unique d'une femme méritante et qui avait passé de sa tutelle à celle d'Albert, prêtait l'oreille avec un peu de nostalgie. Il n'y avait pas eu beaucoup de rires dans sa vie à elle!

Quand Jacob venait le samedi faire la paie des ouvriers agricoles, lui qui ne pouvait supporter la perte de sa mère et, jour après jour, ruminait des idées de mort-au-rat, d'essence de térébenthine ou de racines de manioc, il s'étonnait de se sentir aérien, presque joyeux comme si la morte lui était rendue. Ah oui! Elle cambrait les reins dans les flammes du boucan. Elle se suspendait à la liane de l'ylang-ylang. Elle chahutait avec la pluie sur les tôles du toit.

Elle était partout. Partout.

Alors il se tournait vers son père, étonné de ne plus se sentir l'amertume et la rage au cœur. Alors, il s'attardait dans la douceur de Juston et ne revenait que passé minuit vers Tima qui l'attendait, le visage renfrogné.

Les pluies diluviennes de novembre l'obligèrent à rester deux nuits à Juston, l'eau n'ayant pas seulement inondé les champs de canne, emporté les bananiers et débordé sur les voies et chemins, mais aussi sectionné les deux moitiés du pont de la Gabarre qu'elle avait fichées dans la mangrove. Le père et le fils s'assirent devant un colombo de « cabrit » et du riz cuit en grains dont la saveur étonna Jacob et, ce qui ne s'était jamais produit, parlèrent. D'eux-mêmes. Aucune acrimonie dans cet échange. Albert croassa :

– Tu me crois un nègre sans sentiment. Avec une roche dans la poitrine, hein ? C'est que quand j'avais ton âge, j'attendais des choses que cette femme folle de la vie ne m'a jamais données. Tu vois, elle m'a arraché la deuxième prunelle de mes yeux. Heureusement, il y a la mort qui comble...

Jacob bredouilla en écho :

– Et moi, tu as toujours marché sur moi. Tu ne t'es jamais arrêté pour savoir si ton pied sur mon corps me faisait mal. Heureusement, elle était là, elle qui n'est plus là aujourd'hui...

– Qui n'est plus, tu dis ? Regarde derrière la mort...

Jacob se roula pour dormir sur un lit moisi, mais ses rêves furent si doux que, transporté, il rouvrit les yeux. Il vit distinctement celle qu'il n'arrêtait pas de pleurer, rendue à sa beauté et assise à son chevet comme lorsqu'il avait six ans ! Il balbutia :

– Petite Mère, tu es revenue ?

Elle sourit :

– Ti-Kongo, qu'est-ce que tu racontes ? Je ne suis jamais partie !

IV

QUAND un œuf décida de s'accrocher au ventre de Tima et, mâle ou femelle, d'éclore à terme dans l'enfer des vivants, des rumeurs inquiétantes commençaient de circuler en Europe et trouvaient même leur chemin en Guadeloupe. Le mot de « guerre » était prononcé à voix haute par des gens informés comme Camille Désir. Jean, qui entendait tout cela, s'efforçait d'attirer l'attention de Jacob. Mais Jacob n'en avait que pour le ventre de Tima qui s'arrondissait enfin de mois en mois jusqu'à former une montagne de vérité sous ses robes à corps. Un enfant! Un enfant! Jacob souhaitait une fille. D'abord, parce que depuis si longtemps on ne voyait naître que des garçons chez les Louis avec leur futur dur équipement entre les jambes! Ensuite parce qu'une petite fille, surtout si elle ressemblait à Elaïse, lui donnerait l'illusion qu'il rendait vie à sa mère. Père de celle qui l'avait enfanté.

Toutefois, les rumeurs de guerre se précisèrent, se changèrent en martèlement de bottes. Alors, Jacob fut bien forcé de leur prêter attention. Il flaira le vent. Sa tête habile comprit que si la France était envahie par les Allemands, l'île n'aurait plus de source de ravitaillement. Plus d'huile, de sucre, de farine, de riz et de Ya bon Banania. Aussitôt, il se mit à constituer des stocks, rachetant les réserves de petites maisons naïves. En même temps, il intensifia la production vivrière de Juston, surtout le manioc qui donne une belle farine, ajouta le sisal, le coton et le ricin. Désormais on le vit quitter sa femme grosse dès le vendredi soir et arpenter la propriété avec ses ouvriers.

Tout cela pour expliquer pourquoi son nom

figure en bonne place des « collaborateurs de Dieu » comme les appelait le gouverneur Sorin!

« Le Maréchal a pour vous, agriculteurs et paysans, l'estime la plus grande, car il sait que c'est vous qui referez une France riche, une Guadeloupe riche.

« Il sait comme nous tous que si Dieu fait pousser les plantes, vous, en cultivant, vous aidez Dieu. [...] »

« Collaborateurs de Dieu, quel plus beau titre pouvez-vous désirer? »

La guerre venant après la mort d'Elaïse commença de désintégrer notre famille. Jusqu'alors, je n'ai guère parlé de Serge et de René. C'était des jeunots sans histoire, ni beaux ni laids, ni génies ni cancres, qui se frayaient un chemin au lycée et dans le lit des femmes.

Or ne voilà-t-il pas que Serge se déclara pacifiste et fustigea cette guerre de Blancs où des Noirs perdaient leurs vies tandis que René se laissait séduire par les idées du comité Pro Patria et répudiait l'« esprit de capitulation ». Les disputes devinrent quotidiennes. Les deux garçons se jetaient l'un contre l'autre, se saisissaient à la gorge, se mordaient comme des dogues de Cuba et parfois même cherchaient à se planter des couteaux de cuisine dans le dos. Tima hurlait et menaçait de quitter la maison avec son ventre si ce désordre ne cessait pas.

Un soir, René sortit de sa chambre et rencontra derrière le Morne la Loge un groupe de garçons de son âge qui avaient décidé d'aller rejoindre le général de Gaulle. Un canot les attendait à Trois-Rivières et devait les conduire à la Dominique d'où ils espéraient gagner l'Angleterre. Ce départ n'aurait pas manqué de fendre le cœur de Jacob si un autre événement n'avait pris place la même nuit. Vers onze heures, Tima, qui devait encore traîner son ventre plusieurs semaines, perdit les eaux. Jacob effaré dégringola l'escalier pour tirer la servante de son sommeil et l'envoyer chercher Mme Malenfant, la sage-femme. Quand il remonta, toujours en vitesse, une petite fille gazouillait et jouait avec son cordon ombilical, enroulé par trois fois autour de son cou.

Thécla Elaïse Jeanne Louis, ma mère.

Le baptême ressembla à une noce. Même Albert qui, pour la circonstance, une fille, une fille! revêtit le meilleur habit qui lui restait, se coiffa, se lotionna avec un reste de Jean-Marie Farina et descendit escorté de ses femmes invisibles.

Le baptême ressembla à une noce, mais la famille ne savait pas que la mort était au milieu de toute cette liesse, cachée dans le ventre de Tima qui n'enfanterait jamais plus, dans le départ de René qui allait devenir définitif, descendu qu'il serait lors d'une opération du SOE-F[1]. Le baptême ressembla à une noce. Le champagne Pommery coula à flots. Pour la première fois, quand Thécla revint de l'église suçant béate le sel de sagesse répandu sur ses lèvres, Tima posa sur son mari un regard de reconnaissance.

Le baptême ressembla à une noce. On but des litres de *chodo*[2]. Partout Jacob sentait la présence de sa mère bien-aimée comme si elle trônait au milieu de la table en lieu de Nirva, comme si elle chantait par la gorge de Létitia qui avait un joli filet de voix.

Trois mois après ce baptême et il se rendait ridicule à donner le biberon à sa fille, à poudrer ses fesses, à changer ses couches et à guetter ses

---

1. *Special Operations Executif for France.*
2. Boisson à base de lait aromatisé.

sourires aux anges, Jacob reçut une lettre recommandée du gouverneur Sorin. Son ingéniosité avait été remarquée en haut lieu. Il était invité à se joindre à plusieurs conseillers généraux et à faire partie d'une mission économique qui devait se rendre à New York! Privée du lait de la mère patrie, l'île cherchait d'autres aliments! Jacob membre d'une mission économique! Quel honneur! Trop d'honneur. A vingt-quatre ans, il n'avait jamais quitté son pays que pour la Dominique et, à chaque fois, sur le bras de mer démonté, avait cru rendre son âme avec ses tripes! En outre, l'idée d'être séparé de sa Tima et de sa Thécla en ces temps d'insécurité lui faisait horreur. Il s'apprêtait donc à décliner l'offre flatteuse quand Tima le convainquit du contraire.

Quand mal résigné, la mort dans l'âme, il vint annoncer à Albert qu'il partait pour New York laissant son bien le plus précieux à la garde de Serge, un jeunot de vingt-deux ans, assez vagabond et porté sur les femmes, Albert en retrouva un parlé délié, audible, que son fils ne lui avait jamais connu.

– Tu vas à New York? Alors tu vas remettre une lettre de ma part à Marcus Garvey. Il y a un bureau! Sais-tu qui est Marcus Garvey?

Jacob qui n'avait jamais entendu ce nom-là garda le silence et son père s'exclama avec la même volubilité :

– Le plus grand nègre de tous les temps! Il n'y en a pas deux, il n'y en a pas trois comme lui!

Puis il se précipita à la boutique-buvette des Sept Péchés Capitaux où les paysans faillirent se signer à sa vue pour acheter du papier à lettres et une enveloppe. Il faut avouer qu'Albert avait l'espoir et la fidélité chevillés au cœur! Jacob, encore sous le coup de la stupeur, le regarda tracer de grands jambages de mots euphoriques et sans suite à la lumière de la lampe qui fumait au « carburant antillais ».

> « *Mon très cher Marcus Garvey,*
> *Je ne vous verrai plus de mes yeux de vivant. Mais mon fils vous remettra cette lettre et pourra profiter de vos exaltantes leçons, mieux que je n'en ai été capable. Je n'ai rien fait de ma vie. Et pourtant comme vous, je suis fier de ma race. Je crois à une race noire pure autant qu'un Blanc qui a du respect pour lui-même croit à une race blanche pure. C'est pourquoi j'ai été blessé jusqu'au cœur. A présent, je vis comme un sauvage, je suis muet, je suis sourd. Je suis redevenu le Moudongue, le Soubarou dont elle riait. Pourtant je crois toujours que notre race se vengera de toutes les humiliations qu'elle subit encore chaque jour. Je sais que l'histoire que nous construisons étonnera le monde. »*

(Je ne possède pas le texte de cette lettre, mais je peux aisément en imaginer le contenu.)

De retour à La Pointe, Jacob mit Jean sur la piste de Marcus Garvey dont le gamin, malgré son érudition n'avait jamais entendu parler. Ce petit fureteur fit merveille. Il découpa des articles dans des journaux défunts ou moribonds, interrogea des gens compétents comme Camille Désir, alla s'enfermer dans des bibliothèques municipales et put reconstituer la trajectoire tragique et baroque du grand homme.

– Il a voulu que tous les nègres reviennent en Afrique...

Jacob fit avec horreur :

– En Afrique ?

124

Le cadet fit doctement :

– N'est-ce pas de là que nos parents venaient ? les Antillais ont été très divisés à son sujet. Lis cet article très élogieux d'un certain Adolphe Mathurin ! Et celui-là d'André Béton qui s'inspire de ses idées ! Mais Candace et Satineau l'ont combattu. Quant aux communistes !

Tout cela parut bien compliqué à Jacob qui avait d'autres soucis en tête ! A qui confier la direction du magasin en son absence ? Qui percevrait les loyers du lakou, ce qu'il faisait lui-même chaque semaine et le visage fermé comme une porte de prison, pour éviter les jérémiades et les tentatives d'attendrissement ? Qui surveillerait le travail des ouvriers agricoles de Juston ? Et si sa petite choubouloute tombait malade ? Jacob voyait déjà l'enfant charcutée par des chirurgiens-bourreaux... Surtout qui prendrait soin de la tombe d'Elaïse qu'il visitait chaque jour sous pluie ou soleil, changeant l'eau des vases, coupant le bout ramolli des tiges, veillant à l'éclat des bouquets de tubéreuses, de frangipanes, d'arums et de lis ?

Situés aux portes des villes, les cimetières guadeloupéens sont des cités des morts où le filao, bel arbre pleureur, veille sur les défunts. Là, marbre, verre, béton soigneusement blanchi rivalisent. Sur les caveaux, on dispose des vasques, des fleurs, des croix ou des couronnes de perles. De part et d'autre de la photo des défunts, on tient allumées des veilleuses dont la flamme tenace et fragile symbolise l'affection des vivants.

La tombe d'Elaïse était digne d'une reine.

Aussi Jacob passa-t-il les semaines précédant son départ à se faire du mauvais sang. Oui ! Qui l'entretiendrait en son absence ?

V

« VILLE de contrastes, puritaine et libertine, image
double d'une Amérique policée et d'un continent
sauvage, l'Est et l'Ouest : à trois pas du luxe de la
Cinquième Avenue, voici la Huitième Avenue, sordide et défoncée. New York symbolise l'Amérique
et la moitié de sa population est étrangère... New
York est grand, il est neuf, mais grande et neuve,
toute l'Amérique l'est. Ce que New York a de
suprêmement beau, de vraiment unique, c'est sa
violence. Elle l'ennoblit et l'excuse, elle fait oublier
sa vulgarité. Car New York est vulgaire, est plus
fort, plus riche, plus neuf que n'importe quoi, mais
il est commun. La violence de la ville est dans son
rythme ! »

Ce n'est sûrement pas mon grand-père Jacob qui
écrivit cela. Ce texte est de Paul Morand, écrivain
français qui visita New York en 1930.

Voici la lettre de Jacob à Tima :

« Bien chère Tima,
Notre délégation est logée à l'Hôtel Ambassador
à Park Avenue. On y mange très bien.
New York est une ville très grande et très
propre. On nous a fait visiter l'incinérateur cen-
tral à l'angle de la 57ᵉ Rue et de la 12ᵉ Avenue qui
brûle chaque jour des tonnes de détritus et même
des chiens errants. Quel spectacle effrayant !
Demain nous irons visiter le Département de
Police. J'ai été frappé par la hauteur des gratte-
ciel. Dis à Petit Père que je n'ai pas encore remis
sa lettre, mais que je n'y manquerai pas... Je
pense à Thécla et à toi jour et nuit.
Ton mari affectionné. »

Dès qu'ils eurent mis pied dans le canot qui devait les conduire à Roseau d'où à bord du *S.S. Catalina* ils cingleraient vers l'Amérique, les conseillers généraux, hommes d'âge mûr et de peau claire, bedonnants et décorés, firent sentir à cette mauviette de Jacob Louis, fils de ce nègre à mauvaise réputation d'Albert, qu'il n'était pas un des leurs. Aux repas, ils ne lui adressaient pas la parole. Ils le laissaient laper sa soupe, manger ses asperges par le gros bout et couper des deux mains ses pâtes. Ils l'ignoraient quand il faisait mine d'entrer dans le sanctuaire du bar-fumoir où ils savouraient du porto en tapotant leurs havanes. Et le malheureux Jacob se creusait les méninges :

– Pourquoi ? Pourquoi me traitent-ils comme un chien dans un jeu de quilles ? Est-ce parce que je suis noir ? Oublient-ils que leur mère ou leur grand-mère étaient noires ? Est-ce parce que je ne suis pas instruit ? Pourtant, mon compte en banque vaut le leur !

La colère et un début de révolte faisaient leur chemin dans sa tête. Arpentant le pont-promenade, le dos voûté et les mains dans les poches, il imaginait de cinglantes apostrophes qu'il ne prononçait pas cependant.

Au matin du quatrième jour, l'océan montra les dents, bondit, se démena dans tous les sens et Jacob fut trop occupé par ses spasmes et ses nausées pour songer à autre chose. Il arriva défait, jetée quatre-vingt-dix, au pied de la 50ᵉ Rue à un jet de pierre de cette monstrueuse Statue de la Liberté vers laquelle il évita de lever les yeux.

En vérité, les conseillers généraux bedonnants et décorés de la délégation n'avaient pas vu plus loin que le bout de leur nez et avaient grand tort de minimiser ce jeune nègre d'allure très ordinaire. A cause de ses fréquents voyages à la Dominique nécessités par ses plantations de pamplemousse, Jacob parlait parfaitement l'anglais et fut le seul à pouvoir se passer d'un interprète. En plus, il avait un sens inouï des tractations commerciales. Sa gaucherie disparut devant Son Excellence l'ambassadeur de France soi-même quand il fallut exiger des producteurs américains des ventes à crédit à long terme et pour l'île des secours d'urgence en produits de première nécessité. Sans sa hargne et sa ténacité, cette mission aurait été un échec!

Quand il n'était pas occupé à discuter affaires, Jacob vivait littéralement son séjour comme un rêve. Il s'attendait toujours à ouvrir les yeux, ahuri, et à se retrouver contre le flanc de Tima, donnant le biberon à Thécla ou se faisant battre aux cartes par Jean. Comme il aurait aimé, au lieu des insipides missives qu'il adressait aux siens, leur faire partager la fascination que New York exerçait sur lui! Mais pour peindre New York, il faut être un artiste inspiré et Jacob n'était qu'un boutiquier! Comment dépeindre les longues jambes nerveuses des gratte-ciel frappant le ciel de leurs sabots de pierre, l'architecture triomphante des ponts de métal bleu sur les fleuves domptés, les chevaux caracolants des policiers, les haillons d'Arlequin des mendiants et dans les parcs, cette touffeur d'arbres inconnus. Lui qui n'avait jamais vécu que dans une agglomération de dix mille âmes était apeuré, surexcité par ce flot furieux d'hommes et de femmes s'écoulant, tournoyant autour de lui, l'emportant, fétu humain, dans des directions où il n'avait que faire. L'incessante clameur de la ville l'assourdissait et il se croyait toujours délicieusement en danger d'être volé, détroussé, assassiné et laissé là baignant dans une flaque de goudron fondu.

Un jour, il s'égara dans des rues bordées de maisons de bois rouge, rose, écarlate, vert pomme dont les balcons s'abritaient sous des vérandas festonnées. Des hommes aux yeux bridés et aux longs cheveux huileux lui sourirent mystérieusement et lui désignèrent des étalages d'herbes et de fruits aux senteurs violentes. Cela lui rappela certaines photos vues furtivement dans le bureau de son père. Au bout d'une heure d'interrogations (à quelle surprenante Amérique avait-il abordé?), il finit par s'adresser à un garçonnet qui, ôtant sa casquette, lui révéla qu'il était à Chinatown.

Il y revint à plusieurs reprises, séduit sans le savoir à la manière de son père des années plus tôt sous un autre ciel du pays comme si le sang charroyait des atavismes. Il avalait une tasse de thé au « Dragon d'or », s'accroupissait aux coins des rues pour regarder les joueurs déplacer gravement des pions en forme de chevaux ailés sur des tablettes de bois doré.

Ce fut au milieu de la deuxième semaine de son séjour que ses doigts butèrent au fond d'un porte-documents sur la lettre que lui avait remise Albert.

114 West 138th Rue. Jacob ne s'était jamais aventuré si haut. Il plongea dans le subway, trébucha le long d'interminables couloirs, monta, descendit des escaliers et revint au jour dans un square pelé, jonché de papiers gras où des miséreux se chauffaient au soleil.

Dieu, à quelle nouvelle Amérique avait-il abordé là?

Ce n'était pas la saleté des lieux qui le suffoquait. Ni cet air de misère et d'abandon, épais comme une fumée d'usine. C'était que tous les visages, des hommes, des femmes, des vieillards, des enfants avaient la même couleur que le sien, comme si pour l'accueillir ils avaient revêtu des masques de circonstance. Mais quels masques! Féroces, railleurs, grotesques, désespérés!

Si la présence des Noirs à New York, des garçons d'ascenseur aux portiers d'hôtel, des cireurs de chaussures aux crieurs de journaux, des marchands de cravates à la sauvette dans un parapluie aux chauffeurs de taxi, l'avait dès la première heure frappé, il n'était pas toutefois préparé au choc qu'il recevait là au cœur de Harlem.

Il pressa le pas.

La 138ᵉ Rue était une artère puante le long de laquelle les gratte-ciel des poubelles montaient la garde en plein midi. Au rez-de-chaussée du 114, une plaque indiquait UNIA[1]. Jacob frappa timidement à la porte qui s'ouvrit toute seule sur un grand escogriffe, les yeux masqués par des lunettes noires et les cheveux étirés par un bon décrépant qui l'écouta en silence avant de fondre en larmes et de hoqueter :

– *Marcus just died, man! In London*[2] *!*

VI

Jacob n'avait jamais vu plus loin que le bout de son nez qu'il tenait baissé sur ses caisses de hareng saur, ses fûts de saindoux ou la terre à désherber de ses plantations quand il ne frémissait pas d'adoration à regarder sa fille et sa femme. Il découvrit que des millions d'hommes peuplaient l'Amérique dont les ancêtres avaient été comme les siens arrachés d'Afrique pour faire pousser l'or. Il sanglotait en entendant les récits de tortures, lynchages, ségrégation et en suivant la longue marche de ses frères nouvellement découverts de la plantation

---

1. *Universal Negro Improvment Association.*
2. « Marcus vient de mourir, frère : A Londres ! »

au ghetto. Tous ces nègres brûlés vifs, pendus, décapités, flagellés, mutilés lui ôtaient le sommeil et il s'éveillait hurlant de douleur aux petites heures du matin. Brother Ben, l'escogriffe aux lunettes noires et aux cheveux décrépés, en réalité le plus doux et le plus fraternel des hommes, s'étonnait en épongeant la sueur de ses cauchemars :

– Quel trou est donc ton pays que l'on ne vous y informe pas de ces choses-là ?

Jacob soupirait :

– Crois-moi, on ne nous y informe que des méandres de la Seine, de la blancheur poudreuse de la neige des Alpes...

A la différence de mon aïeul Albert, mon grand-père Jacob n'eut jamais de velléité de tenir un journal. Néanmoins mes investigations m'ont permis certaines découvertes.

Dès le lendemain de sa visite à la 138ᵉ Rue, il quitta l'*Ambassador Hotel*. Les conseillers bedonnants et décorés montèrent sans lui dans l'auriculaire de la Statue de la Liberté et tout en haut de l'Empire State Building pour voir New York en maquette. Il partagea avec Brother Ben et son jeune frère, dont la cocaïne blanchissait les narines, un réduit rempli de livres et Jacob qui n'avait jamais fait que feuilleter son quotidien local se mit à déchiffrer, en s'aidant d'un dictionnaire pour les mots trop difficiles, les discours de Marcus Garvey. Parfois il s'endormait durant cette lecture par trop ardue et Brother Ben le trouvait ronflant comme une toupie en travers d'un livre ouvert. Il le réveillait et le sermonnait vertement :

– Tu es là, tu dors et pendant ce temps les ennemis de notre race ne dorment pas! Ils ont tué Marcus, man! Nous devons reprendre le flambeau! Et tu es là à dormir!

A part cela, Brother Ben et Jacob s'entendaient

comme des frères nourris au même toloman. Jacob suivit Brother Ben à toutes sortes de réunions, manifestations, marches et commémorations où l'on discutait interminablement des méfaits des Blancs.

– Quand il s'agit de défendre l'Amérique, alors notre sang est bien assez rouge ! Le reste du temps, on nous tue à tous les croisements de rues.

Jacob apprit à se délecter des *grits, collard greens, ham hocks*[1] dont Ben était friand et même introduisit dans son anglais une pointe de nasillement américain.

S'apercevant des regards qu'il lançait aux femmes, Ben l'emmena chez Louise, une sœur de la 147ᵉ Rue, pas trop regardante sur les hommes. Comme Louise grommelait tout de même que Jacob était bien noir et bien laid, il lui présenta cette œuvre de chair comme utile à la race. Et Jacob qui n'avait jamais osé songer qu'il mettrait un jour des cornes à sa Tima adorée se trouva adultérin en un rien de temps. Oui, ce séjour à New York fit de Jacob un nègre nouveau.

Je me réjouis, quant à moi, de cette parenthèse dans la vie de mon grand-père, de cette bolée d'air dans la geôle étouffante de son existence. Je me réjouis de cette fenêtre un instant ouverte sur l'ailleurs. Hélas, elle se referma bien vite. Néanmoins, j'en suis sûre, sans jamais en parler à personne, il garda le souvenir de ce carré de ciel entrevu.

Les premiers à s'apercevoir de sa métamorphose furent les conseillers généraux bedonnants et décorés. Le jour du départ, ils le virent surgir on ne sait d'où, entouré d'une véritable délégation de nègres

1. Plats chers aux Noirs du Sud des Etats-Unis.

de Harlem qui les transpercèrent de leurs regards de mépris. L'un d'eux, après avoir donné l'accolade à Jacob, prononça une homélie à laquelle ils ne comprirent pas un traître mot, n'ayant fait aucun progrès en anglais pendant leurs douze semaines de séjour. Le passager du *S.S. Portsmouth* n'eut rien de commun avec celui qui avait fait le voyage aller à bord du *S.S. Catalina.* Il passait sur eux sans leur donner ni bonjour ni bonsoir. Il s'asseyait seul à une table écartée, plongé dans sa lecture. Même quand l'océan refit son numéro et montra les dents, il resta digne et fier comme Artaban à arpenter le pont-promenade. Les seconds à s'en apercevoir furent les Louis, tous présents à l'exception d'Albert qui ne s'était pas déplacé pour accueillir son fils, dressés comme une muraille au pied de la passerelle. Il descendit d'un pas martial qu'on ne lui connaissait pas, broya les doigts de Jean dans une poignée de main de boxeur en soufflant :

– Tant de choses à te raconter, petit frère !

Quant à Tima qui avait dormi chaste dans ses chemises de nuit brodées, elle dut recommencer à prier Dieu pour que s'écourte le supplice des nuits. Cependant, pour suppléer à ses refus, à ses rebuffades, à ses abandons rétifs, il prit une maîtresse, une certaine Flora Lacour, belle négresse rouge, caissière au Bonheur des Dames qu'il mit dans ses meubles de chêne, rue Vatable.

Bientôt ce furent La Pointe et la Guadeloupe tout entière qui purent vérifier cette métamorphose. La rumeur leur apprit en effet que Jacob Louis fondait un parti politique. Le Parti des Nègres Debout.

– Le Parti des Nègres Debout ? *Ka sa yé sa[1] ?*

On ne s'instaure pas politicien. On naît dans une

1. « Qu'est-ce que cela veut dire ? »

famille qui depuis des générations a manié le mensonge et la fraude électorale. Qui sait bourrer les urnes des bulletins des morts votants. Qui connaît tous les trucs. Pour qui Jacob Louis se prenait-il?

Le programme de ce parti était assez flou, il faut le reconnaître. Il se résumait à la fameuse phrase de Marcus Garvey : « *I shall teach the Black Man to see beauty in himself* », assez platement traduite à mon avis : « J'appprendrai au Noir à voir qu'il est beau. » En fait, il ne faisait que reprendre les mots d'ordre de Légitimus lors de la création du Terrible Troisième.

Quand Albert sut que son fils envisageait d'entrer en politique, il sortit une nouvelle fois de sa retraite et apparut au magasin, les cheveux et la barbe en friche, empestant l'alcool :

– Ne fais pas ça! Ne fais pas ça! Ils nous haïssent! Ils ne nous pardonnent pas d'avoir quitté la canne. C'est sur un cabrouet à bœufs, fouet en main, qu'ils voudraient nous voir. Ils t'habilleront dans la merde comme ils l'ont fait pour moi!

Jacob haussa les épaules.

Evidemment Albert avait raison. L'assaut contre Jacob fut féroce et général. Tous les journaux de tous les partis, opinions confondues, se déchaînèrent. Mais la palme revint aux communistes. Un certain Silius Siléus trempa sa plume dans le fiel et le vitriol. Il décrivit minutieusement le lakou où des familles nécessiteuses étaient exploitées, expulsées sans ménagement à la moindre défaillance. Il donna le chiffre des gages des employés du magasin et des ouvriers agricoles de Juston. Il alla jusqu'à interviewer une servante que venait de renvoyer Tima parce qu'elle répliquait et à reproduire ses paroles :

– C'est leur peau seule qui est noire. Ils sont pires que les Blancs.

134

Pour couronner son éditorial, il feignit d'oublier que mon grand-oncle René était parti à la Dissidence et que les Louis payaient la « dette de sang » à la France. Il prit pour prétexte que Jacob avait été un membre de la mission économique à New York, il traita la famille entière de « vichyssoise » et de « collabo ».

Au cinéma-théâtre le Rialto, Saturnin Filcoste, le député bien connu, mit en garde contre les fourriers de l'impérialisme et termina ainsi son fougueux discours :

« Guadeloupéens, Guadeloupéennes, montrez que vous ne sauriez avaler des couleuvres ni prendre des vessies pour des lanternes. Renvoyez à ses balances Roberval truquées ce trafiquant de sain-doux. »

Jacob commença par rester debout, tenant meetings sur meetings, même quand il n'y avait dans la salle qu'une dizaine de curieux riant de lui. Ce n'était pas, on s'en doute, un bon orateur. Il ne se fiait pas à sa mémoire. Aussi il lisait entièrement ses discours[1] soigneusement écrits à l'encre violette sur des cahiers d'écolier.

Il ne se découragea qu'après l'incident de Capesterre. Comme il sortait de la salle qu'il avait louée pour la circonstance et qui n'avait guère abrité que Jean et une demi-douzaine de jeunes chahuteurs, il se vit nez à nez avec une petite foule qui commença à lui jeter des roches. L'une manqua lui arracher l'œil droit. L'autre lui laboura la joue droite et le sang pissa sur son faux col. Une troisième atterrit sur son abdomen qu'elle perfora et il s'abattit face dans la gadoue cependant que ses assaillants s'enfuyaient bravement à la faveur du noir de la nuit.

1. Je n'en ai retrouvé aucun.

Cette fois-là, il comprit la leçon. Il remisa ses belles idées et se laissa morigéner par Tima :

– Continue si c'est mourir que tu veux mourir ! Si c'est une enfant sans papa que tu veux me laisser !

En quelques mois, il devint aussi vieux corps que son père au point que les gens se trompaient en le voyant de loin. Mal ficelé dans ses costumes de drill qui lui devenaient de plus en plus larges. Le front toujours en sueur sous son éternel casque colonial. Il ne se soucia plus que de faire de l'argent, toujours plus d'argent et de gâter sa Thécla.

Peu après, deux garçons lui naquirent de Flora Lacour, mais il en fit si peu de cas que la pauvre mère gémissait :

– *A pa té la pen*[1] *!*

Il ne se plaignit jamais. Il ne s'ouvrit jamais à personne. Néanmoins, tous ceux qui croisaient son regard savaient que dans cette eau-là, un grand rêve s'était noyé !

VII

Jean souffrit autant que Jacob.

Son caractère autrefois rieur, déjà assombri par la mort d'Elaïse et la disparition sans même un au revoir de René, changea complètement. A part ses chers livres, il n'eut plus d'autre interlocuteur que Jacob qui de son côté pouvait passer des semaines sans rien dire à voix haute. Sa seule distraction était de marcher droit jusqu'au Bas du Fort et de nager à brasses furieuses jusqu'à l'îlet du Gosier

---

1. « Ce n'était pas la peine ! »

qu'il atteignait en douze minutes treize secondes. A ce rythme-là, ses muscles s'allongeaient, se développaient : un corps d'athlète !

Un matin, il entra au magasin et se campa dans le cagibi où Jacob vérifiait, ligne par ligne, ses livres de compte.

– Ecoute, je veux faire l'Ecole normale. Je veux devenir instituteur.

Levant le nez, Jacob protesta :

– Instituteur ! Mais tu es le premier de ta classe ! Dans quelques années, tu seras bachelier et tu...

Jean l'interrompit :

– Je ne veux pas être bachelier. Je veux devenir instituteur.

Comme Jacob restait bouche bée, le cadet expliqua :

– Je ne veux pas qu'ils me fassent ce qu'ils t'ont fait ! Je veux vivre loin, loin d'eux dans un bourg, une commune, un village...

Jacob ne dit plus rien, essuyant l'eau de ses yeux.

Donc quatre ans plus tard, et la guerre était finie sans ramener René, Jean prit la direction de Grands-Fonds-les-Mangles, un village de la Grande Terre, planté au milieu des champs de canne à sucre comme un rocher dans l'océan. Les paysans n'aimaient guère les instituteurs. Néanmoins celui-là était tellement jeune, tellement beau qu'ils l'adoptèrent. Ils l'aidèrent à rapiécer la tôle de son toit, à décrasser sa citerne et à tuer les mille-pattes qui grouillaient dans sa paillasse. Ils lui donnèrent même une de leurs filles, Anaïse, à laquelle des seins venaient de pousser et dont la peau sentait la cannelle. Jean qui ne connaissait rien aux filles s'arrangea pour faire ce qu'on attendait de lui. Bientôt le ventre d'Anaïse s'attira des pronostics :

– *Sé an ti fi*[1] !

Comme Jean se mit à aimer cette campagne sèche et sonore comme une table d'écoute! La pluie n'y tombait guère, même en novembre quand tout le pays déborde.

Le premier jour de classe, il réunit ses quarante gamins, la morve au nez et les cheveux rougis de soleil et leur dit :

– Il faut que vous sachiez que je ne sais rien. Aussi je viens apprendre de vous ce que vous tenez de ceux qui vous donnent à boire et à manger! Ce sont ceux-là qui savent...

Quelle bonne blague! Les enfants se regardèrent rigolards. Cependant ils ne tardèrent pas à s'apercevoir que leur maître pensait ce qu'il disait. Et peu à peu, ils en vinrent à tout lui confier.

D'abord des choses matérielles. Comment on fait de l'huile et du savon avec du coco. Comment on peut mettre debout une case fraîche et cependant imperméable avec des gaulettes. Comment la liane torchon fait la peau douce. Comment l'huile de carapate démêle les cheveux, mais aussi éclaire sans fumer. Comment le vétiver tresse les paniers. Et puis, ces choses secrètes, à peine articulées, qui se transmettent surtout par les femmes, mères, grand-mères, aïeules! Panser, guérir ou alors frapper de maladies! De mort aussi!

Jean écrivait tout cela et les cahiers de cent pages s'ajoutaient aux cahiers de cent pages[2].

Bientôt les enfants ne parlèrent plus par on-dit, mais menèrent Jean à la source : dans les cases de leurs parents. Jean s'asseyait par terre, mangeait le migan à même le coui et regardait de près ces faces tarabiscotées, taraudées par la misère et

---

1. « C'est une petite fille! »
2. Ces notes forment l'ouvrage *La Guadeloupe inconnue* publié à compte d'auteur.

néanmoins si belles, à ses yeux. Chaque jour, il écrivait à Jacob, retenu à La Pointe par son souci de faire de l'argent, par son amour de Tima et de Thécla, des lettres où il lui décrivait son bonheur.

Paix. Pauvreté. Pauvreté. Paix.

Un jour, au dos de Melchior, l'âne somnolent que lui avait donné le père d'Anaïse, Jean revenait de l'Anse Laborde. Il avait nagé, battant à la course deux canots de pêcheurs avant de les laisser filer vers la haute mer. Brusquement à un carrefour, Melchior se mit à braire et, d'un rude coup de reins, le jeta par terre. Jean se releva et furieux allait corriger la bête, quand il vit une fille accroupie sous un manguier. Une vraie chabine dorée celle-là, des nattes blondes dansant sous son chapeau et des cercles de taches de rousseur entourant ses yeux d'arc-en-ciel. Jean avait tellement été entraîné à éviter les gens à peau claire qu'il allait, bien élevé tout de même, grommeler un bref salut avant de remonter sur son âne quand quelque chose fondit sur lui, le forçant à regarder la fille à deux fois et le ligota, pieds et poings. Il s'entendit parler :

– Bonjour, la belle, dans quelle direction vas-tu ? Veux-tu que je te donne un bout de chemin ?

Elle répondit, glaciale :

– Passez votre chemin ! Je ne vous ai rien demandé !

A partir de cette rencontre, Jean ne fut plus le même. Plus de questions aux élèves ni de conciliabules avec leurs parents. A peine l'école finie qu'il sautait sur le dos de son Melchior et disparaissait à travers les champs de canne. Au matin, bien après que les coqs avaient braillé dans les poulaillers, il réapparaissait, les yeux rouges d'avoir veillé. Anaïse, qui ne reconnaissait plus son homme, pleurait toutes les larmes de son corps et demandait l'avis de sa mère qui lui conseillait la patience.

Les choses duraient ainsi depuis des semaines quand un après-midi de samedi sec et tranquille, Anaïse devait s'en souvenir toute sa vie, Melchior réapparut portant sur son dos un énorme panier caraïbe, calé entre Jean et une fille qu'elle reconnut avec stupeur! Marietta, la fille de Mario!

Mario était un Blanc dont on ne savait rien, même pas s'il était français, italien, anglais! Les gens disaient qu'il avait tué quelqu'un dans son pays, les autres qu'il avait dévalisé une banque et se cachait avec Adélia, sa compagne qui devait bien avoir du sang de nègre à en juger par la qualité de ses cheveux. De quoi vivait le couple? On se le demandait! Mario passant le plus clair de son temps les deux pieds plus hauts que la tête dans un hamac, Adélia à son côté. Ils avaient eu deux enfants qu'ils élevaient comme des chats sauvages : Adélio, un garçon qu'on n'avait plus vu un beau matin (on disait que Mario l'avait envoyé chez lui); Marietta, une fille dont tous les hommes rêvaient du Moule à l'Anse Bertrand.

Le mariage, car il l'épousa à l'église, de mon grand-oncle Jean et de Marietta marque une brèche dans le mur de la couleur qui entourait notre famille. Les Louis l'un après l'autre avaient dégringolé du ventre de leur mère, arborant toutes les nuances du noir. Désormais Marietta leur ajouta des rouges, des chabins frisés et même un apparemment mulâtre qui tenait du grand-père Mario.

Quand il apprit le mariage de son frère, Jacob abaissa en hâte le rideau de fer du magasin, jucha sa Thécla auprès de lui et se fit conduire à Grands-Fonds-les-Mangles (il venait d'acheter une Citroën pour la gloire de sa Tima). Les deux frères se prirent par la main selon une habitude de vingt ans et marchèrent au hasard. Brusquement Jacob rompit le silence :

– N'humilie pas Anaïse. Si tu l'humilies... c'est comme si... tu humiliais... notre mère !

Jean inclina la tête.

En réalité, Mario n'avait tué personne. Simplement, un jour, il avait regardé le monde autour de lui et lui avait trouvé la gueule bien laide, des pustules bavant le pus. Alors il avait acheté un bateau et accosté à Paramaribo où il avait arraché Adélia à un bordel. Puis ensemble, ils avaient levé les voiles et fait route jusqu'à la Guadeloupe. Bien sûr, comme Jean, il avait lu Marx, Engels, mais il leur préférait Rousseau :

– Prends un paysan guadeloupéen, ou un pêcheur ! Un paysan ou un pêcheur. Il a le cœur friable, des idées généreuses plein la tête. Assieds-le sur le banc d'une école. Mets-lui un col et une cravate. Apprends-lui le français et il devient un fauve, une roche au cœur et des crocs pour faire saigner ! Nègre, mulâtre, blanc, cela ne change rien à l'affaire, c'est le processus normal !

Jean ne demandait qu'à le croire et en réponse, lui contait comment on avait détruit son père, puis son frère !

Le jeudi quand il n'y avait pas de classe, Jean descendait à l'Anse Laborde et là, le beau-père et le gendre bavardaient jusqu'à ce qu'Adélia, lasse d'entendre ce verbiage qui n'en finissait pas, se mette à hurler :

– Paix à vos bouches quand même ! Et toi, Jean, tu as deux femmes à satisfaire, tu ne pourrais pas rester auprès d'elles !

Je crois, quant à moi, que l'influence de Mario fut décisive et acheva de faire de Jean un doux révolté rêveur, un rousseauiste mâtiné de relents de garveyisme... Mon malheureux grand-oncle n'était pas destiné au rôle qu'on lui fit jouer et s'il mourut martyr, ce ne fut pas sa faute.

Les habitants de Grands-Fonds-les-Mangles,

mine de rien, firent un détour pour voir comment Jean s'arrangeait avec ses deux femmes. Ce n'était pas le nombre qui les intriguait. Tout homme a deux femmes et plus! Il y a même des hommes qui ont une femme dans chaque village, dans chaque commune! Non, c'était qu'elles boivent, mangent et dorment sous le même toit. Ils entraient dans la case et inspectaient les trois pièces bien récurées et sentant le feuillage : deux chambres à coucher de part et d'autre d'une mince cloison percée d'une ouverture que masquaient en tintant les perles de bois d'un rideau. Dans l'une des chambres, deux lits de fer encadrant le berceau où dormirait le petit être qui pour l'heure bougeait au ventre d'Anaïse. Des lits de fer étroits et chastes comme ceux de deux sœurs, écolières grandissant côte à côte et usant leurs yeux à la même chandelle. Et Anaïse et Marietta avaient en effet l'air de s'entendre, partageant équitablement le travail comme, tout laissait à le supposer, le plaisir... A peine une ombre au fond des yeux d'Anaïse quand elle lavait son linge les mains dans l'eau bleue d'une bassine. Marietta, quant à elle, apprivoisée par l'amour, perdait ses mines de chat sauvage, balayait la cour en chantant et tentait de planter des roses au jardin. Jean avait l'air d'un coq en pâte. Après tout, chacun donne au bonheur le visage qu'il veut.

VIII

PENDANT ce temps, Thécla Elaïse Jeanne Louis, ma mère, marchait sur ses huit ans. C'était une petite fille que l'on s'accordait à trouver belle, mais totalement dépourvue de charme. On aurait souhaité quelque défaut, un nez plat, une bouche épaisse, des gencives roses[1], pour donner, par cette irrégularité même, quelque vie à son visage. Au lieu de cela, une perfection glacée. Un grand front solidement bombé sous des cheveux fournis comme ceux de sa mère et toujours rigoureusement graissés à l'huile de carapate. De grands yeux en amande qui regardaient droit devant eux sans ciller. Un nez presque droit. Une bouche aux lèvres fortes, mais sans excès, s'écartant quelquefois le temps d'un sourire sur des dents bien blanches et régulièrement plantées.

Avec cela, outrageusement gâtée. Rien ne lui était jamais refusé ni par Tima, ni par Jacob. Ce dernier lui achetait à prix d'or des pommes-France ou du raisin muscat et la fillette ignorait que les bananes et les mangues poussaient aux arbres pour la grande faim des petits déshérités de son âge. Tima, dans sa peur de la perdre, l'avait vouée au blanc jusqu'à ses douze ans et elle marchait sur ses bottines vernies, dans ses robes d'organza, relevées de dentelle, la main dans celle d'une servante qui portait aussi son parasol et son cartable, jusqu'à l'école privée des Demoiselles Vertueux. Les enfants, qui ne s'asseyaient à côté d'elle que contraintes et forcées, chuchotaient leurs médisances en la regardant :

– Elle a craché sur sa bonne !
– Elle a dit que son papa avait assez d'argent pour acheter La Pointe !
– Elle a tapé du pied par terre !
– Elle a dit que...

Le dimanche, elle accompagnait Tima à la grand-messe, les cheveux torturés depuis la veille à coups de fer chaud et de papillotes en papier de soie, tassés sous sa capeline en simili anglaise. A

1. Les gencives noires sont signe de beauté.

quatre heures, une grande cousine conviée au déjeuner dominical la conduisait au cinéma-théâtre La Renaissance et prenait plus de plaisir qu'elle aux films de Shirley Temple. A six heures, c'était au tour de Jacob de lui prendre la main pour l'emmener changer l'eau des fleurs sur la tombe de Bonne-Maman Elaïse.

Les jours ordinaires, c'était des leçons de piano, de violon, de danse, de chant, de catéchisme et aussi de mathématiques car elle ne comprenait rien au carré de l'hypoténuse.

Pas étonnant qu'elle haïsse son enfance, ma mère !

IX

QUAND il devint évident que la fin de la guerre ne ramènerait pas mon grand-oncle René, Jacob porta chez Guidicelli, l'Italien de la rue Frébault, une photo prise lors du baptême de Thécla. Guidicelli fit un travail remarquable compte tenu du caractère artisanal de ses installations. Il isola, puis agrandit le visage de René qui portait la nouveau-née sur les fonts baptismaux. Cet agrandissement, tout de même assez flou, restitue les traits inachevés, ange ou bête ? d'un jeune homme aux lèvres serrées, portant lunettes et col dur. Jacob le fit encadrer de noir et il trône depuis lors dans le salon de la maison de la rue du Faubourg-d'Ennery. En l'accrochant, Jacob éprouva une étrange impression, celle d'oublier un autre, de lui refuser l'honneur de la mémoire familiale. Avec un coup au cœur, il se ressouvint de son demi-frère Bert. Mort dans quelles circonstances ? Bouleversé, il se promit d'interroger son père le samedi suivant

144

quand il se rendrait à Juston. Il était écrit qu'il n'en ferait rien cependant.

L'après-midi du même jour, Tima dépêcha la servante pour l'avertir qu'Anaïse, la femme de son frère Jean, s'était tuée.

Tuée ?

Jacob arriva dans un village silencieux comme une forêt pétrifiée. Trois mois plus tôt, Maman Georgina, qui délivrait toutes les femmes de la région, avait fait entrer dans le monde visible un gros joufflu pas du tout terrifié par la métamorphose qu'il venait de vivre. Trois visages radieux s'étaient penchés, trois paires d'yeux s'étaient conjuguées pour scruter le petit corps dodu. Rien à signaler. Paré pour l'aventure !

Le jour du baptême, ni le rhum ni le chodo n'avaient été mesurés et si, Jacob excepté, les Louis qui n'encaissaient guère la manière de vivre de Jean brillaient par leur absence, Mario lui-même était présent et chantait des chansons corses :

Ile d'amour...

Après cela on avait vu Anaïse dégrafer son corsage pour donner la goutte à Dieudonné, son fils. On avait entendu les enfants de l'école brailler une leçon du cru de Jean[1] :

« Autrefois, mon pays, mon île, la Guadeloupe s'appelait Karukéra. Des hommes y vivaient qui ne savaient ni tuer ni faire le mal. Ils se nourrissaient de poissons qu'ils pêchaient dans la mer et les rivières aux belles eaux. Ils faisaient pousser le tabac, le manioc et le maïs. »

1. En ce temps-là, à l'école on n'étudiait pas l'histoire de la Guadeloupe.

On avait vu Marietta aller et venir sous l'auvent de la cuisine.

Que s'était-il passé?

Anaïse reposait sur le lit de bois de courbaril. La robe de mort de sa mère dont on l'avait revêtue contrastait singulièrement avec son visage. Jeune. Désarmé. Jacob sanglota :

– Qu'est-ce que tu lui as fait?

Jean eut un geste d'impuissance. On avait retrouvé le corps d'Anaïse après une battue de trois jours et trois nuits. Les hommes avaient allumé des torches et s'étaient divisés en plusieurs équipes. Les unes avaient parcouru les champs de canne. Les autres, frappé à la porte de toutes les cases. D'autres enfin avaient poussé jusqu'à l'Anse Bertrand, au Moule, à Saint-François. Personne n'avait songé à la mer et c'est au fond d'une crique que des pêcheurs mettant leur canot à l'eau l'avaient trouvée, des algues au pubis.

A la mort d'Anaïse, signe paradoxal que la suicidée aimait la vie, il plut à verse sept jours et sept nuits. Bien qu'on fût en juin, mois des étincelles au-dessus des champs de canne couleur de soufre, mois des incendies dans les faubourgs sans eau de La Pointe, mois de la chaleur souveraine, le ciel coula comme une gouttière cassée. Un flot qui gorgea la terre jusqu'à plus soif. On veilla Anaïse trois jours et trois nuits attendant l'embellie. Désespérant de la voir se lever, le cortège s'ébranla, pataugeant dans la boue avec des floc-floc. Les gouttes de pluie rebondissaient sur le cercueil comme des jets de pierres minuscules et les suivants, tête baissée, eurent beau s'abriter, les uns sous des parapluies, les autres sous de larges feuilles de bananier, d'autres encore sous des sacs de jute, en un rien de temps, ils furent trempés jusqu'aux os. Puisque Anaïse s'était suicidée à la grande colère du Père Lebris qui l'avait baptisée avant de lui donner la Communion et de confesser chaque jeudi ses insignifiants péchés de gamine, elle n'avait pas droit à un service religieux. Sans fleurs ni couronnes, son cercueil, boîte d'infamie, devait être jeté au fond de la fosse. Mais ceux qui l'avaient aimée ne le permirent pas et ce fut le plus bel enterrement qu'on eût jamais vu! Des gens se souvinrent que bien avant le cyclone de 1928, Matalpa, Matalpa qui dansait si bien le quadrille était morte dans la fine fleur de son âge et qu'alors du regret qu'elle laissait dans tous les cœurs, des chants inoubliables étaient nés. Mais même dans ce cas, l'enterrement n'avait pas été aussi beau! Malgré toute cette eau qui tombait d'en haut!

La mort d'Anaïse rejeta définitivement mon grand-oncle Jean dans le monde des livres, de la pensée, de la réflexion. Sa classe terminée, comme son père, il ne parla pratiquement plus et c'est par des grognements à peine audibles qu'il communiqua avec Marietta. Sous prétexte qu'il avait besoin de paix pour ordonner les informations qu'il recevait de tant de sources, il mit debout de ses mains, refusant l'aide, une case en gaulette où il s'enferma. Quand, à minuit passé, Marietta, lasse de réchauffer le dîner, venait l'appeler, les poings sur les hanches, il se levait comme un zombie et la suivait jusque dans le grand lit où il lui faisait l'amour. (Dix enfants naquirent quand même de ces étreintes sans paroles.)

La mort d'Anaïse rapprocha encore Jacob et Jean. Au moins une fois le mois, Jacob arrivait de La Pointe. Il s'enfermait avec son frère dans la case en gaulette et comme au temps de leur adolescence, Jean tournait les pages de ses livres ou lui lisait le fruit de ses réflexions personnelles. (C'est à Jacob qu'est dédié l'ouvrage *La Guadeloupe inconnue*.)

Souvent aussi, Jacob et Jean conversaient. Le

premier articulant les mots de sa voix croassante, le second les maniant comme un forgeron un métal rarement utilisé :

– C'est drôle, hein ? Depuis qu'elle n'est plus là, je la sens plus proche !

– C'est comme moi avec Petite Mère Elaïse ! Des fois, à Juston, je suis sûr qu'elle est là dans la pièce, qu'elle voit tout ce que je fais !

Quelquefois, contre l'avis de Tima, Jacob emmenait Thécla avec lui. Paradoxalement, si la fillette détestait la vie qu'on lui faisait mener à La Pointe, elle détestait bien davantage ses séjours à Grands-Fonds-les-Mangles. Elle détestait ces paysans puant la sueur et parlant le créole, qui l'embrassaient de leurs bouches grasses et son père qui la morigénait à chaque fois :

– Allons, ne fais pas ta gâtée ! Dis bonjour !

Elle détestait le coui dans lequel elle mangeait, la paillasse à même le sol sur laquelle elle s'étendait parmi ses cousins qui ne se brossaient même pas les dents après souper. Surtout elle détestait Marietta, blonde, pieds nus et désinvolte, si différente de Tima, toujours tirée à quatre épingles et coiffée dès sept heures du matin. Elle croyait lire au fond de ses yeux un mépris qui n'était peut-être qu'au fond d'elle-même :

– Tu as beau prendre tes grands airs ! Tu as beau te gonfler comme la grenouille du conte. Tu ne seras jamais rien qu'une petite négresse à tête « graînée ». Et bien noire avec ça...

X

Le monde se souvient sans doute de l'année 1953 comme de celle où mourut Joseph Staline car cette mort fit la une des grands journaux internationaux. Pourtant cet événement-là tint peu de place dans l'esprit de mon grand-père Jacob et même de mon grand-oncle Jean, autrefois féru de palabres sur le marxisme, la race, la classe. Si cette année 1953 les marqua de façon indélébile, c'est qu'elle fut jalonnée de faits sans importance pour d'autres qu'eux-mêmes et qui infléchirent leur histoire individuelle bien davantage que la mort d'un dictateur russe. Le 13 janvier 1953 parut le premier volume de *La Guadeloupe inconnue* de mon grand-oncle Jean. Il avait mis sept ans et demi à le rédiger. A force de rogner sur son salaire et de refuser à Marietta de quoi ressemeler les chaussures des enfants, il était parvenu à réunir la somme que demandait l'imprimeur Jean Repentir. Cet ouvrage aujourd'hui considéré comme un classique, pillé et repillé par les étudiants pour leurs mémoires de maîtrise et leurs thèses, fut tiré à deux cents exemplaires que Jean, descendu pour la circonstance à La Pointe, casa tant bien que mal dans une valise en carton. Puis il fit un détour par les quais pour en remettre un à Jacob qui ne comprit pas pourquoi son frère, serrant sa valise contre lui, avait l'air comblé de quelqu'un qui revient de la Table Sainte. Après sa visite à Jacob, Jean alla trouver Camille Désir, à présent membre influent du parti communiste, et le pria de parler de son livre dans *La Flamme*. *La Guadeloupe inconnue* était, lui semblait-il, un monument à la créativité de cet éternel méconnu, le peuple. Camille avait la tête à autre chose (à la mort de Staline, tiens!), mais il promit tout ce qu'on voulut et recommanda d'en placer une vingtaine chez le libraire Hubert Mondésir.

Il ne parut point d'article dans *La Flamme*. Mais des comptes rendus dans *Le Nouvelliste*, *La Voix du Peuple* et quelques autres qui se gaussèrent fort du style de l'ouvrage, de sa naïveté (ah, ces passages sur le surnaturel!) et renvoyèrent, vite fait, à sa savane ce petit instituteur qui se prenait pour un intellectuel.

Jacob pleura en lisant ces lignes :

– Pourquoi, pourquoi nous haïssent-ils tant? Ils ne désarment pas!

En conséquence, les exemplaires confiés à Mondésir jaunirent sur un rayon avant d'être relégués dans un coin. Pourtant *La Guadeloupe inconnue* ne passa pas inaperçue de tous.

Le 2 mars 1953, M. Besnard, inspecteur d'académie, alerté par l'Administration, entra dans l'école de Grands-Fonds-les-Mangles. Il s'assit au dernier banc de la classe et écouta pendant trois bonnes heures un cours de français, un cours d'histoire, une leçon de choses. Après quoi, il se retira et fit son rapport.

L'effet fut immédiat. Le 17 avril 1953, Jean apprit par pli recommandé qu'il était radié des cadres de l'enseignement. Aussi devait-il vider la maison qu'il occupait et faire place au nouvel instituteur.

Le soir même, Jean et Marietta rassemblèrent enfants et possessions, les entassèrent dans un cabrouet à bœufs prêté par un voisin et, sous les regards attristés des enfants et de leurs parents (certains pleuraient carrément), prirent la route de l'Anse Laborde où habitaient Mario et Adélia.

Trois jours plus tard quand Jacob averti du malheur fit irruption à l'Anse Laborde, il trouva Mario les deux pieds plus hauts que la tête, se balançant dans son hamac, Marietta et sa mère engagées dans une de leurs disputes quotidiennes et Jean taillant des branches d'arbre pour en faire des gaulettes sous les yeux intéressés de ses fils.

– Viens à Juston! J'ai fait aménager la maison!

Jean secoua la tête.

– Tu sais que je ne fais que gérer notre avoir. Veux-tu ta part de biens?

Jean secoua la tête encore plus fermement.

– Au moins, laisse-moi t'aider.

Jean regarda Dieudonné, le garçon d'Anaïse. Jacob comprit et, le prenant par la main, retourna à La Pointe.

Pour gagner sa vie, Jean se fit écrivain public. Armé d'un encrier et d'une plume Sergent-Major, il s'asseyait aux abords des marchés. Là, il aidait les paysans à rédiger leurs feuilles d'impôts, les fiancées à écrire des billets doux à leurs fiancés soldats, les locataires à envoyer des suppliques à leurs propriétaires. La Sécurité sociale lui causa beaucoup de fatigue : personne n'y comprenait rien.

Cependant il oubliait souvent de se faire payer et prenait pour argent comptant n'importe quelle menterie destinée à l'attendrir. En vérité tout cela lui importait peu. La vraie vie commençait à neuf heures du soir quand, seul dans sa case en gaulette, il rédigeait la suite de *La Guadeloupe inconnue*.

Aussi, après quelque temps, Marietta se vit-elle forcée d'intervenir. S'appliquant, elle qui n'avait pas tenu un pinceau depuis son bref temps d'école peignit deux affiches. Une grande : « A verse toujours. » Une petite : « Crédit est mort. Les mauvais payeurs l'ont tué. » Puis elle ouvrit un « débit de boissons », récupérant entre ses murs l'argent que Jean avait laissé échapper.

C'est Tima qui fut enchantée de voir débarquer les pieds boueux de Dieudonné sur son plancher! La mine de Jacob lui signifiant qu'il ne fallait pas protester, elle attendit son départ pour mettre entre les mains du malheureux garçon une bassine d'eau et une brosse de chiendent. Quand Thécla revint de sa leçon de piano, elle trouva l'intrus à genoux et pleurant, les joues barbouillées de savon. A cette vue, sans trop savoir pourquoi, une corde fut pincée dans son cœur dont le son jamais entendu s'amplifia, l'envahit tout entière. Elle serra son petit cousin contre elle et désormais, elle le défendit bec et ongles contre les griffes de sa mère.

Les enfants du Petit-Lycée virent arriver de Grands-Fonds-les-Mangles ce noir garçon joufflu qui écorchait le français et constellait son cahier de pâtés. Ils ne firent ni une ni deux : ils le surnommèrent *Nèg mawon*[1]!

Le 20 décembre 1953, et tout le monde avait déjà la tête à Noël, enfants et parents chantant les cantiques du temps de l'Avent, Jacob reçut au magasin la visite d'un bel inconnu : M. Gilbert de Saint-Symphorien, récemment revenu de Paris pour reprendre le cabinet de son père. Les deux hommes restèrent enfermés quatre heures. Après cela, on vit Jacob sortir en vacillant comme un nègre soûl, s'asseoir au volant de sa voiture et, après deux ou trois embardées de chauffard, quitter la ville. Les gens devaient se souvenir de ce jour-là, car en voyant passer le bolide, un fantaisiste suggéra que la maison des Louis était en feu, ce qui causa une sacrée commotion à La Pointe.

Jacob arrêta sa voiture devant la maison de Mario et Adélia, effarouchant une poule qui grattait la terre pour ses poussins et hurla :

– Jean ! Jean !

Le son de sa voix était tel que le cadet qui revenait du marché de l'Anse Bertrand pressentit un malheur et accourut :

– Quelque chose est arrivé à Petit Père ?

Jacob bégaya :

– Il l'a tué ! Il l'a tué ! C'est lui qui l'a tué !

1. « Nègre marron ! »

QUAND Bert, engoncé dans un manteau que son père avait acheté des années auparavant à San Francisco et tenant une valise en carton, descendit du train maritime en gare de Paris-Saint-Lazare, il éprouva une terrible déception : son ami Gilbert de Saint-Symphorien auquel il avait annoncé sa venue n'était pas là. Il ignorait que depuis peu le pauvre Gilbert s'étiolait dans une pension jésuite au Mans et n'avait pu faire le mur. Il s'était fait une telle joie à l'idée de le retrouver! Toutefois, il n'était pas abandonné, car un ami de Camille Désir l'attendait, un petit écriteau à la main. Il s'agissait d'un certain Jean Joseph, courtier en produits coloniaux.

Il pleuvait.

Les rues luisantes étaient pleines d'automobiles funèbres comme des corbillards, de femmes sous des parapluies noirs, d'hommes en chapeaux ronds dont des sergents de ville drapés dans de lourdes pèlerines orchestraient le ballet. Bert regarda la grande ville grise avec effroi, se rappelant les descriptions enflammées de Gilbert et se demanda si son ami n'avait pas voulu le mener en bateau! Puis il se dit que les villes n'existent peut-être que dans la subjectivité de ceux qui y vivent.

Jean Joseph lui donna la main pour monter dans un tramway. Une foule en habits couleur d'eau sale se tordit le cou pour les dévisager et rire ouvertement. Sans lui prêter attention, Jean demandait des nouvelles du pays qu'il avait quitté depuis bientôt quinze ans. Avant, bien avant la Guerre!

– Bah, songea Bert, peut-être qu'on finit par s'habituer!

En attendant, ces regards l'humiliaient, le torturaient, le rendaient douloureusement conscient de sa peau noire qu'il avait portée jusqu'alors sans trop d'embarras. Une blonde tendit la main vers son visage et le caressa, s'exclamant :

— Ah, c'est du garanti grand teint, ça !

Tout le monde s'esclaffa, même, ce qui choqua Bert, Jean Joseph. Doit-on se railler soi-même ?

Les affaires de Jean Joseph ne devaient pas être très florissantes, car il habitait une rue triste dont Bert déchiffra le nom : rue de la Roquette, où s'alignaient des charcuteries pleines de têtes de veaux morts, de bistrots où des hommes en casquette levaient le coude et où couraient des gosses, la morve au nez et la tignasse couleur de paille. Bert ravala un sanglot, songeant au dernier baiser d'Elaïse. Jean Joseph bavardait sans arrêt.

— Je viens d'être nommé membre du Comité de défense de la race nègre et crois-moi, M. Gratien Candace, le fourrier de l'impérialisme français, entendra parler de moi ! Tous les nègres dès qu'ils arrivent ici n'ont qu'une idée : se faire une Blanche ! Tu connais la blague ? Au moment de l'orgasme, le nègre crie : « Vive Schoeller ! »

Bert rit par politesse. A part lui, il trouva cet homme d'âge à être son père bien léger !

— Même Lamine Senghor qui est marié à une Picarde ! Moi, ma femme est comme toi et comme moi : noire ! Là commence notre fierté : à la couleur de nos compagnes.

La rue butait sur un énorme cimetière et Bert s'épouvantait de la forêt endeuillée des tombes, pensant pour la première fois à la mort au loin, la mauvaise mort. Qui s'assiérait sur sa tombe ? Qui placerait des fleurs dans des vases ?

Au bout d'un calvaire de six étages, dans un appartement fort sombre, Jean présenta sa Noire qui était en réalité une Malgache, enveloppée du châle de soie de ses cheveux. Bert qui n'avait jamais vu pareille toison aux femmes resta planté à la regarder. Jean bavardait toujours :

– Demain, je t'emmènerai saluer M. Gothon Lunion. C'est un grand Guadeloupéen.

La Malgache prit la tête aux yeux gros de larmes de Bert entre ses mains et lui baisa doucement la bouche.

– Laisse-le donc tranquille, ce petit! Et ne commence pas de lui farcir l'esprit avec vos bêtises. Je vais plutôt l'emmener écouter Phi-Phi!

En réalité, Bert ne fit ni l'un ni l'autre. Au petit matin, il se glissa dehors à la recherche de Gilbert. Il portait l'adresse de son correspondant à la place du cœur : 51, rue d'Alger.

Sa conscience le tiraillant, car on était dimanche, il entra dans la première église venue, tellement différente avec ses parois de pierre de la cathédrale Saint-Pierre-et-Saint-Paul que toute envie de prier lui passa. Il roula néanmoins tous les grains d'argent de son chapelet de première communion avant de repartir à l'aventure sur les trottoirs, s'efforçant de ne pas prêter l'oreille aux lazzis des passants. Sans trop savoir comment il se trouva devant un monument qui semblait bien le musée du Louvre! Gilbert lui en avait longuement décrit l'environnement :

– La place du Carrousel date de 1692. Elle doit son nom au Carrousel qui y fut donné par Louis XIV. En 1600, c'était un jardin, dit Parterre de Mademoiselle, construit sur les remparts et les fossés comblés. En 1793, on l'appela place de la Fraternité. Un monument disparu dès 1795 y fut élevé à la mémoire de Marat...

Il était affreusement déçu. Tout cela était d'un gris verdâtre, strié de traînées plus sombres. Tout cela sentait le grand âge, l'histoire confite au fond des siècles et ne le touchait en rien. Allait-il perdre son temps dans ce musée des horreurs? Résolument il tourna le dos et continua sa route.

Rue Vignon, des filles arpentaient les trottoirs, balançant avec leurs hanches des sacs à main recouverts de paillettes de strass. Bert sans l'avoir jamais vu reconnut le visage du vice. Quand une des filles s'écria :

– Oh, le mignon négro! Pour toi, c'est moitié prix! il prit lâchement ses jambes à son cou.

Rue d'Alger, la concierge le reçut très mal et l'informa qu'il n'y avait personne là-haut.

Les mains dans les poches de son manteau ridicule et qui ne lui tenait même pas chaud, Bert marcha tout le jour dans la ville qui bruissait comme un bazar d'Orient. Malgré lui, il s'arrêtait pour regarder sous le nez des Asiatiques qui le lui rendaient bien, des femmes voilées qui à cause de lui relevaient leurs voiles, des nains, des géants roulant leurs biceps et qui se gargarisaient à sa vue.

Brusquement il s'aperçut qu'il était dix heures du soir et se précipita rue de la Roquette. L'appartement froid et sombre était désert. Dans la cuisine, du pain et du fromage étaient posés sur une assiette. Il n'y toucha pas et passa la nuit à pleurer.

Le lendemain, Jean Joseph le mit dans le train pour Angers.

La ville d'Angers a inspiré Balzac qui a écrit à son propos : « L'histoire de France est là tout entière. »

De même, elle a inspiré de nombreux graveurs et de nombreux lithographes. En 1826, le célèbre Turner y arriva à pied effectuant son voyage annuel et remontant la Loire de Nantes à Orléans. Il remplit cinq pages de croquis dans son *Sketchbook* avant d'exécuter une série d'aquarelles sur papier bleu, inspirées de ces croquis et intitulées *Wandering by its Loire*.

Angers n'inspira rien à Bert. A la gare, un homme tout vêtu de noir, l'attendait : le surveillant général, M. Piedelu! Au sortir de la gare, il ouvrit son parapluie, car le temps était à l'orage. Le même soir, Bert qui n'avait personne d'autre à qui s'ouvrir, écrivit à Gilbert :

> *« Mon cher Gilbert,*
> *Où es-tu? Que fais-tu? Comment nous rever-rons-nous?*
> *Si tu savais comme je suis malheureux! Moi qui croyais haïr ma vie à La Pointe! Si tu savais combien je hais cette ville, cette école, ces profes-seurs et ces élèves racistes, ignorants de tout ce qui n'est pas leur pays de Loire. Combien je hais ce ciel... »*

Cependant, passé les premières semaines d'ab-solu désespoir, Bert remarqua la splendeur du fleuve, de ses îles blondes, de ses ponts aux jambes audacieuses et surtout se fit un ami : Xavier de Lannoy, fils d'un industriel de Tours.

Xavier expliqua à sa mère qu'il avait un ami antillais, c'est-à-dire noir, mais qu'il chérissait et obtint l'autorisation de l'inviter à déjeuner un dimanche. Mme de Lannoy chapitra donc sa mai-sonnée, surtout les jeunes frères et sœurs de Xavier afin que nul ne se livre à quelque commentaire intempestif quant à la couleur de l'hôte.

Bert descendit de l'automobile qui était venue le quérir à l'école devant une double haie de curieux. Tous les domestiques étaient sortis de leurs offices, communs, cuisines, les gardes-chasse de leurs forêts, les jeunes filles de leurs boudoirs, les enfants de leurs salles de jeux et les aumôniers de leurs chapelles pour regarder le nègre et s'étonner

de son invraisemblable couleur! En dépit des explications et des recommandations maternelles,
Sophie, petite dernière des De Lannoy, âgée de
cinq ans, laissa échapper un long hurlement de
terreur et, lâchant la main de sa bonne, courut se
cacher sous un meuble.

A part cela, tout se passa très bien. Bert sut se
servir de son couvert à poisson et M. de Lannoy
l'entreprit sur la conquête de Madagascar et un
certain M. Gallieni déjà rendu illustre par son
action au Sénégal. Après le repas, les sœurs de
Xavier, qui avaient dominé leurs épisodiques accès
de fou rire et bavardaient avec, s'étonnèrent de le
trouver si courtois et féru de lecture. Après son
départ, elles répétèrent à l'envi :

– Qu'est-ce qu'il parle bien le français!

Et Xavier répliqua avec colère, soutenu en cela
par son père que Bert avait séduit, que c'était un
Français.

Xavier révéla à Bert le bal!

Une fois par mois, les élèves des diverses écoles
de la ville allaient s'encanailler au bal, trouvant là
moyen de se soulager de tout ce sperme inutilisé
malgré les quotidiennes masturbations grâce à la
complicité des petites bonniches accourues de toutes les maisons bourgeoises. Mis à part ses équipées avec Gilbert, Bert avait été un adolescent,
puis un jeune homme sage. Pas question de
demander à Albert la permission d'aller à un bal!
Dans la famille, on n'appréciait guère ce genre de
bacchanales! C'était peut-être le mariage de Létitia
et de Camille Désir qui avait été l'occasion la plus
proche de laisser-aller. Or Bert, qui se croyait
empoté, s'aperçut qu'il avait le feu de la danse
dans les veines! Valses, bostons, charlestons, tout
lui était bon. Des ailes lui poussaient aux talons
cependant que son grand corps perdait sa raideur
et se dotait de la souplesse des lianes. Il tourbillon-

nait, virevoltait, bondissait, pirouettait, traçait des jambages au milieu d'un cercle pâmé. Alors il se vengeait de tout. De la cruauté de son père. De la solitude des jours. De la curiosité. Des railleries. Du paternalisme.

Le jour de la Sainte-Rosalie, il y eut un bal dans le quartier du Moulin du Pendu.

Bert et Xavier arrivèrent sur le coup de onze heures après avoir laissé à l'assistance le temps de s'échauffer!

L'apparition de Bert dans une salle des fêtes provoquait toujours des mouvements divers, mélange de stupeur, d'hilarité et de la part de ceux qui connaissaient son talent d'anticipation heureuse. On jouait un charleston, danse fatale à qui n'a pas la jambe agile! Bert, avantageux, plastronnant, la veste largement ouverte, se campa devant la haie des cavalières en émoi, retenant leur souffle tandis qu'il faisait son choix. Soudain, au milieu de ces visages familiers, la grande Lulu à qui il avait fait l'amour sous une porte cochère, Nana qui l'avait laissé monter sous ses toits, Phi-Phi qui imitait pour lui Joséphine Baker, il fut attiré par deux yeux gris clair dans une petite face ronde laiteuse pas très belle! L'excès du sentiment qu'ils réflétaient le flatta et il laissa tomber, beau prince :

— Vous voulez danser?
— Oh oui, monsieur Albert!

— Comment savais-tu que je m'appelais Albert?
— Parce que ce n'était pas la première fois que je te voyais, si c'était la première fois que toi, tu faisais attention à moi! Je te dirai que je hais le bal, ces petits messieurs qui nous méprisent! Je n'y serais jamais venue si mes camarades d'atelier ne m'avaient entraînée. Je suis bretonne. Je travaille à

la fabrique de bouteilles. Ah, que j'aimerais retourner dans mon village et y retourner avec toi!

Marie logeait dans une mansarde non loin de l'embarcadère du chemin de fer et désormais, Bert au lieu d'aller passer les week-ends chez Jean Joseph, son correspondant, y fut fourré du samedi après déjeuner aux petites heures du lundi.

Le mal dont souffrait Bert n'avait qu'un nom : Solitude!

D'Elaïse, il recevait une lettre par mois, au mieux deux, commencées, interrompues pour faire baisser la fièvre d'un enfant, recommencées, interrompues à nouveau et accompagnées d'un mandat prélevé sur sa solde d'institutrice de troisième classe. Car si Albert payait les frais d'internat et de fournitures scolaires de son fils, il ne se souciait pas de ses vêtements, encore moins de ses distractions!

– Il avait toujours froid. Ma mère, qui s'était rendu compte qu'il était très susceptible, avait peur de le blesser et ne pouvait pas lui offrir de vêtements chauds. Et puis, jamais un sou en poche. Au bistrot, c'était moi qui payais pour lui!

C'est Xavier de Lannoy qui parle ainsi.

Avec cela, Gilbert bouclé au Mans!

Alors le solitaire nageait, plongeait, s'ébrouait dans cet amour frais comme une lotion! Il ne se lassait pas de la litanie benête des mots doux :

– Tu es mon Roi Mage! Mon grand fort négro à moi!

Sur le plan physique cependant, les choses n'allaient pas très fort! Marie avait une peau très blanche et quand Bert la voyait offerte, renversée comme un laitage, il éprouvait un sérieux sentiment de nausée et devait fouetter le cheval paresseux de son membre pour la satisfaire. Elle s'en

160

rendait compte et se plaignait d'une toute petite voix :

– C'est parce que je ne suis pas instruite ! Je ne suis qu'une ouvrière !

Bert levait les yeux au ciel, puis la consolait de son mieux, évitant cependant la ligne blafarde de ses lèvres.

Un matin, Marie perdit le sourire. Ses yeux s'entourèrent de cernes. Ses joues se creusèrent. Elle devint encore plus crayeuse. Quand il entrait dans sa mansarde, Bert la trouvait pliée en deux au-dessus du seau hygiénique. Enfin, elle souffla :

– Bert, je suis enceinte !

Enceinte ! Bert vacilla. Puis il se ressaisit. N'existait-il pas de drogues, purgatifs, laxatifs, vomitifs… ? Marie secoua la tête :

– J'ai tout essayé !

Le premier mouvement de Bert fut de fuir. Il emprunta de l'argent à Xavier tout surpris et se jeta dans le train de Paris. Jean Joseph le vit surgir à l'heure de la soupe.

– Je comprends maintenant qu'il voulait me demander mon aide, ou au moins mon avis sur cette chose qui le tourmentait. Mais à ce moment-là, nous étions tous très occupés. J'ai dû voyager à Marseille pour mettre sur pied une section locale du Comité de défense de la race nègre. Je n'avais pas une minute à moi et le pauvre, il n'a pas pu être un instant seul avec moi !

C'est Jean Joseph qui parle !

Ne pouvant se confier, Bert allait se soûler dans un des innombrables troquets de la rue de la Roquette. L'absinthe et le vin rouge le faisaient danser sur les tables au milieu d'un cercle de braillards. Une nuit, il monta à un réverbère et les badauds ravis, lui criaient :

– Hé négro, descends de ton cocotier !

Un après-midi, il entra dans un bain turc et se fit

proprement enculer par des homosexuels ! Un autre, des voyous le laissèrent pour mort au pont des Arts.

Ce furent deux semaines de bruit et de douleur et, pendant ce temps, l'école industrielle se décidait à avertir Albert de la fugue de son fils.

Gilbert reçut au Mans une lettre qui le fit sauter par-dessus le mur :

« Mon cher Gilbert,
Le malheur a fondu sur moi. Je suis un homme mort. Mon père me tuera s'il apprend cela. Je lui ai fait un enfant. Elle est blanche et travaille à la fabrique de bouteilles.
Ton ami désespéré. »

Quand il arriva à Angers, les bans étaient publiés. Bert épousa Marie le 15 décembre 1925, un peu plus d'un an après son arrivée en France. Xavier et Gilbert avaient passé la nuit précédant la cérémonie à le dissuader de commettre pareille folie. Gilbert, dont un oncle était magistrat à Tahiti, lui proposait de prendre ses jambes à son cou et de se réfugier auprès de lui. Xavier mettait l'argent nécessaire à sa disposition.

Bert n'écrivit à Albert qu'une fois le malheur consommé. Espérait-il ainsi lui forcer la main ? Il est plus probable que dans sa terreur, il remettait au lendemain cette obligation et ne s'y résigna que le dos au mur. Gilbert de Saint-Symphorien ne possède ni la lettre que le pauvre garçon finit par écrire à son père ni la réponse qu'il reçut de celui-ci. Il ne possède que la copie d'une lettre que le brave Jean-Joseph adressa à Albert pour tenter de le fléchir.

« Ils sont dans une misère affreuse. A cause de

son état, la fille a dû quitter son emploi à l'usine.
Je suis autant que vous un adepte des idées de
Marcus Garvey (qui envisage de venir vous hono-
rer de sa présence à Paris en dépit des actions
menées contre sa visite). Je crois à une race nègre
pure autant qu'un Blanc qui a du respect pour
lui-même croit à une race blanche pure. Je sou-
tiens que notre fierté commence par la couleur de
nos compagnes. Mais là, il s'agit de votre fils, de
sa vie et de celle de l'innocent qui va naître. Ayez
pitié et pardonnez! Envoyez-leur le mandat qui les
sauvera... »

Cette lettre n'eut pas de réponse!

Bert trouva du travail chez un boulanger. En blouse blanche, le visage et les cheveux enfarinés (ici Gilbert passe sur les commentaires et les plaisanteries inépuisables!). Chaque matin, Bert se coiffait d'une casquette, nouait un lourd cachenez, se saisissait d'une musette et partait travailler d'un grand pas mécanique. Comme la grossesse de sa femme était effroyable, en outre, il faisait tout. Le manger. La lessive. Le ménage. Les courses. Les commerçants du marché Saint-Pierre, au courant de cette histoire qui avait fait le tour de la ville, lui glissaient des fromages et des légumes avariés avec des mines désolées :

– Comment elle va, la Marie?

Il ne goûtait un peu de répit que le dimanche où on le voyait se promener inlassablement le long du fleuve jusqu'à ce que la nuit gorgée de vapeurs d'eau le force à remonter dans sa mansarde.

« Mon cher Gilbert,

« A quoi sert de vivre comme je le fais?... »

Ici Gilbert de Saint-Symphorien pleure. Respectons ses larmes!

Le fils de Bert, Albert Louis, troisième du nom,

naquit le 3 mars 1926. Xavier fit le siège de son père, bon chrétien qui ne manquait jamais ses Pâques et le cœur sur le main. Celui-ci fit jouer ses relations et Bert fut engagé à l'Electricité de France. On électrifiait les campagnes. Que de poteaux à dresser ! Que de fils à tendre aux oiseaux !

Désormais, Bert partait à bicyclette avec une équipe vers les villages environnants.

Un jour qu'il se trouvait au faîte d'un poteau, sa vision dut se brouiller, car il perdit l'équilibre et tomba, se brisant la nuque.

Accident ? Suicide ?

Suicide ! Gilbert de Saint-Symphorien est formel là-dessus.

— J'ai là toutes ses lettres ! Imaginez cette peau de chagrin d'existence, se rétrécissant chaque jour, cet esprit naguère vif, curieux de tout, agonisant dans la médiocrité ! Tous les jours, ce face-à-face avec cette femme qui l'aimait, mais... !

XI

Les deux frères se regardèrent :

— Qu'est-ce qu'on va faire ?

Jacob se troubla. Il y avait pesant, sur sa conscience, la terreur du père, le souvenir de ses volées à coups de canne et plus cuisant encore, de ses regards de mépris ! Il rassembla un peu de courage :

— Il faut lui parler ! Samedi, accompagne-moi à Juston !

Jean secoua la tête :

— Non ! On ne peut attendre jusque-là. La nuit

est déjà trop avancée, mais demain, nous partirons au *pipirite chantant*[1].

Il prit la main de son aîné :

– C'est moi qui lui parlerai !

La nuit fut longue. Jean, né après le départ de Bert pour Angers et, il le découvrait, sa mort, questionnait cette absence de souvenirs. Quoi ? Pas une fois on n'avait prononcé ce nom devant lui ! Répété une blague qu'il aurait faite ! Raconté une histoire à laquelle il aurait été mêlé ! Il se sentait coupable pour les siens. Jacob à son habitude se torturait. Il l'avait aimé, ce grand frère qui le juchait sur ses épaules, qui lui taillait des cabrouets dans des graines d'avocat et faisait tomber les mangots mûrs d'un coup de jeu de paume ! Et pourtant il l'avait laissé mourir, lui aussi !

Cette nuit-là, le vent ragea. Il se leva au-dessus de la mer, se gonfla avant de souffler de toutes ses forces, applatissant les cases et leurs bananiers. Puis il tomba et il se fit un grand silence jusqu'à ce que la pluie donne à son tour de la voix, frappant de tout son poids sur les toits de tôle, profitant des moindres interstices pour s'infiltrer à l'intérieur et inonder les paillasses. Enfin on entendit le piétinement furieux du tonnerre. Dans cette grande colère des éléments, Jacob pensait à la grande colère de son père et souhaitait comme un enfant peureux que demain ne naisse jamais.

En proie à la même panique, Jacob et Jean prirent la voiture dans un matin limpide sous un ciel bleu frais lavé.

Pourtant, il était écrit qu'ils n'affronteraient jamais leur père. Quand ils arrivèrent à Juston, ils le trouvèrent muet, aveugle et sourd sur le bout de toile de jute qui lui servait de paillasse dans sa chambre bouge pleine de bouteilles vides et de pots

1. Au petit matin. Au premier chant d'oiseau !

de chambre en terre dans lesquels flottaient des excréments. Le cœur battait encore. On ignorait quand l'attaque l'avait terrassé. Les ouvriers agricoles avaient bien remarqué qu'il n'était plus sur leur dos, mais ils ne savaient plus trop de quand datait cette paix. Deux jours? Trois jours? Une semaine? Soulagés à la pensée que l'explication tant redoutée n'aurait peut-être lieu, Jacob et Jean firent venir un médecin du Petit-Bourg.

Le Soubarou se survécut encore plusieurs semaines. Un matin, sa sœur Maroussia qui, après une nuit de veille, avait fini par dodeliner de la tête à son chevet, rouvrit les yeux. Le Soubarou avait passé.

Les gens dirent que la mort avait sa justice et qu'Albert Louis qui avait vécu comme un chien était mort de même. Sans recevoir les derniers sacrements de l'Eglise. Sans confesser les abominables péchés qu'il devait avoir sur la conscience depuis le temps où il cherchait de l'or à Panama. Et c'est vrai qu'il avait sale mine entre la haie des bougies, raide sur ses draps brodés! Les femmes de la famille avaient fait de leur mieux, lavant le lourd corps, rasant les dreadlocks de ses cheveux, les poils de son menton et de ses oreilles. On avait dû couper ses bottes pour y faire entrer ses pieds pareils à des racines de lignum vitae et les orteils pointaient par place comme des moignons de lépreux.

En fait, les gens se trompaient. Le Soubarou était enfin heureux. Délivré du regard des autres. Confronté pour l'éternité à celui des deux femmes qui l'avaient aimé, tout Soubarou, tout ladre, tout autodidacte qu'il était. Savant de cette science qui ne vient qu'après la vie.

A dater de la nuit qui suivit la levée du corps que l'on enterra à La Pointe, les gens de Juston entendirent des éclats de rire, des cris joyeux, un gazouillis de bonheur crépiter des arbres de la propriété sur laquelle flottaient comme des arabesques de nuage. Puis les oiseaux, foufou, pies, s'assemblaient et se mêlaient à ce concert qui ne prenait fin qu'avec l'apparition blafarde du soleil. Les soirs où la lune était grosse, c'était pire. Le vacarme tenait enfants et adultes éveillés. Cependant et c'était surprenant, personne ne songeait à en avoir peur. Car il était joyeux comme un dansé léwoz, attirant comme le son de la flûte des mornes. Ceux qui l'entendaient devaient se retenir pour ne pas sauter par-dessus la haie de sang-dragons ou pousser la grille rouillée qui ne défendait rien.

Des deux fils qui suivirent le cercueil (mon grand-oncle Serge était absent, faisant ses études de médecine retardées par la guerre à Toulouse), si Jean garda les yeux secs, Jacob les eut en eau des jours entiers. Il ne pouvait pratiquement pas parler. Les larmes ruisselaient sur ses joues, ce qui exaspérait Tima. Elle était d'avis qu'un homme a autre chose à faire que pleurer en public! Et puis, Jacob n'allait pas faire croire au monde qu'il regrettait son père! Une fois de plus, elle ne comprenait pas. Jacob pleurait d'éprouver précisément si peu de chagrin au cœur. A la place, un profond soulagement. Celui qu'on ressent à laisser échapper un criminel quand on n'est pas doué pour faire justice. Qu'aurait-il dit à Albert pour ne pas l'irriter dès l'abord?

– Père, parle-nous de lui. Parle-nous de sa vie si brève. Parle-nous de sa mort. Nous ne savons rien de lui. Tout au plus que c'était le fils d'une négresse anglaise que tu avais connue à Panama...

Eh bien, ce redoutable entretien n'aurait pas lieu!

Toutefois, malgré les larmes qui l'aveuglaient,

Jacob ne perdait pas le nord. Il fit trois parts égales du bien qu'il divisa entre Serge, Jean et lui. Mais Jean secoua la tête à sa manière têtue et dit :

– Je n'y toucherai pas même avec des pincettes !

Puis il retourna dans ses Grands-Fonds.

Un soir dans le lit où elle avait fini de dormir, mais restait contre lui, le dos tourné, hostile de tout ce plaisir qu'il avait pris sans le lui donner, Jacob toucha l'épaule de Tima :

– Nous partons pour la métropole !

Malgré sa manière de bougonner dès que Jacob lui faisait part d'une décision, Tima fut si contente qu'elle se retourna tout d'une pièce criant d'une voix enfantine de ravissement :

– En métropole !

Là-dessus, elle se leva en hâte et se jeta dans une ronde de visites à ses parents et alliés, en principe pour leur dire au revoir, en réalité pour leur faire mesurer la richesse des Louis. Ah non, ce n'était pas n'importe quel chien coiffé nu-tête qui allait à Paris de cette manière-là en payant lui-même son passage à la Compagnie générale transatlantique ! Maroussia, qu'elle visita à Port-Louis, l'agaça fortement quand elle prit son air de tout savoir et fit :

– Ah oui, Jacob m'a dit qu'il a affaire à Angers. A Angers ?

N'est-ce pas Paris, la seule ville de France ?

XII

SOUCIEUX de ne pas troubler la scolarité des enfants, Jacob confia Thécla et Dieudonné à Camille Désir et prit place avec Tima dans une cabine de seconde classe à bord du *Colombie.*

Ce voyage débuta sous les meilleurs auspices. Douze jours de ciel bleu. La mer sage comme une image. Puis, Jacob et Tima louèrent rue de l'Ancienne-Comédie un confortable trois-pièces précédemment occupé par des Guadeloupéens. Tima fit son bonheur des soldes de la Samaritaine, poussa jusqu'au marché Saint-Pierre et au Carreau du Temple. Jacob se mit en cheville avec un courtier en produits coloniaux, Pierre Perrutin, et lui vendit les sacs de café, denrée encore précieuse, qu'il avait emportés avec lui. Hélas, au septième mois, tout se gâta! Jacob, qui avait visité son frère Serge à Toulouse, revenait tout morose d'un mystérieux voyage en province quand un pli recommandé l'informa qu'un incendie s'était déclaré dans le lakou! A cette époque, les incendies étaient chose courante à La Pointe. Pas de Carême sans flambée dans les quartiers populaires! Jacob aurait donc pu dormir sur ses deux oreilles si cet incendie n'avait provoqué la mort d'une famille entière. Carbonisée! Le père, honnête travailleur à l'usine Destrellan, la mère et cinq enfants!

Une fois de plus, les journaux de droite et de gauche s'accordaient pour attaquer ces Shylocks noirs qui buvaient le sang de leurs frères et avaient eu, à quelque temps de là, le culot de se poser en défenseurs de la race. L'assistant de Jacob, injurié, menacé, forcé de tenir baissé le rideau de fer du magasin des quais des journées entières, le priait de rentrer.

Ce qu'il fit!

Au pied de la passerelle, Jean l'accueillit d'un mot :

– Alors?

Il haussa les épaules :

– Je te raconterai...

Car son œil lorgnait plutôt du côté des syndicalistes porteurs de pancartes qui l'attendaient sous les amandiers-pays : « Assassin. Non à l'exploitation de l'homme par l'homme. »

Les gens qui virent mon grand-père Jacob à son retour de métropole se demandèrent ce qui avait bien pu lui arriver. Les juifs qui sortaient des camps de concentration d'Auschwitz ou de Dachau n'avaient pas la mine aussi piètre. Amaigri. Marchant la tête si basse qu'il avait le menton à plat sur le thorax, les yeux laqués de désespoir. Par contre, jamais Tima n'avait paru aussi épanouie dans ses robes prune à manches gigot. Pourtant elle se faisait du souci, Tima, pour sa fille. Sa Thécla! Elle ne la reconnaissait plus! Ah, si elle savait la vérité! Un week-end, Thécla avait consenti à accompagner à l'Anse Laborde son cousin Dieudonné, car le gamin avait le mal de son père.

Dans sa case en gaulette, Jean écrivait sous la dictée de Gesner, le maître tambourinaire qui lui expliquait comment coucher un arbre, le sectionner, l'évider avant de le faire battre comme un cœur. A côté de Gesner était assis son fils Gesner Jr.

Comme j'aurais aimé connaître ces amours que l'on appelle à tort enfantines puisqu'elles connaissent toutes les affres et les tourments des passions de l'âge adulte!

Gesner et Thécla n'eurent pas sitôt jeté les yeux l'un sur l'autre que des coulées brûlantes de lave les incendièrent. Gesner Jr. planta là son père et son ancien maître d'école :

– Allons promener!

Thécla qui, en fait de mâle, n'avait jamais adressé la parole qu'à ses cousins et aux frères de son père obéit et bientôt s'entendit raconter dans quel ennui elle vivait sa vie.

Ainsi débuta l'amour de ma mère et de Gesner Ambroise. Amour-oiseau auquel elle coupa impitoyablement les ailes. Amour qu'elle cadenassa dans une cage. Mais privés de son chant, ses matins en furent à jamais assombris.

Est-ce la même nuit que cet amour se consomma? Dans une case en gaulette? La mer a commencé de hurler dans le lointain et sur le toit galopent les rats.

– Serre-moi très fort, j'ai peur!

En tout cas, Tima ne fut pas dupe de ce soudain engouement de sa fille pour la campagne et se mit à épier son linge, soulagée quand il se tachait de rouge pour se remettre quatre semaines plus tard à se ronger. Ce fut Gesner, renvoyé de l'école dès ses quatorze ans, qui apprit à ma mère que la Guadeloupe est un pays. Une île. Une terre entourée d'eau de tous côtés. Jusqu'alors, elle s'en souciait peu!

– Tu vois, les mangues poussent aux manguiers et les quenettes aux quenettiers. Tu vois quand il a plu, la terre se couvre de trompettes, roses ou blanches, et les crabes sortent de leurs trous, brandissant leurs mordants en guise de pinces. Ne regarde pas le chien aux yeux jaunes : il pourrait avoir mauvais œil.

Jean aussi se rendait bien compte de ce qui se passait entre sa nièce et ce réputé bon à rien de Gesner Jr. dont Gesner père avait fini par désespérer de faire un instituteur. Cela lui réjouissait le cœur, lui semblait une vengeance contre Tima, un salutaire retour à la case départ. Les Louis avaient tourné le dos au peuple sans parvenir cependant à se faire accepter ailleurs. Il fallait qu'ils y reviennent. Aussi, à la faveur de la liaison de Thécla avec Gesner, il se mit à lui farcir l'esprit de tirades sur la couleur, la race, la classe (choses dont personne ne lui avait jamais parlé) et même tenta de lui mettre entre les mains les *Œuvres complètes* de Marx et Engels, héritées du pauvre Bert. Je tiens mon grand-oncle Jean pour responsable de la confusion qui régna dans la tête de ma mère, de cette contradiction qu'elle n'a jamais su résoudre entre son mépris du peuple, son féroce désir d'ascension sociale, et ses rêves de libération des nègres.

Je vais essayer de donner un portrait objectif de ma mère bien qu'en pareil cas, l'objectivité soit à peu près hors de question. Je sais bien que l'on réduira mon sentiment à un banal conflit mère/fille et c'est peut-être vrai. Elle m'a trop peu aimée pour que je ne lui en tienne pas rigueur.

Ma mère ne possédait ni l'impuissant désir de servir de mon aïeul, ni la sensibilité et l'humilité désordonnées de mon grand-père, encore moins l'idéalisme généreux et naïf de mon grand-oncle Jean. Arrogante parce que doutant d'elle-même. Feignant de mépriser l'estime des bourgeois parce qu'elle savait ne jamais pouvoir l'obtenir. Marginale par excès d'ambitions impossibles à satisfaire! Pour moi, ma mère était en toc!

Gesner, quant à lui, était bien placé pour savoir ce qui se passait dans le cœur de sa Thécla. Il savait qu'un beau matin, elle lui tournerait le dos sans même regarder derrière. Il savait aussi que ce beau matin prendrait les traits d'un garçon de la ville, portant un nom connu et ayant de préférence la peau claire. En un sens, c'est pour avoir confirmation de ses soupçons qu'il alla trouver Sergette, la propre sœur de sa mère, qui elle aussi démêlait des affaires embrouillées. Sergette, ayant allumé ses bougies, trempa les doigts dans l'eau bénite, ouvrit son Ancien Testament et après lecture, se recueillit :

– Cette fille-là n'est pas pour toi. Elle te fera marcher sur la tête pour rien. Mais un autre te vengera et lui donnera un ventre à crédit.

– Quoi?

Sergette continua sans l'entendre :

172

– Non, elle n'est pas pour toi. Elle va quitter notre pays et restera au loin une éternité...

– Une éternité !

Désormais Gesner vécut son amour comme un condamné attendant la peine capitale.

XIII

Un samedi, Jacob débarqua à l'Anse Laborde, feignit de ne pas voir sa fille étendue à l'ombre d'un manguier, Gesner chien couchant à ses pieds, et s'enferma avec son frère, reprenant le récit là où Gilbert de Saint-Symphorien l'avait laissé.

Un corbillard de quatrième classe emmena au cimetière le cercueil de Bert. Ni fleurs ni couronnes. Néanmoins, un poème parut le même jour dans *La Gazette angevine*.

> « *Né sur des rives lointaines*
> *C'est parmi nous que tu affrontas*
> *la mort !*
> *Albert d'une couleur certaine*
> *Inconnue dans nos États*
> *Dors !*
> *Dors à jamais !*
> *Des étrangers t'aimaient.* »

Naïve et maladroite peut-être, voici la seule oraison funèbre de Bert.

Bert mort, ce qui restait de lui, c'est-à-dire son souvenir, se mit à vivre d'une vie particulière. D'un mari taciturne, peu empressé au lit, Marie fit un saint, un modèle.

– Il avait les manières d'un grand seigneur. Il parlait le français à la perfection. Si ça n'avait pas été sa couleur, on l'aurait pris pour un fils de grande famille. D'ailleurs, dans sa famille, tous noirs qu'ils étaient, c'étaient des gens très bien! Il fallait voir les lettres que sa belle-mère lui adressait! Quelle belle écriture! Et puis, pas une faute d'orthographe! Il avait gardé le chapelet d'argent de sa Première Communion! Tenez, le voilà! Avec ça, toujours de bonne humeur! Quand il riait, c'était comme si le ciel s'illuminait. C'est à un bal que je l'ai rencontré. Il est venu droit vers moi : « Mademoiselle, voulez-vous danser? » Ah! des fois, on se demande si Dieu sait ce qu'il fait : il prend les meilleurs et laisse les autres faire leurs méchancetés dans le monde. Quand il est parti, mon Bébert n'avait pas deux ans! »

Tenu de se confronter à l'imaginaire modèle de Bert, pas étonnant que son fis ait été zombifié. Bébert fut un enfant bègue, qui urina tard sur lui. A l'école, on en riait à cause de sa couleur et ses cheveux jaune soufre, tout crépus. On en riait aussi à cause de son bégaiement, la haine de sa mère lui faisait retenir longuement chaque syllabe avant d'en accoucher comme d'un œuf, la bouche en cul de poule. Imaginez cela! De mémoire d'homme, on n'avait connu qu'un seul nègre à Angers et il avait fallu que sa mère se fasse faire un enfant de lui! Une fois le mois, débarquait de Paris son parrain Gilbert de Saint-Symphorien. Hiver comme été, il l'emmenait manger une glace « Aux Très Riches Heures » et lui tenait des propos auxquels il ne comprenait rien :

– Quand tu seras grand, tu viendras vivre chez nous. C'est là ta vraie place. Tu es un nègre. Ne l'oublie jamais et sois fier de l'être!

Une fois le mois aussi, sa mère tenait sa main et lui faisait écrire à sa famille de Guadeloupe. A ses lettres, elle joignait parfois une photo et écrivait au dos avec application : *Albert Louis. Angers*[1].

A la fin de la guerre, Bébert, un gringalet de dix-huit ans, disparaît.

– Disparaît ?

Jacob se tordit les mains en un geste familier :

– Oui, il voulait devenir musicien et est monté à Paris. Il m'aurait fallu des mois pour faire mon enquête et retrouver sa trace. J'avais déjà découvert qu'il avait été admis au Conservatoire et j'avais l'adresse d'un hôtel rue des Abbesses... Puis cette affaire de lakou m'a fait rentrer.

Les deux frères commencèrent une de ces longues marches à travers la campagne qu'ils affectionnaient.

La chaleur de Carême était torride. La canne séchait sur pied et les bœufs beuglaient de faim, las de brouter de la terre brûlante. Comme ils s'asseyaient sous un manguier pour essuyer l'eau de leurs fronts, Jean se confia. Les membres d'une association qui se donnait le nom de Groupement pour l'organisation du peuple de la Guadeloupe l'avaient approché et lui avaient proposé la présidence d'honneur de leur mouvement.

– Toi ?

Ils étaient convaincus que les politiciens traditionnels, tout occupés de prébendes, ne pouvaient sortir notre pays de l'ornière où il s'enfonçait depuis la guerre et ils prononçaient un mot jamais prononcé : Indépendance. Ils se donnaient un nom : « Les Patriotes. »

Jacob regarda son frère avec épouvante :

– Qu'est-ce que tu vas faire ?

Jean fit semblant de fixer l'horizon incendié et répondit :

– Je ne sais pas encore.

1. Je me demande ce que sont devenues ces photos.

Pourtant, au son de sa voix, Jacob sut qu'il mentait. La nuit même, il eut un rêve. Il marchait dans une trace encombrée de fougères géantes qui le griffaient à hauteur des yeux quand il avait entendu les cris inimitables du porc qu'on égorge. Etonné, car il se croyait loin de toute habitation, il avait pressé le pas et alors, dans une clairière, il avait vu Jean, la tête dans l'herbe, suspendu par les pieds et saignant de tout son sang.

Alors il comprit. La mort était sur son frère et il se hâta de rentrer à La Pointe pour s'en entretenir au cimetière avec Petite Mère Elaïse.

Pendant ce temps, l'amour faisait du bien à ma mère. Elle perdait sa raideur, ses gestes coupés à angles droits. Il lui venait de la grâce, des mines de chatte. Avec cela, toujours la première de sa classe. Quand elle fut reçue à la première partie du baccalauréat avec la mention Bien, Tima fit dire une messe d'action de grâces tandis que Jacob, qui n'avait jamais trop donné dans les bondieuseries, lui remettait le coffret dans lequel il avait gardé à son intention les plus beaux bijoux d'Elaïse. Jean préféra lui faire un discours bien senti qui se terminait ainsi :

– Te voilà bien parée pour travailler pour la race...

Thécla ne prêta attention ni à la joie ni à l'émotion ou la fierté des uns et des autres. Sur la place de la Victoire, elle s'était trouvée nez à nez avec un jeune garçon, récemment arrivé du Sénégal où son père était magistrat, mulâtre freluquet mais assez beau qui avait passé sur elle sans la voir, laissant derrière lui un parfum de Roger-et-Gallet. Quelque chose dans son arrogance l'avait piquée, lui causant un émoi qui ressemblait à l'amour.

Ma mère venait de rencontrer Denis Latran, mon père !

XIV

LES gens disent que les esprits n'enjambent pas l'eau. Il faut donc croire que Bert, pauvre Bert, commença de vivre sa vie d'éternité dans ce pays de Loire, tant chanté, tant vanté, mais dépourvu de tout charme à ses yeux. Le premier été, ce fut la sécheresse. Des bancs de sable brûlants surgirent du fleuve fou de soif et se traînant sans force jusqu'à l'eau de la mer. Les peupliers, les acacias, les saules pleuraient de chaleur et mille insectes aiguisaient leurs cris de détresse.

Le deuxième été, ce fut la pluie. Le fleuve en rut trouva son plaisir dans le corps des baigneurs imprudents et les roula vite vite vers son embouchure. La pierre était triste comme l'eau, comme le ciel.

Le troisième été fut somptueux. Les amoureux se couchaient pour mourir d'amour dans les hautes herbes des berges.

Bert, quant à lui, n'en pouvait plus. Il parcourait la nuit et l'espace jusqu'à la ligne de la côte pour tenter d'apercevoir dans le lointain, vautrée au beau milieu du bleu de l'océan, l'île interdite.

Il pleurait :

« Mort ou vif, aurai-je toujours les bras trop courts pour atteindre le bonheur ? »

TROISIÈME PARTIE

I

Moi, Claude Elaïse Louis, je naquis à la sauvette dans une clinique du XVe arrondissement à Paris, la nuit du 3 avril 1960. Ma mère venait d'avoir dix-huit ans. J'avais le visage complètement aplati et le crâne en forme de pain de sucre, car jusqu'à la veille de son accouchement ma mère s'était sanglée dans un corset pour cacher son ventre aux fils et filles à papa qu'elle fréquentait à cause de Denis. Ceux-ci commençaient d'ailleurs à se douter de son état et ne s'étaient jamais fait d'illusions sur l'avenir du couple. Dès la première semaine de sa grossesse, Denis s'était rappelé qu'il était fiancé avec la fille du meilleur ami de son père, magistrat et mulâtre comme lui. Pourtant les deux jeunes gens continuèrent de vivre ensemble jusqu'à ma naissance, quand Thécla finit par comprendre que Denis ne l'épouserait pas.

Cette nuit-là, la nuit de ma naissance, Tima fut avertie que sa fille connaissait une grande souffrance. Au moment précis où je passais la tête entre les cuisses inondées de ma mère, Tima eut l'impression qu'une main féroce lui arrachait les tripes. En même temps, elle vit s'inscrire contre l'écran noir de ses paupières un nom : Thécla ! Elle martela l'épaule de Jacob qui dormait comme un bienheureux. A son tour, il réveilla la servante qui dormait sur une paillasse à même le ciment de la cuisine et l'envoya quérir le docteur.

Le brave docteur Alcius, qui ne voyait jamais plus loin que le bout de son nez, fut complètement désarçonné et prescrivit du repos à une femme qui ne savait que faire travailler les autres.

Quinze jours après ma naissance, sans un regard pour moi, nourrisson qui commençait de prendre forme humaine, ma mère prit un train pour le Finistère, car les nourrices bretonnes étaient, aux dires des assistantes sociales, les moins chères. Elle me déposa chez Mme Bonœil et m'oublia dix ans.

Mme Bonœil ne s'était jamais occupée d'enfant noir, mais ne m'en chérit pas moins.

Un petit poème à l'intention de Maman Bonœil. Je l'écrivis à mes cinq ans. Qu'on me le pardonne !

> « *Maman aux blanches mains*
> *Si douces à l'enfant noir*
> *Abandonné*
> *Maman au cœur de miche de pain*
> *Blanc*
> *Si bon à l'enfant noir*
> *Abandonné.* »

Ainsi donc, je rejoins Bert et Bébert et j'appartiens comme eux à la lignée de ceux sur qui on fit le silence. De là est née, sans doute, instinctive ma solidarité avec eux.

Dans les limbes où je fus reléguée, je ne sus bien sûr rien de ce qui se passait au pays. C'est ainsi que j'ignorai qu'on commençait d'y parler de plusieurs familles Louis, les Louis de l'Anse Laborde, les Louis de La Pointe, les Louis de Basse-Terre; oubliant que tout cela sortait du seul et unique ventre de Petite Mère Elaïse.

Mon grand-oncle Serge était revenu au pays médecin gynécologiste. Il s'était marié dans la famille, en quelque sorte, épousant Céluta, une des filles de Camille Désir, petite-fille de sa tante Nirva. Hélas! celle-ci devait mourir un peu plus d'un an plus tard, d'avoir mangé une figue-pomme par la grande chaleur de l'après-midi alors qu'elle était en nage. A vrai dire, ce n'était pas l'avis de son médecin de mari qui parlait de crise cardiaque. C'était celui de sa servante Rose qui l'ayant vue prendre le fruit l'avait vainement mise en garde. Serge se trouva donc veuf avec un bébé de trois mois et pleura à chaudes larmes lors de l'enterrement soutenu par Jacob. Les gens remarquèrent que Jean ne portait pas le deuil derrière le corbillard, mais ils n'eurent pas le temps d'épiloguer là-dessus, car peu après une blonde débarquait d'un avion d'Air France. Qui était-elle?

Les gens de notre pays se font une idée stéréotypée des femmes blanches qui épousent nos hommes. Ils les croient de petite naissance et de peu d'instruction. Ils s'imaginent qu'elles sont attirées comme des mouches par le miel de vies entourées de domestiques sous des cieux toujours cléments. Des vies coloniales, quoi!

Nadège, la seconde femme de mon grand-oncle Serge, ne répondait en rien à cette image grossière et simpliste. C'était la fille d'un professeur de médecine connu pour ses travaux sur le rachitisme, chirurgien elle-même qui avait eu une nurse anglaise et vouvoyait sa mère. Inutile donc de dire de quel œil elle vit notre famille de nègres péquenots. Tima surtout la fit mourir de rire avec ses manches gigots, ses bas trop clairs et sa dent en or de Guyane.

Peu à peu, c'est par les yeux de Nadège que Serge en vint à voir notre famille, et pour plaire à sa femme il prit ses distances. Quand il ouvrit avec elle une clinique à Basse-Terre et se fit construire une maison de changement d'air à Gourbeyre, il rallia définitivement le camp des bourgeois. Il ne descendit plus que pressé à La Pointe et bientôt n'y vint plus du tout. C'est par hasard en lisant le « carnet mondain » de *L'Eveil basse-terrien* que Jacob apprit la naissance de son fils. Ulcéré, il se plaignit à Tima qui haussa les épaules :

– Qu'est-ce que cela peut te faire ? Tu voyais bien que depuis longtemps il avait changé de bord !

Quant au combat de Serge et de Jean, il avait commencé bien plus tôt.

Peu après son retour au pays, Serge était allé visiter Jean dans sa retraite de l'Anse Laborde. Jean lui avait fait feuilleter les deux volumes de *La Guadeloupe inconnue* parus à l'époque et admirer sa case en gaulette sur laquelle les pluies glissaient sans entrer. Puis il l'avait fait asseoir parmi ses amis paysans, exhibant son créole reconquis et buvant sec sur sec. Serge n'avait d'abord rien dit et tout laissait croire qu'il était à bon droit impressionné. Brusquement, alors que Marietta servait la soup Zabitan dans de petits couis, Serge avait levé vers son frère des yeux pétillants d'étincelles d'ironie et avait interrogé moqueusement :

– A quoi joues-tu ?

Silence stupéfait de Jean ! Serge s'était alors mis debout :

– Cesse tes mascarades ! Tu auras beau faire, tu seras toujours un tout petit-bourgeois mal dans sa peau et singeant l'homme du peuple !

Là-dessus, il s'était dirigé vers sa voiture en riant aux éclats. On ne l'avait plus revu à l'Anse Laborde !

Dans les débuts, la brouille entre Serge et Jean causa un grand chagrin à Jacob qui aurait tant aimé que les fils de Petite Mère Elaïse demeurent unis comme les doigts de la main. Puis le souci que lui donna la santé de sa Tima vint tout supplanter.

En effet, une fois que Thécla eut quitté La Pointe pour aller étudier à Paris, elle n'écrivit plus ni à son père ni à son oncle Jean. Ni à Gesner l'abandonné. Ni même à sa mère !

Tima guetta le facteur jour après jour, puis soupçonna les PTT, repaire selon elle de communistes, de lui jouer un méchant tour et écrivit une lettre circonstanciée au ministre à Paris. Enfin, elle dut regarder l'ingratitude dans les yeux et comprendre que sa fille bien-aimée l'oubliait.

De ce jour, elle tomba dans la morosité et le ressentiment.

Chaque matin, elle se levait dolente à quatre heures et se rendait à la messe d'aurore parmi les bigotes en madras noir. Elle prenait la communion et revenait de la Table Sainte avec des mines si penchées qu'un temps le bruit se répandit qu'elle avait des visions bienheureuses. Elle ne houspilla plus ses servantes qui, dès lors, laissèrent la poussière saupoudrer des meubles ou des persiennes sur lesquels leur maîtresse ne passait plus l'index et cessèrent d'arroser les plantes d'intérieur. Privés d'eau, les *multipliants*[1] en pots dépérirent et toute la maison prit un air de laisser-aller. De même, Tima n'eut plus le cœur à tyranniser Dieudonné qui osa emmener ses camarades d'école fumer et jouer de l'harmonica dans sa chambre. Quant à la nuit, yeux fermés, sans grimacer, ni protester, pratiquement inconsciente, elle se laissa prendre autant de fois qu'il le désirait par Jacob. Jacob tenta bien de la convaincre d'aller passer son temps dans la maison de changement d'air de Juston qu'il aménagea pour elle. Mais elle s'y

1. Sorte de bananier.

refusa farouchement comme si elle savait que c'était une propriété privée interdite où régnait à présent en despote son vieil ennemi le Soubarou.

Désormais, malgré l'éloignement et le silence établis entre elles, Tima vécut au rythme de Thécla. Elle ressentit sans vouloir les comprendre ses douleurs d'accouchement. Lors de sa fausse couche, un sang noirâtre gicla de son ventre qui pourtant ne s'ouvrait plus aux menstrues. Quand Thécla plongea dans ses dépressions nerveuses, Tima sombra à son tour dans les eaux violettes de l'angoisse, ne rassemblant plus assez de forces que pour se balancer d'avant en arrière, d'arrière en avant dans sa berceuse sur le balcon entre les bougainvillées en pots, et les passants hochaient tristement la tête :

– *A pa jé, non*[1] !

Elle mourut une nuit dans son sommeil, ma grand-mère Tima. Sans que je l'aie jamais connue et sans que j'aie pu consoler la peine de son cœur de toute mon affection. Elle mourut une nuit où la noirceur était noire, la lune lasse dormant dans les replis des nuages derrière les filaos. Elle mourut d'une mort qui n'inspira aucun grand regret, aucune grande affliction à personne. Sauf à Jacob qui fut inconsolable ! On crut qu'il ne s'en remettrait pas quand on le vit marcher plié en deux, derrière son cercueil !

Pourtant, comme il avait tout juste cinquante ans et des désirs charnels à en revendre, il prit chez lui, rue du Faubourg-d'Ennery, Flora Lacour, sa maîtresse de tant et tant d'années à présent et ses deux bâtards qui continuèrent à lui donner de l'« Ami Louis » comme à un étranger. Là où elle était pourtant, Tima n'en souffrit pas, car elle avait

1. « Si c'est pas malheureux ».

186

trouvé la sereine plénitude que la vie lui avait tout du long refusée.

II

J'AIMERAIS savoir combien d'hommes sont passés sur le triste corps de ma mère par ces nuits de brume à Londres et ont confondu les plaintes de son orgueil blessé avec des gémissements de jouissance. La liste, la liste en fut-elle longue?

Quand Denis l'eut laissée pour compte avec sa bâtarde qu'il ne voulut même pas reconnaître, elle, prix d'excellence de la sixième à la première, elle, une année d'hypokhâgne, une de khâgne, puis une licence d'anglais en Sorbonne, elle, Thécla, se crut dans Paris un objet de risée, pire, d'apitoiement. Alors elle prit au hasard quelques vêtements et sauta dans un train à la gare du Nord. Au cours de ses études, elle s'était souvent rendue à Londres, ville triste, ville pluvieuse qu'elle haïssait et qui soudain lui semblait convenir à la débâcle de sa jeunesse.

Elle s'inscrivit par habitude à l'université et commença une recherche sur Joseph Conrad. « *Heart of Darkness.* » A l'heure sanglante des néons, quand elle n'en pouvait plus de sa honte et de son chagrin, elle entrait dans une petite boîte *Purple Rose of Cairo*, où une chanteuse, des camélias dans les cheveux, chantait les vieux airs de Billie. Vers minuit, immanquablement, elle pleurait dans son mouchoir. Un soir, un homme s'assit à sa table : très petit, très beau, très noir, et fit tendrement :

– *What is the matter, baby*[1] ?

Quelque chose dans ses yeux d'escarboucle signifiait plus que le désir d'une coucherie.

Manuel Pastor était le fils d'un paysan cubain qui las de s'éreinter dans la canne avait jeté sa machette et pris le bateau pour New York. A peine débarqué, il avait épousé une femme de ménage noire américaine et lui avait fait quatre garçons. A la différence de ses frères qui purgeaient des peines de durées diverses dans des pénitenciers de l'Etat, Manuel avait fait des études et préparait un doctorat à Temple. Il se trouvait à Londres depuis quelques mois, car il s'efforçait de réunir toute la correspondance de Marcus Garvey. En fait, il avait deux héros, Marcus Garvey, hélas mort dans la misère et l'indifférence aride du cœur des nègres, et Malcolm X.

Thécla avait souvent entendu parler de Marcus Garvey. Non pas par son père qui gardait bouche cousue sur cette période de sa vie. Par Tima qui aimait rappeler toutes les bêtises et les crasses que Jacob avait faites et la manière dont il l'avait laissée seule avec une enfant en bas âge pour chercher la mort dans la nuit. Elle tournait en dérision la fameuse phrase « *I shall teach the Black Man...* » qui avait été le programme du Parti des Nègres Debout et commentait :

– Allez dire qu'un nègre est beau ! Alors qu'il n'y a pas plus laid que lui à cause de toute la méchanceté de son cœur. Vous savez ce que ma mère disait : « Aïe, un nègre, c'est un cyclone et un tremblement de terre. Sur son passage, il ne laisse que désolation. »

Par contre, Thécla n'avait jamais entendu parler de Malcolm X et Manuel bondit :

– Tu ne sais pas qui est Malcolm, *baby* ? Bientôt,

1. « Qu'est-ce qu'il y a, mon petit ? »

sa parole mettra le feu à l'Amérique et sur les cendres brûlantes de la mesquinerie et du racisme des Blancs, nous planterons enfin l'Amour !

Thécla raisonneuse voulait en savoir davantage et Manuel expliquait :

– Son père était un disciple de Marcus Garvey. Tu vois, au commencement de tout, il y a Notre Père Marcus. Mais lui n'écoutait rien. C'était vol, viol, drogue, maison d'arrêt... jusqu'au jour où il a rencontré face à face le dieu noir de l'Islam...

– Le dieu noir de l'Islam ?

– Oui ! Ne te moque pas, *honey* ! On t'a raconté des bobards et, malgré toi, tu as fini par les croire. La race maudite de Cham. En réalité nous sommes la douzième tribu d'Israël et nous retrouverons notre royaume !

Les premiers temps, Thécla se retenait pour ne pas rire, se demandant à quel demi-fou elle avait affaire ! Puis, peu à peu, la magie de ses rêves et des mots qui la charroyaient l'avait pénétrée. Et surtout, Manuel ne faisait pas que manier des phrases en délire. Il faisait si bien l'amour ! Les nuits étaient trop courtes dans le pavillon de brique banlieusard qu'il partageait avec trois frères jamaïquains musiciens et où l'air tremblait du vacarme des synthétiseurs. Au matin, Thécla rompue coulait à pic dans le sommeil et rouvrait les yeux bien après la fermeture des bibliothèques universitaires.

Thécla et Manuel se connaissaient depuis un mois quand il mit un genou en terre avec une galanterie toute latine et lui proposa de l'épouser. Elle refusa en bredouillant mystérieusement qu'il y avait un obstacle à ce bonheur, mais accepta de le suivre en Amérique.

De cette rencontre avec Manuel date la première transformation de ma mère. De petite-bourgeoise assez coincée avec ses talons aiguilles, ses tailleurs en faux Chanel, son visage barbouillé de bleu aux paupières et de rouge aux lèvres en saine militante aux cheveux laissés nature et coupés court, les pieds chaussés de ballerines de toile noire (précisons qu'elle mesurait vingt bons centimètres de plus que Manuel!). C'est à cette époque qu'elle remisa Conrad, *Heart of Darkness,* et le remplaça par le romancier noir américain Richard Wright, dont Manuel lui avait fait découvrir l'œuvre. C'est à cette époque aussi, il faut le dire, qu'elle se mit à boire très sec, comme Manuel et avec lui.

C'est à cette époque enfin que mon grand-oncle Jean, qu'on n'avait pas vu depuis près de deux ans dans les rues de La Pointe tant il avait horreur de ce que cette ville devenait (et les gens le trouvèrent bien changé, peu soigné, lui qui était si beau), entra comme un fou chez son frère Jacob qui terminait un déjeuner sans joie en face de Tima.

– J'ai une lettre! Une lettre de Thécla!

  « *Mon cher Oncle,*
  Tu me pardonneras mon silence quand tu sauras que j'ai passé par de terribles épreuves. Mais celles-ci ont fait de moi une femme. Mes yeux se dessillent. Je vois clair à présent et je comprends le sens des leçons que tu me donnais.
  Oui, tu pourras bientôt être fière de moi. Mon meilleur souvenir à Gesner. Je t'embrasse.
  Ta nièce affectionnée. »

Jacob remit le feuillet dans son enveloppe, puis sans un mot la tendit à Tima qui s'était levée une main sur le cœur. Celle-ci le lut à son tour avant de retomber assise de tout son poids et de commencer à gémir :

– Et nous! Et nous! Pas un mot pour son papa!

Pas un mot pour sa maman! Aïe Jésus, la Vierge! Ceux qui vous disent de faire des enfants ne réfléchissent pas! Pourquoi? Pourquoi, je vous le demande? Qu'est-ce qui est plus ingrat qu'un enfant? Plus sans sentiment? Mon ventre s'est ouvert en deux pour cette fille-là. Les médecins ont cru que j'allais mourir, je me suis relevée quand même et, à présent, elle écrit à son oncle, *à son oncle* elle ne demande même pas si je suis vivante ou déjà dans la tombe!

Jacob et Jean la laissèrent à ses lamentations, qui pour justifiées qu'elles soient n'en crevaient pas moins le tympan, et s'enfermèrent dans l'ancien bureau de leur père. Jacob pleura sans se cacher un bon moment, puis hoqueta :

– Elle dit « épreuves ». Qu'est-ce que cela peut bien être?

Jean haussa les épaules :

– Bah! Quelque amourette qui a mal tourné! A cet âge!

Le pauvre père se moucha bruyamment tandis que Jean partait sur un autre sujet :

– Tu sais ce que cet imbécile de Serge a encore inventé?

Car à présent la guerre était ouverte entre les deux frères s'ils ne se tiraient pas encore dessus en pleine place publique. La politique! Toujours la politique! Serge s'était inscrit au parti triomphant du général de Gaulle et, sur cette liste, avait été élu conseiller municipal de Gourbeyre. Comme Jean avait accepté la présidence d'honneur du mouvement des Patriotes, l'AOPG, l'un faisait de l'autre sa tête de Turc favorite. Pour Jean, Serge était le symbole de cette moyenne-bourgeoisie assimilationniste qui se déculottait en criant : « Vive la France » depuis trois siècles. Pour Serge, Jean était pire qu'un communiste! Jacob se gardait bien de prendre parti dans cette querelle, lui qui savait d'après sa propre expérience que la politique est un pitt' où ne doivent s'aventurer que les coqs guimb' féroces et ivres de rhum!

– C'est lui qui va piloter de Gaulle quand Mon Général va proposer un statut spécial pour la Guadeloupe! Du même coup, peut-être qu'il l'obtiendra, sa Légion d'honneur!

Sourd à ces propos, le pauvre père continuait à hoqueter, à se moucher et à se torturer :

– Elle dit « épreuves ». De quoi parle-t-elle? Tu vois, Jeannot, si un homme a badiné avec ma fille, je prendrai un fusil et je le tuerai de mes deux mains, de ces mains-là!

Jean, qui savait bien que son frère était incapable de faire du mal à une mouche, ne l'écoutait même pas et continuait sur sa lancée :

– Peut-être qu'il l'obtiendra! Je parie que Serge finira dans la peau d'un député assis à ne rien faire à l'Assemblée nationale. Qu'est-ce que tu en penses?

Le pauvre père n'en pensait rien.

Une ou deux semaines plus tard, ce fut au tour de Gesner de pénétrer comme un fou dans la case en gaulette où Jean gribouillait frénétiquement :

– Une lettre! Une lettre de Thécla! Elle part pour New York!

Jean fut interloqué :

– New York? Qu'est-ce qu'elle va chercher là?

La lettre ne le disait pas.

« *Mon cher Gesner,*
Me pardonneras-tu jamais ma cruauté à ton endroit? Ma seule excuse, c'est que j'étais victime de mon éducation... Est-il superflu de te dire que tu m'as tout appris et que tu es le seul homme que j'aimerai jamais?
Ta pauvre Thécla. »

Pauvre? Les deux hommes se regardèrent et Jean vit se lever fou dans les beaux yeux marron de Gesner le désir de vendre le morceau de terre qu'il tenait de son père pour découvrir à son tour l'Amérique. Jeunesse! Jeunesse!

Il grommela :

– Ne t'enflamme pas! Ne monte pas sur tes grands chevaux! Elle ne t'a pas demandé de venir la rejoindre, que je sache! Tu ferais mieux de préparer ton examen de brancardier!

Plus que Dieudonné, pourtant la chair de sa chair, mais qui grandissait à La Pointe sous influence de Tima dont, malgré lui, il prenait les manières, rinçant par deux fois un gobelet et repoussant après une bouchée son de migan à fruit à pain, Gesner était le fils de Jean! C'est tout petit qu'il l'avait vu avec sa grosse tête bosselée à hauteur du genou de son père, écoutant gravement ses explications et promenant ses petits doigts sur la peau tendue d'un tambour! Des dizaines de fois, il l'avait mis au piquet dans la cour de récréation, les bras en croix et une roche dans chaque main, pour lui faire retenir sa table de multiplication. Puis il avait fini par comprendre qu'il fallait le laisser faire ce qu'il voulait : de la musique!

Quel musicien! Il venait de former un orchestre qui comprenait, outre lui-même, tambourinaire, un flûtiste et un joueur de ti-bwa! Ah, merveille de ces sons-là!

L'ensemble de Gesner, baptisé *Kreye*[1], faisait un malheur dans toutes les fêtes des communes de Petit Bourg à Vieux Habitants. Il suffisait qu'il soit annoncé pour que les gradins se noircissent d'une foule à la fois avide et recueillie. Car la musique de Gesner ne parlait pas simplement aux sens comme

1. Groupe.

la biguine, mais au cœur et à l'âme. Elle ne faisait pas simplement gigoter les jambes et onduler les hanches. Elle éveillait en chacun, mystérieuse, le désir d'aimer, d'échanger, de partager, et il n'était pas rare au cours des concerts que deux inconnus se serrent l'un contre l'autre et s'embrassent. Quant aux paroles qui l'accompagnaient, elles n'étaient jamais vulgaires ni grivoises, mais poétiques, un tantinet lyriques!

A cette époque-là toutefois, Gesner se cherchait encore. Il n'avait pas encore composé le morceau qu'il dédia à ma mère et qui fit tout de suite le tour de la Caraïbe francophone et anglophone sans oublier Cuba, Porto-Rico, Aruba et Bonaire avant d'aller conquérir l'Afrique et l'Europe : *Limbé*[1].

III

QUAND Thécla arriva à New York au mois d'août 1963, plus de vingt ans après son père, elle avait une bonne longueur d'avance sur lui en la personne de Manuel, guide capable de lui ouvrir comme une tirelire le ventre de la ville. Né et grandi à la 130e Rue, Manuel avait, pour payer ses études, ciré des souliers à chaque carrefour de Manhattan, vendu de la drogue dans chaque urinoir public et, pour se divertir, baisé dans chaque *basement*[2]. Par la serre sans air des rues et des avenues, il allait, serrant le bras de Thécla :

– Regarde-la de tous tes yeux, mon amour! C'est la créature la plus belle et la plus perverse du

1. Maladie d'amour.
2. Appartement en sous-sol.

monde! Elle est à l'image de mes sentiments pour l'Amérique, cette terre où je suis né. Haine et amour s'y côtoient. Brutalité et poésie. C'est une catin. Qui sait être douce. Elle est parfois poétique et rêveuse. Mais fondamentalement elle est vicieuse. Quand elle baise, ses cris rauques déchirent le tympan. On ne peut se passer d'elle!

C'est certain, Thécla avait à son bras ce guide averti. Elle avait connu de grandes villes : Paris, Londres. Même un été, elle s'était aventurée avec Denis à Barcelone et avait bu du vin rouge dans des barrios. Et pourtant elle n'était pas loin d'éprouver les émotions paniques que son benêt de père, à peine sorti de son trou natal, quant à lui avait éprouvées. Ahurie, interloquée, terrifiée. Car New York est un philtre qui enfièvre les constitutions les plus robustes. Et puis, Manuel entraîna Thécla, droit jusqu'au septième cercle de l'enfer, là où le vice n'a pas sale odeur, où la violence fait la loi et où la vie d'un homme ne vaut pas tripette.

Sa famille croupissait toujours à la 130e Rue. Le père, paysan reconverti dans sa jeunesse en portier d'hôtel, ne supportait le mauvais hiver de sa vie qu'à coups de mauvais bacardi, ingurgité du soir au matin. Perdu dans ses cauchemars, il dodelinait de la tête près de la fenêtre qui s'ouvrait à hauteur des bouches d'incendie et des chaussures rapiécées des passants. Parfois, il geignait :

– Pute de vie! Le soleil ne s'est jamais levé pour moi! J'ai traversé la mer et sur les deux rives, c'était faim et désolation. Ah oui, nous sommes une race maudite!

Manuel entrait en rage quand il l'entendait et le couvrait d'injures, de désespoir et d'amour cependant que Mrs. Pastor, qui tout le jour avait récuré des latrines, préparait des monceaux de nourriture et ruminait les péchés qui avaient conduit trois de ses fils dans des prisons de haute sécurité aux quatre coins du pays. Dieu merci, Earl, le préféré, allait bientôt revenir à la maison.

Sur le coup de sept heures, Mr. et Mrs. Baltimore, prêcheurs visionnaires qui habitaient l'appartement voisin, avertis par l'odeur, entraient dans la cuisine et se gobergeaient de cuisses de poulet frit, de riz jambalaya, de crevettes cuites dans le gombo et de tranches de gâteau aux patates tout en lisant à voix haute entre deux bouchées des pages du Livre Saint.

« Jette ton pain à la surface des eaux; car avec le temps, tu le retrouveras. Fais-en part à sept et même à huit personnes; car tu ne sais pas quel malheur peut arriver sur la terre. »

Ou encore :

« Le sage a le cœur à sa droite; le fou, le cœur à sa gauche. La seule allure de l'insensé sur la route laissait voir que le bon sens lui fait défaut. »

Ils avaient mis au point leur technique infaillible, Mr. et Mrs. Baltimore, prêcheurs visionnaires depuis qu'ils avaient quitté leur cabane dans l'Alabama! Chaque matin, ils se postaient au coin d'une rue, posaient une sébille entre leurs pieds et prédisaient la fin de la race des nègres dans la puante odeur de son péché. Mr. Baltimore, le plus inspiré des deux, enflait la voix :

– Hâtez-vous! Hâtez-vous! Déjà, Azraël, l'ange de la mort, accourt tenant dans sa main droite son glaive étincelant. Donnez, donnez pour arrêter son char...

Les cents, les dimes[1] et les demi-dollars pleuvaient. Quand la sébille était pleine, Mr. et Mrs. Baltimore s'en allaient acheter quelques bouteilles soigneusement empaquetées qu'ils déposaient dans leur appartement avant de venir se refaire de tout cet effort du jour chez Mrs. Pastor.

1. Dix cents.

Le couple Baltimore terrifiait Thécla, surtout la prêcheuse qui la fixait comme une proie de ses yeux rougeoyants. Qu'elle aurait aimé fuir ce taudis sans air et descendre plus bas, toujours plus bas vers ces avenues vendeuses de rêve ou s'envoler pour ces banlieues cossues où les arbres se paraient des couleurs de l'été indien. Hélas rien à faire! Manuel tenait à ses parents comme à la prunelle de ses yeux!

A la mi-septembre, Earl revint de San Quentin où il avait tiré ses dix ans pour vol à main armée. Thécla, qui ne s'était jamais trouvée devant un braqueur professionnel, vit entrer un petit homme, encore plus petit que Manuel, les yeux d'escarboucle pareils aux siens et la voix douce comme un enfant de chœur à la messe. Il baisa son vieux père au front et prit dans ses bras sa vieille mère qui sanglotait, disant :

– Allons, allons, c'est fini!

Il fit encore deux choses d'importance. Il chassa proprement Mr. et Mrs. Baltimore quand ils s'amenèrent à l'heure du dîner et, la nuit venue, il se glissa dans le lit pliant où Thécla dormait avec Manuel tandis que ce dernier expliquait :

– Nous avons toujours tout partagé!

De cette époque date la deuxième transformation de ma mère. Je regarde les photos. Disparue, la militante sans apprêts! En lieu et place, une glorieuse femelle, le corps bêché et rebêché, la voix basse, cassée, résonnant comme le saxo de ces bouges où elle passait les nuits avec ses hommes.

Entre deux risques d'overdose, toute préoccupation intellectuelle n'était pas absente cependant. Paradoxalement, Earl, le braqueur, était partisan de la non-violence et fervent disciple de Martin Luther King dont il suivait passionnément les marches à la télévision commentant :

– Ça y est! Ils ont lâché les chiens! C'est qu'ils veulent vraiment en finir avec nous!

Manuel, lui, continuait de vénérer Malcom X. Il ne rêvait que de s'entretenir avec lui de quelques points d'Islam qui lui demeuraient obscurs et, dans l'espoir de le rencontrer, était régulier dans son Temple de la 116e Rue. Malheureusement le grand homme tentait d'allumer le salutaire incendie en divers points du pays ou bien visitait l'Afrique ou bien était trop occupé. Thécla ne prenait pas parti dans ses querelles. Elle avait abandonné Richard Wright et sentait germer en elle un sujet plus ambitieux : « De la condition des Noirs d'Amérique. » A cette fin, elle tentait d'interviewer Mrs. Pastor. Ses parents lui avaient-ils parlé de leur vie en Virginie? Qu'avaient-ils trouvé dans le Nord? Hélas! Mrs. Pastor qui reprochait à cette intruse de lui avoir volé ses deux fils ne desserrait pas les lèvres!

> « *Mon cher Gesner,*
> *Ce que je vois autour de moi à New York, dans cette ville que domine la statue de la Liberté, est inimaginable. Par contraste comme notre vie et celle de nos parents paraît prospère et sans événement... »*

Quelques mois plus tard, le ventre de Thécla commença de s'arrondir sous ses robes flottantes.

Thécla, élevée par Tima dans le respect de Dieu et la terreur de l'opinion des hommes, s'était libérée des préceptes de son enfance. Pas assez toutefois pour accepter d'hésiter sur la paternité du fœtus qui prenait vigueur en elle. Elle tomba dans une sombre humeur qu'assombrit encore une prédiction de Mrs. Baltimore croisée dans le couloir :

– Le fruit du péché ne mûrit pas!

Manuel exultait et cabriolait :

– Un petit nègre de plus ! Il me semble que je le vois déjà, les yeux lui mangeant toute la figure du désir des choses interdites par les Blancs parce qu'ils savent que, s'ils nous laissent faire, nous faisons tout mieux qu'eux !

Earl, quant à lui, était plus réservé, presque aussi sombre que Thécla parfois. Il arpentait la chambre :

– Ce n'est pas avec les cacahuètes que Manuel gagne à son université que nous pourrons payer à notre fils la vie qu'il faut pour arriver premier dans ce pays de malheur !

Là-dessus, il se mit à graisser le fusil à canon scié qu'il avait remisé sur un meuble et, un soir, disparut.

IV

C'est toujours pareil ! Si l'on prend un Américain dans la rue et si on lui demande ce qui l'a le plus frappé dans cette année 1965, il y a de fortes chances qu'il réponde : l'assassinat de Malcolm X venant sur les talons de celui de Kennedy dans une Amérique en folie.

Or, malgré son admiration pour le leader, Manuel fut presque indifférent à sa mort et ne devait se souvenir de cette année-là, l'année 1965, qu'à cause du départ furtif de son frère, de son retour à l'aube trois jours plus tard, le linge rougi de sang et de son dernier sourire en regardant Thécla :

– *Take care, baby*[1] !

1. « Bonne chance, chérie ! »

Pour lui, dans le deuil et la révolte de la communauté noire de son pays, l'année 1965, ce fut cela! Et il devait s'apercevoir avec stupeur que pour les autres le passage sur terre d'Earl M. Pastor, décédé dans sa trente-troisième année, ne comptait guère.

La mort d'Earl vit le triomphe de Mr. et Mrs. Baltimore. On avait à peine ramené le corps saignant qu'ils firent irruption dans le basement où les sanglots de Thécla faisaient écho à ceux de Mrs. Pastor. Cette fois, personne n'était là pour les chasser. Tandis que Mr. Baltimore mettait genoux en terre, Mrs. Baltimore, pareille à une araignée carnivore, fonçait sur ses proies. Bien vite, délaissant Mrs. Pastor, proie trop facile, elle se jeta sur Thécla. A l'en croire, le diagnostic était clair :

– C'est l'odeur de ton péché qui a offensé les narines de Dieu l'Eternel. C'est sa noirceur qui a révolté son cœur toujours aimant cependant et prompt à pardonner. Tu t'es couchée sous un drap entre deux hommes, deux frères! Quel nom veux-tu donner au monstre qui sortira de tes entrailles?

Thécla sanglotait :

– Et tu ne sais pas tout! Tu ne connais pas l'entièreté de mes crimes. Moi, Thécla Louis, j'ai assassiné père et mère. J'ai planté un glaive dans leurs cœurs. J'ai laissé couler leur sang. Je m'en suis pourléché les babines!

– Pourquoi as-tu fait cela?

– Ils me faisaient honte. Je leur reprochais d'être trop noirs. D'être sans instruction. Ma mère ne savait rien de rien. Elle ne pouvait parler que de ses recettes de cuisine et de ses rêves. « Pour faire le dombwé et pois, tu prends... » Et en même temps, elle se croyait sortie de la cuisse de Jupiter.

Elle méprisait tout le monde à cause de son argent. Quant à lui, quant à lui...

– Allons, allons, calme-toi !

– J'aurais voulu avoir d'autres parents, une autre famille ! J'aurais voulu...

Une semaine après la mort de Earl, alors qu'elle lisait le Livre Saint : « L'insensé dit dans son cœur : " Il n'y a pas de Dieu ! " ". Les hommes sont corrompus, leur conduite est abominable; il n'y a personne qui fasse le bien. Des cieux, l'Eternel abaisse son regard sur les fils des hommes pour voir s'il y a quelque homme intelligent et qui cherche Dieu. Ils se sont tous détournés », des douleurs labourèrent le ventre de Thécla d'où ruissela un sang très noir. Elle tomba à la renverse pendant que Mrs. Baltimore s'efforçait de lui faire joindre les mains et répéter avec elle :

– Hosanna ! Que ta justice soit faite ! »

Au même moment, à La Pointe, une conférence de médecins s'assemblait autour du lit de Tima serrant les dents sous l'effet d'un mal mystérieux :

– C'est la ménopause ! Les femmes vivent très mal cela. Vous devriez l'emmener faire un tour en métropole, tiens !

Jacob supputa la dépense !

Son enfant mort et la faute expiée, Thécla se garda bien de pécher davantage.

Elle quitta Manuel et la 130e Rue et loua une chambre à une respectable famille haïtienne de Brooklyn.

Elle se remit à ses études.

Oui, après avoir mis en terre tant de cadavres, il était normal que pour continuer à vivre Thécla et Manuel se séparent.

Manuel resta les pieds dans la neige de New York. Le jour, il travaillait à son Ph. D. qui depuis quelque temps lui faisait l'effet d'une notice nécrologique. La nuit, il passait des urinoirs et des crachoirs à des vieux dans un hôpital et recevait en pleine face des haleines empuanties quand ils tentaient de le plaisanter de son évident chagrin. Il ne les entendait ni ne les voyait. A tout moment, Thécla brouillait sa vue.

Je retrouve Thécla à Port-au-Prince, en Haïti. C'est vrai, elle avait assez correctement ramassé ce qui restait d'elle-même et s'était inscrite à Columbia pour une recherche : « Influence de la Renaissance de Harlem sur les intellectuels haïtiens ». Elle avait fait cela par une sorte d'habitude, croyant qu'étudier donne un sens à une vie qui n'en a pas.

Elle se trouvait au quartier de Turgeau dans la pension de famille Les Poinsettias tenue par les dames Volder.

La mulâtre famille Volder avait beaucoup souffert depuis l'avènement du nègre dictateur Duvalier. Tous les hommes avaient fui en désordre vers l'Amérique centrale ou du Nord ou du Sud pour échapper aux Tontons Macoutes et il ne restait plus que ce carré de femmes. La mère. La tante. La fille aînée. La fille cadette. Toutes quatre, la peau couleur d'ivoire de crucifix, et vêtues de noir puisqu'elles portaient le deuil d'un mari, d'un fiancé, d'un père, d'un soupirant qui ne s'était jamais déclaré, mais qui leur avait fait de beaux enfants. La partie de leur temps qui ne se passait pas à houspiller de petites servantes apeurées et la tête basse se partageait entre la récitation de prières et les conversations avec les visiteurs. Prières pour les vivants. Prières pour les défunts. Prières pour les absents. Prières pour les présents. Prières surtout pour Haïti chérie qui n'en finissait pas de souffrir. Visites de tous les parents et amis endeuillés. Cortège qui affluait de partout. Veufs. Veuves. Orphelins de père et de mère, épongeant leur révolte à l'eau de bénitier.

Thécla sortait d'une bibliothèque quand un véritable Bois d'Ebène, qui en d'autres temps aurait, pas de doute, coûté une fortune, se planta devant elle.

– Mademoiselle, excusez mon audace!

Dieu! Elle n'avait jamais vu un homme pareillement haut! Et carré! Elle qui depuis des années baissait les yeux vers Manuel, puis vers Earl, qu'elle serrait contre son sein, à peine plus lourds que des enfants! Elle eut le vertige de toute cette force-là!

– Je me présente : Hénock Magister!

Hénock Magister n'était pas grand-chose : journaliste au *Nouvelliste*, mais il avait de grands bras qui faisaient à Thécla le tour du corps, une grande bouche qui la mangeait de baisers et une grande queue qu'il lui fourrait brûlante entre les lèvres ou entre les cuisses. Avec cela, c'était un natif natal de Jacmel et sa mère était bonne et tendre à la Guadeloupéenne sans foyer. Elle vendait du pain, Mme Magister, le pain que faisait son mari Hénock comme le fils aîné, et regardait la dictature avec philosophie.

– Ça fait des siècles que nous souffrons! Nous nous sommes battus pour faire partir les Français et faire venir la liberté. Les Français sont partis, mais la liberté, elle, n'est pas venue. Puis on s'est battus pour faire partir les Américains et faire venir la liberté. Même histoire. Les Américains sont partis, la liberté, elle, n'est pas venue ! On s'est mobilisés pour chasser les présidents mulâtres ! Les présidents mulâtres sont partis. Un nègre est venu et c'est pire ! Moi je vous dis que notre race, c'est la race des maudits !

Le père Magister ne gardait pas la tête aussi au calme et répétait avec emportement :

– Donnez-moi un fusil ! Mettez-moi Duvalier au bout de ma lorgnette et je vous le tue ! C'est raide mort que vous le ramassez !

Hénock, qui grâce à sa carte de presse avait des entrées au Palais, prenait quant à lui des airs informés :

– C'est qu'il n'est pas ce que l'on croit et si vous le piquez, il ne sortira pas de sang ! Mais de l'eau mêlée à un peu de sanie. C'est... c'est le Baron-Samedi et moi, je vous dis, semaine ou pas semaine, il lui faut son content de chair fraîche ! Raison pour laquelle les Tontons Macoutes tuent tout ce monde.

Un beau jour, Hénock, qui rêvait de se voir important dans les yeux sans sourire de sa belle, lui apporta un bristol. En lettres dorées, Madame et Monsieur le Président invitaient Mademoiselle Thécla Louis Chercheur International (*sic*) à une garden-party sur les pelouses de la Présidence.

Pour une fois, je vais me montrer généreuse à l'égard de ma mère. Pas de doute : si elle ne s'était pas sentie aussi seule, aussi perdue, le poids de tous ces morts sur la conscience et l'angoisse du temps qu'elle perdait un peu chaque jour, elle ne s'y serait pas rendue, à cette invitation.

Mais, lasse de souvenirs et d'ennui, elle l'accepta. Elle le trouva bien beau, le palais présidentiel, avec ses poissons d'or nageant dans un bassin de marbre bleuté, ses flamants roses qui picoraient dans la main des invités et ses perroquets verts qui jacassaient sans arrêt dans leurs cages. Elle dansa avec fougue avec Hénock qui pavoisait et la présenta à d'autres hommes aussi hauts et aussi carrés. Ah, quelle belle race que cette race de nègres d'Haïti !

On disait le président atteint d'une sévère incontinence d'urine due à la prostate et presque incapable de se tenir sur ses pieds. Néanmoins, il se mit debout et prononça un très long discours, énumérant les bienfaits de son règne. Il fut très applaudi. A un moment, un trio de musiciens s'installa sur une estrade et on annonça Ottavia.

La grande voix d'Ottavia avait chanté les malheurs du peuple haïtien sur toutes les scènes du monde et certains s'étonnaient qu'elle les chante cette fois devant ceux-là même qui en étaient responsables. Pour Thécla, formée à la musique par Gesner, le temps s'arrêta pendant que l'harmonie des sons déferlait jusqu'à la porte du ciel. Des larmes ruisselèrent le long de ses joues tandis qu'elle revivait pêle-mêle son enfance, son premier amour, la mort d'un de ses hommes et la perte de son enfant (je me plais à croire qu'elle songea aussi à moi qui grandissais dans mon exil du Finistère !) et qu'Hénock Magister désemparé se demandait de quel ciel lui tombait cette femme-là !

> « *Soufflé van*
> *soufflé van*
> *Pitit-mwen ka mo*
> *Mari-mwen ja mo*
> *Mwen mem an pa sav*
> *Si sé viv an ka viv*[1] »

1. « Souffle grand vent *(bis)*/Mon enfant se meurt/Mon mari est déjà mort/Moi-même je ne sais/Si je suis morte ou vive. »

Thécla rentra fort tard du palais présidentiel cette nuit-là, reconduite par un ami d'Hénock Magister qui se trouvait être ministre de quelque chose. Ou secrétaire d'Etat.

Le lendemain, les dames Volder ne parurent pas au petit déjeuner qu'on prenait toujours dans la vieille salle à manger aux cloisons d'un vert passé sous l'œil débonnaire de l'ancêtre à favoris blonds, Trygve Volder, qui était arrivé de Norvège avec quelques couronnes pliées dans son soulier. Elles ne parurent ni au repas de midi ni à celui du soir pour lequel Thécla surprise, et déjà soupçonnant le drame, prit place à table. Entre la soupe et la tarte aux lambis, une servante lui présenta en tremblant un mot de Mme Volder mère lui donnant congé : « Nous ne pouvons accepter sous notre toit ceux qui pactisent avec nos ennemis. »

Thécla ne songea même pas à se disculper et, mélancolique, fit sa valise pour l'Hôtel Ibo-Lélé. Dans la chambre contiguë à celle qu'on lui donna habitait Ottavia.

VI

L'AMITIÉ entre femmes peut ressembler à l'amour. Elle en a la possessivité, les jalousies, les abandons. Mais sa complicité est plus durable, car elle ne s'appuie pas sur le langage des corps.

D'une certaine manière, Thécla et Ottavia étaient faites pour dialoguer. Comme la flûte des mornes avec le ti-bwa dans la musique qui fait tourner les manèges de chevaux de bois. Le père d'Ottavia était un maçon italien qui, venu réparer des carreaux, était entré dans le lit de Méralda, la benjamine et la plus belle fille de l'aristocratique famille des Malden, mulâtres d'origine allemande. Le maçon était un ivrogne. Après avoir fait sept enfants à Méralda, il avait fait une chute mortelle d'un toit. Méralda qui n'avait jamais rien fait de ses dix doigts, s'était jetée en sanglotant sur l'épaule du boulanger qui lui faisait crédit pour le pain, superbe Bois d'Ebène qui jusqu'à son dernier jour devait se demander s'il n'aurait pas mieux fait de laisser sa camionnette au garage un certain matin. Ottavia avait donc grandi parmi sa ribambelle de frères et sœurs, de demi-frères et de demi-sœurs, de plain-pied avec les petits paysans des Cayes, lançant comme eux des pierres aux mangots du déjeuner, mais les méprisant et se croyant d'une espèce supérieure. Conviction attisée par Méralda qui possédait quelques beaux bijoux et du linge de table damassé dans un panier caraïbe. Puis elle avait été adoptée par Carlotta, sœur aînée de sa mère, qui ne s'était jamais mariée. Carlotta avait emprisonné son corps de sauvageonne dans un uniforme blanc et bleu et l'avait inscrite à un pensionnat de Lalue où les enfants des bourgeois se moquaient de son accent et chuchotaient que sa mère avait vécu en concubinage. Aussi Ottavia comme Thécla détestait son enfance, sa famille et, croyait-elle, son pays qui les symbolisait. Plus chanceuse que Thécla néanmoins, Ottavia avait sublimé ces rancœurs et fustigeant les pouvoirs et les bourgeoisies se libérait de toute cette humeur. Vidant force bouteilles de rhum Barbancourt, Thécla et Ottavia, qui ne songeait plus à reprendre son avion pour New York où pourtant elle devait chanter devant les réfugiés haïtiens, s'allongeaient flanc contre flanc. La nuit durant, elles tenaient des propos méandreux sur le monde, la vie et sa méchanceté foncière, les nègres, les mulâtres, le plaisir, la religion, la mort, la politique. Du coup, le pauvre Hénock Magister, qui ne trouvait plus moyen de faire l'amour à sa Thécla, traînait inlassablement dans le parc, la tête et la queue basses.

Je ne dispose pas d'informations précises sur la manière dont les choses furent conçues, menées, et j'avoue que là, je ne peux boucher les trous. Ottavia avait-elle été réellement chargée d'une mission par des amis politiques ? Dans quelle mesure l'outrepassa-t-elle ? Dans quelle mesure joua-t-elle à l'apprenti sorcier ? Est-il vrai qu'elle s'appuya sur certains prêtres vaudou qu'elle connaissait bien pour avoir étudié la musique de leurs péristyles ? Est-il vrai que ceux-ci à son instigation commandèrent au peuple de descendre dans la rue et de marcher sur le Palais ? Est-il vrai qu'elle bénéficiait en même temps de complicités dans l'entourage de Duvalier ? Toujours est-il que cela aboutit à cet événement bien connu de tous ceux qui s'intéressent à l'histoire des Antilles : la sauvage répression de 1967.

Tout commença par l'incendie de la maison du ministre de l'Intérieur, Luckner Damidas, si bon danseur et que les femmes aimaient. A minuit, les flammes orangées léchèrent le ciel noir. (Certains disent que ce fut un signal.) Luckner n'eut que le temps de se jeter par la fenêtre du galetas où il dormait seul. Sa femme et ses cinq enfants, qui dormaient au premier, brûlèrent vifs. Profitant du désordre qu'attise le feu dans nos pays, des groupes innombrables sortirent de l'ombre, se réunirent et déferlèrent en flot furieux qui scandait :

– A bas le régime !

Les Tontons Macoutes interrompirent illico leur sommeil et ne firent pas de quartier. Cinq jours plus tard, car il y eut cinq jours, cinq jours d'émeute, les chiens furent libres de laper le sang des flaques et de ronger des os. On arracha aux caniveaux des corps déchiquetés que l'on mena brûler aux portes de la ville. Ainsi le feu conclut ce que le feu avait commencé.

Ottavia fut arrêtée. Mais sa grande notoriété et les vives pressions d'Amnesty International la firent très vite relâcher. Ma mère étrangère fut expulsée en quatrième vitesse vers la France et s'en serait somme toute tirée à bon compte si Hénock Magister n'avait trouvé la mort dans l'affaire.

O vertige de l'amour!

Hénock Magister, jeune homme médiocrement instruit qui ne s'était jamais soucié de l'exploitation de l'homme par l'homme, voulut tant se voir beau dans le miroir des yeux de sa bien-aimée! Il prit donc la direction des opérations d'un quartier et se trouva en première ligne quand les Tontons Macoutes et les soldats chargèrent.

Je crois que nous pouvons le compter parmi nos martyrs à moins que nous ne demandions aux martyrs d'être bacheliers.

Ma mère refit donc connaissance avec Paris au début de l'année 1968. Si sa manière de regarder la ville n'avait pas changé, si dans certains cafés, dans certains cinémas, dans certains parcs, le disque rayé de sa mémoire ressassait, ressassait, la ville elle la regardait autrement. Elle avait été mêlée de près à des événements politiques importants. Pouvait-elle les expliquer?

— Thécla Louis, que pensez-vous de la politique d'ingérence des Américains en Haïti?

— Vous étiez aussi aux USA lors de l'assassinat de Malcolm X. Comment a réagi la communauté noire américaine?

Au lieu de hurler pour qu'on la laisse en paix, Thécla s'asseyait bien droit devant le micro, rapprochait sa bouche et parlait de la doctrine de Monroe, du vaudou, de l'islam noir, du pouvoir noir...

C'est à ce moment-là que subtilement ma mère commença de ressembler à son père. On la disait belle parce qu'on ne regardait pas au fond des deux trous noirs de ses yeux là où la peur, l'angoisse, le désespoir se mêlaient, parce qu'on ne saisissait pas sous sa parole bégayée et très douce l'incohérence et le délire.

Comme sa photo s'étala dans pas mal de journaux, ma mère reçut un jour une lettre.

> *« Albert Louis*
> *Hôtel du Nord*
> *2, place des Abbesses*
> *Paris XVIIIe*

> *Mademoiselle,*
> *Je prends la liberté de vous écrire dans l'espoir que vous pourrez m'aider à résoudre un très grave problème. Très grave pour moi bien évidemment.*
> *Originaire de la Guadeloupe, je porte le même patronyme que vous et j'imagine que vous connaissez mieux que je ne saurais jamais le faire les généalogies locales. Mon père s'appelait Albert Louis lui aussi. Né en 1904[1], il était venu étudier à l'Ecole industrielle d'Angers. A la suite de son mariage avec ma mère, sa famille rompit tout contact avec lui et, de désespoir, il se suicida. Je cherche à retrouver la trace des siens qui sont aussi les miens non pas pour réclamer vengeance, rassurez-vous. Simplement pour savoir de quel arbre je suis issu. On ne peut vivre si on ignore d'où on vient. Je ne sais trop par quel bout commencer. Connaîtriez-vous la descendance d'un certain Albert Louis, commerçant, lui-même*

---

1. En réalité, il se trompe. Bert était né en 1905.

mort j'imagine depuis de longues années et dont la femme s'appelait Elaïse?

[...]

Si vous désirez me rencontrer, je suis musicien et joue chaque soir à " La Cabane cubaine ". Vous pouvez aussi me joindre à mon hôtel. Pardonnez-moi encore... »

Ma mère ne donna jamais de suite à cette lettre.

VII

MAI 1968 convulsa Paris et je ne parlerai pas de cette histoire-là archiconnue.

Un jour Thécla, qui errait par les rues comme une somnambule, se cognant les pieds aux barricades et se brûlant aux incendies, reçut une pierre au front et de ce fait fut placée avec d'autres blessés dans une ambulance qui fonça vers le Val-de-Grâce. L'interne qui lui mit trois points de suture venait d'avoir trente-deux ans et s'appelait Pierre Levasseur.

Toute son éducation avait amené Thécla à croire que les Blancs appartenaient à une espèce particulière comme les chats ou les taureaux et qu'il n'est pas question de communiquer avec eux. Or, le 23 juin 1968, elle épousa Pierre Levasseur en l'église Saint-Louis-des-Invalides. Une semaine plus tard, après un voyage de noces dans une propriété de la famille, le nouveau couple prit la route du Finistère au bout de laquelle je grandissais, maigrichonne de bientôt dix ans.

Avant toutefois d'épiloguer sur le bouleversement que ce mariage amena dans ma vie, parlons plutôt de ses répercussions en Guadeloupe dans notre famille.

Il y avait près de dix ans que mon grand-père Jacob n'avait pas reçu une lettre de la main de sa fille et il commença par pleurer toutes les larmes de son corps. Puis le bonheur s'irradiant peu à peu en lui, il la relut, son intuition d'écorché s'étonnant de lui trouver la tristesse d'un faire-part de deuil. Qu'importe! Il monta l'escalier quatre à quatre jusqu'à Tima qui se balançait dolente dans sa berceuse, son *Imitation du Christ* grande ouverte sur les genoux.

« Chère maman, cher papa,
Malgré mon effroyable silence, il faut que vous me croyiez, je n'ai pas un instant cessé de penser à vous et de vous aimer... »

A son tour Tima pleura à chaudes larmes et, passagèrement rendue à la santé, se mit en demeure de crier sur tous les toits que sa fille se mariait à Paris à un Blanc médecin. Un Blanc? La famille s'affola. Cela signifiait que l'on allait perdre Thécla à jamais comme on avait perdu le Serge de Basse-Terre. Jacob avait beau protester que c'était justement ce mariage-là qui ramenait des nouvelles de Thécla, les fronts restaient soucieux.

– Ça veut dire qu'elle va s'installer définitivement en France.

– Tu ne vas pas me dire que son mari va venir ici? Fini la Guadeloupe!

Les plus affectés furent Jean et Gesner. Ils espéraient contre toute espérance qu'une fois les inévitables bêtises de la jeunesse commises, Thécla rentrerait dans le droit chemin du pays, découvrirait quel diamant de Kimberley était en réalité son premier amour et l'accompagnerait aux autels

avant de lui donner de robustes enfants. Patatras !
Ce bel échafaudage de rêves s'effondrait. Pour la
première fois, Jean s'emporta contre son frère et
lui reprocha d'avoir par une éducation « idiote »
fait le lit de ce Blanc-là. Devant Jacob sidéré, il
traita Tima de petite-bourgeoise complexée et mes-
quine qui avait transmis son aliénation à sa fille. Le
malheureux Jacob pleura à nouveau et ne trouva
rien à dire pour sa défense.

Mon grand-oncle Jean était devenu fort important. Les Patriotes, qui prétendument clandestins
donnaient en réalité de la voix et organisaient
merveilleusement les paysans, en avaient fait un
homme symbole. Petit-bourgeois en rupture avec
sa classe. Malmené par l'Administration française.
Auteur de *La Guadeloupe inconnue*, ouvrage unique en son genre par sa connaissance des tradi-
tions populaires. Père spirituel d'un des plus
grands musiciens du pays, lui-même héritier d'un
maître tambourinaire.

Tout cela ne lui avait pas arrangé le caractère, à
mon grand-oncle Jean, ainsi que se plaignait
Marietta à qui voulait l'entendre. Cet homme
autrefois doux, rêveur, hanté par le sentiment de
culpabilité que lui causait le suicide de sa première
compagne, était devenu un pète-sec prétentieux
qui se croyait un saint Jean Bouche d'Or. Il discutait de tout : de Cuba et de Castro. De la Guinée et
de Sékou Touré. De l'Amérique et de Martin
Luther King. Lui qui, soulignait Marietta avec
dérision, n'était jamais allé plus loin qu'à Marie-
Galante.

De toute sa hauteur d'homme symbole, Jean
adressa une épître à sa nièce lui rappelant la traite,
les horreurs de l'esclavage, l'assassinat de Malcolm X et de Martin Luther King (entre autres), les
méfaits de la colonisation, les affres de la décoloni-

sation et se terminant par ces mots : « Je ne peux croire que tu pactises avec les bourreaux de notre race. »

Pauvre Thécla! Reproche-t-on à un skipper dont le catamaran s'est renversé sur le dos arqué de la mer de s'accrocher à un canot de survie? Autour d'elle, tout n'était que ruines et désolation, échec sur échec. Souvent, elle avait l'impression de cheminer seule par les allées noires d'un cimetière. Pierre Levasseur avait les lunettes, le visage carré et débonnaire d'un médecin de famille. Avec lui, elle se trouvait tellement en confiance qu'elle lui parlait de tout. Même de moi. Et il l'écoutait sans la juger, encore moins la condamner en essayant de la comprendre.

Ma vraie vie commence donc non pas dans cette clinique du XVe arrondissement à Paris où j'ai poussé mon premier cri, mais dans la petite salle à manger de Maman Bonœil. Aux murs, une reproduction de *L'Angélus* de Millet, une grande photo de mariage, une autre du mari disparu en mer en bon marin. C'est là que ma mère perdit les eaux avant de m'expulser à tout jamais. C'est là en regardant cette inconnue que le sang furieux vint irriguer mon cœur et que l'air fit hoqueter mes poumons. Elle sanglotait, Maman Bonœil!

– Embrasse ta maman, Coco!

(Son affection avait transformé mon prénom de Claude en ce mot qui désignait aussi comme par hasard un fruit exotique.)

Je ne bougeai pas. Alors l'homme ours polaire en manteau à col de fourrure vint vers moi, me souleva de terre et me couvrit de baisers.

– Comme tu es belle!

Nous nous installâmes à Paris dans un appartement en désordre dont les fenêtres s'ouvraient sur le troupeau de tombes du cimetière Montparnasse.

Je ne voyais pratiquement jamais ma mère qui, hors de mon atteinte, dormait, se reposait, mangeait, lisait, écrivait, parlait au téléphone. Pierre me lavait, me passait mes vêtements, m'emmenait à l'école, au cinéma, au salon de thé, à la Fête des Loges et à la Fête de l'Huma. Ce faisant, il m'expliquait :

– Tu ne dois pas lui en vouloir. En fait, elle n'est pas bien portante. Pas bien du tout. Il y a des gens qui sont très forts, ce n'est pas son cas. Tu comprends cela, n'est-ce pas ?

Par égards pour son souci, j'opinais de la tête.

Je ne sais trop combien de temps cet état de choses dura. Des semaines ? Des mois ? Le temps était un béton gris comme la cellule d'un condamné. Un matin, j'ouvris la porte à un petit télégraphiste. Ultima Victoire Apolline Louis née Lemercier venait de décéder dans sa cinquantième année.

La douleur de Thécla fut effrayante. Elle qui en dix ans n'avait pas adressé trois lettres à sa mère avala des tubes de quinine qui la firent transporter en pleine nuit, tombée dans un état comateux vers un service d'urgence. Pendant des mois, nous ne la vîmes que dans une chambre d'hôpital, les mains croisées sur les genoux. Puis elle finit par se remettre car la douleur ne tue pas. C'est triste ! Mais c'est ainsi ! La mort de ma grand-mère Tima survenue sans qu'elle ait pu me prendre contre elle pour me faire réciter mes leçons, tresser mes cheveux ou me frotter de bay-rhum est le premier des grands crimes que j'impute à ma mère. Torturée elle-même par le remords, elle se décida à se rendre à la Guadeloupe pour au moins s'agenouiller sur une tombe. J'ignore pourquoi Pierre ne l'accompagna pas. Moi seule fus du voyage.

VIII

Un homme nous attendait à l'aéroport de Raizet. Un inconnu dont le visage ne m'était pas inconnu puisqu'il recelait dans le plus grand désordre certains traits de ma mère dont je voyais en quelque sorte les originaux tout en étant soudain capable d'en anticiper la vieillesse. Non pas que cet homme fût vieux, car il donnait une impression de pérennité, l'impression d'avoir toujours été là et de devoir demeurer là quand les autres ne seraient plus, quand le monde en serait réduit à un jeu d'ombres et de lumières. Thécla lui tendit la joue et dit comme si elle l'avait quitté la veille :

– Bonjour, papa !

Il l'embrassa, se retenant visiblement de l'étreindre avec emportement tandis que son regard ne me quittait pas. Enfin il essuya l'eau de ses yeux et interrogea :

– A qui cette enfant-là ?

Elle releva le menton et fit d'un ton de bravade, mais je lus la honte de ses yeux :

– C'est à moi !

IX

Depuis que mon grand-oncle Jean avait été promu au rang d'homme-symbole, la position de l'Anse Laborde autrefois livrée à la seule attention de la nature s'en était trouvée affectée. En semaine, mais surtout aux week-ends les samedis et les dimanches, des jeunes et des moins jeunes venaient tenter d'avoir une entrevue avec le maître ou simplement venaient mirer la maison modeste bâtie par Mario (à présent mort et enterré avec son Adélia dans le cimetière de l'Anse Bertrand) où il avait pris refuge après ses démêlés avec l'Administration coloniale, les dépendances de cases en gaulette qu'il avait mises debout de ses mains et le « débit de boissons » où Marietta, forte en gueule, versait toujours. Quand, en 1965, Gesner quitta Grands-Fonds-les-Mangles pour s'établir près de son père spirituel, l'Anse Laborde devint un lieu de pèlerinage comme pour les musulmans, La Mecque, et les chrétiens, la ville de Lourdes. (Il s'agissait bien sûr des nationalistes, les autres faisant un crochet pour éviter ce repaire de communistes [*sic*].) Du coup, un malin qui avait le sens des affaires ouvrit un restaurant-bar, La Corne d'abondance, qui se fit une spécialité des plats traditionnels, boudés par la bourgeoisie, comme le migan de fruit à pain, le bébélé, la soupe à Kongo, et l'Anse Laborde se vit coller deux astérisques dans les dépliants touristiques.

« La halte est obligatoire à La Corne d'abondance où vous pourrez savourer les dernières inventions culinaires de Man Tine. Si vous avez de la chance, dans la petite salle des fêtes attenante au restaurant, vous pourrez assister à une répétition de l'ensemble du grand musicien Gesner Ambroise, natif de la région. »

Si sa notoriété grandissante glissait sur Gesner sans rien modifier de son naturel et de sa modestie, il n'en était pas de même, je l'ai déjà dit, de mon grand-oncle Jean. En ayant fini avec *La Guadeloupe inconnue*, dont il avait tout de même vendu deux cent cinquante exemplaires, il s'était attaqué à la rédaction d'une œuvre qu'il croyait plus noble : *Les Mouvements révolutionnaires du monde noir*. Manquant cruellement d'informations, il en avait conscience, il fit donc appel à

Thécla qui cette fois encore, au lieu de dire la vérité sur son état, s'assit d'un air pontifiant devant un Uher[1] et lui raconta tout ce qu'il voulait. Pour mieux remplir cette mission, elle finit par s'installer dans les parages, c'est-à-dire chez Gesner. La vérité était aussi qu'elle ne pardonnait pas à son père d'avoir, moins d'un an après la mort de Tima, fait entrer Flora Lacour et leurs deux bâtards dans la maison! Dans sa révolte, elle avait bien tenté d'aller loger à Juston. Avant la mort de sa Tima, pour tenter de la distraire de sa morosité et de sa langueur, Jacob avait en effet transformé la bicoque en bois du Nord du Soubarou en une maison de changement d'air qui n'avait rien à envier à celles des békés de Saint-Claude. Un chauffe-eau électrique dispensait de l'eau chaude et, luxe des luxes, la cuisine était équipée d'un frigidaire. Mais la présence des invisibles troubla le sommeil déjà fiévreux de Thécla. Le Soubarou et Elaïse, trop heureux de retrouver leur petite fille, après avoir tournoyé autour d'elle, se lovaient dans les plis de sa moustiquaire tandis que Tima, enfin réunie avec son enfant, ne la quittait pas d'un pouce et s'enroulait autour de son cou au risque de l'étouffer. Parfois elle lui chantait des berceuses comme à un tout-petit, et ces sons mystérieusement issus des cloisons autour d'elle, du toit au-dessus de sa tête terrifiaient Thécla qui allumait sa lampe de chevet pour scruter l'ombre. Etait-ce le bois qui jouait? La tôle qui se refroidissait de la grande chaleur du jour?

Les gens de l'Anse Laborde, pourtant tolérants, n'aimèrent pas Thécla plus que moi je ne l'aimais. D'abord elle fumait comme un troupier. Quand il lui arrivait de se promener par les champs, on la suivait à la trace comme un train de canne à sucre

1. Magnétophone.

à son panache blanc. Et puis, elle buvait sec sur sec. Ce fut Marietta dont elle vidait le fonds qui se chargea de colporter la nouvelle à ceux qui l'ignoraient. Ensuite, c'était à croire que le créole lui écorchait la bouche. Toujours dans le droit chemin du français-français! Et, pour finir, les gens n'apprécièrent pas la manière dont elle chassa Gerty du lit de Gesner où celle-ci se trouvait bien depuis trois ans. Ah, Bon Dieu! parfois les hommes sont trop aveugles! Ils se font tourner en bourrique par des sans-entrailles et, à cause d'elles, tourmentent des cœurs aimants. Néanmoins, ce qui acheva de dégoûter les gens de l'Anse Laborde, ce fut la manière dont ma mère me traitait. J'allais les cheveux en paillasse, les bras, les jambes étoilées de piqûres de moustique vite infectées en plaies purulentes. Jamais baignée, rarement changée. Par moments, à quoi pense le Bon Dieu? Certaines font le pèlerinage à Lourdes à genoux pour avoir un enfant alors qu'il féconde certaines matrices! C'est une roche qu'il devrait y placer et non le cadeau précieux d'un fœtus! Apitoyées, les femmes du village me faisaient entrer chez elles pour me coiffer en « gousses de vanille » qu'elles entortillaient de bouts de rubans comme des voiles autour d'un mât de misaine. Ainsi parée, j'allais me planter devant ma mère qui, pas plus qu'à l'accoutumée, occupée à discuter révolution et devenir du monde noir, ne m'accordait un regard.

Je le voyais bien, malgré ma jeunesse, que mon grand-oncle Jean reprenait Thécla en main. Ce mariage avec un Blanc? Personne ne veut la mort du pécheur. Il suffit qu'il se repente et ne pèche plus. Qu'elle laisse ce Blanc là où il était et qu'elle reprenne la torche là où elle l'avait posée en un moment de découragement. Qu'elle œuvre à nouveau pour la Révolution et la cause du peuple.

Au fil des années, on remarquera que le discours

s'était quelque peu modifié. Là où le Soubarou et Jacob auraient dit « les nègres », « la race », Jean disait « le peuple ». (Sur ce point comme sur tant d'autres, la pensée de mon grand-oncle n'était pas bien claire. Il hésita constamment entre le négrisme, le noirisme et une sorte de populisme à résonance marxiste.)

Néanmoins, l'injonction restait la même :

– Nos pères ont poursuivi la réussite individuelle qui n'est que trahison. On ne réussit pas seul.

Jean ne voyait pas la supplique au fond des yeux de Thécla :

– Je n'en peux plus. Je ne veux vivre que ma vie, à moi! Chacun d'entre nous n'est pas mapou royal pour donner de l'ombrage aux autres!

Jean, sourd et aveugle, continuait de pérorer!

S'il y a des gens cependant qui surent voir clair en Thécla, ce furent les Patriotes.

Je ne saurais prendre part dans la querelle qui faisait et fait encore rage entre ceux qui se nomment les Patriotes et leurs ennemis. Pour moi, Patriotes ou pas, c'étaient d'abord des adultes, c'est-à-dire des étrangers à mon univers! Je voyais se succéder des hommes pressés qui me tapotaient hâtivement la joue avant de me prendre aux épaules :

– Va jouer, Coco!

A chaque réunion qui se tenait dans une des cases en gaulette et qui se prolongeait bien avant dans la nuit, j'entendais Marietta rager et tempêter que ces hommes-là ne songeaient jamais à leurs compagnes seules dans une maison avec des enfants et conclure :

– Avant de changer le pays, il faut se changer soi-même! Tant qu'ils ne respecteront pas les femmes, moi…!

Avait-elle raison? Je n'en sais rien.

Tout ce que je sais, c'est que pour faire plaisir à

mon grand-oncle Jean, les Patriotes acceptèrent de rencontrer Thécla un après-midi. Ce qui devait être une simple et courtoise prise de contact tourna vite à l'aigre. Pourquoi? Tout laisse à supposer que l'incapacité de Thécla à s'exprimer en créole irrita. Et plus encore cette manie qu'elle avait d'émailler le français de petits mots anglais : « *Well* », « *I mean* », « *Let's see* »...

La conversation roula vite sur le mariage mixte, trahison des trahisons. Sur l'Afrique que les Patriotes admiraient aveuglément sans y avoir jamais mis les pieds et que Thécla, influencée par Manuel, critiquait sans la connaître davantage. Tout se gâta irrémédiablement quand les Patriotes parlèrent avec mépris de l'Amérique et que Thécla leur rappela la grandeur du combat que les Noirs y menaient, s'étonnant qu'ils ignorent pratiquement tout de Malcolm X et de Martin Luther King. Une fois sur la route, au moment de remonter en voiture, l'un des Patriotes demanda si ma mère n'était pas un agent de la CIA, et ce nuage de suspicion flotta longtemps au-dessus de sa tête. Même ceux qui haussèrent les épaules devant l'énormité de l'accusation ne purent s'empêcher de rappeler quel triste sire avait été le Soubarou et combien sa lignée, Jean excepté, était douteuse. Tel arbre, tels fruits! Bon sang d'exploiteur ne peut mentir!

X

PAUVRE Jacob! La présence tant attendue de sa fille ne lui causait pas la joie escomptée, car il ne savait pas deviner ce que signifiaient sa nuque raide, ses volte-face, ses esquives, et il sanglotait au crépuscule à l'oreille de Petite Mère Elaïse.

Seul Gesner, qui de même qu'un couteau sait ce qui se cache dans le cœur du fruit qu'il pénètre et coupe, savait ce qui se passait en Thécla, aurait pu lui expliquer combien, de son côté, elle souffrait. Car la nuit, après l'amour, ses lèvres, tout le jour scellées à la vérité par l'orgueil et la pose, se descellaient et elle parlait, parlait. Intarissable.

De sa mère.

– Je croyais la haïr et puis je m'aperçois que sans elle ma vie n'a plus de signification. De la *bagasse*[1] fripée. Dans chacune de mes actions, c'était elle que je visais. C'est elle que je voulais punir, choquer ou au contraire émerveiller. Parce qu'elle n'avait rien lu hormis Delly ou Max du Veuzit, j'ai voulu tout me mettre en mémoire. Parce qu'elle ne connaissait de la peinture que *L'Angélus* ou *Les Glaneuses*, j'ai suivi un cours d'histoire de l'art en Sorbonne. Parce que son univers était si borné, j'aurais voulu voler cerf-volant dans le ciel.

De son père.

– Il a rogné sur tout. Le saindoux. Le riz. Les pois verts cassés. Pour que je lui offre ce qu'il n'avait pas : une couronne de lauriers de diplômes. Pauvre malheureux qui croyait que l'instruction ouvre toutes les portes à un nègre ! Hélas !

De son mari.

– C'est la première fois que quelqu'un me prend sans exigence, ne me demande pas d'être autre chose que ce que je suis, de jouer un autre rôle que celui que je peux jouer. Et à cause de vous qui attendez de moi l'impossible, il faudra que je le quitte !

1. Partie ligneuse de la canne à sucre restant après extraction du jus.

Il plut à verse ce mois de janvier-là. Les paysans de l'Anse Laborde s'encapuchonnaient de sacs de jute et leurs pieds creusaient dans les champs des mares boueuses. L'humeur du temps répondait à celle du pays, à l'agonie. Les grandes usines fermaient une à une. La canne se mourait. Des étudiants soucieux de l'avenir se couchaient pour la grève de la faim. Un matin, une voiture de location cahota sous la pluie battante et s'arrêta devant la maisonnette de Gesner qui, mélancolique de toute cette eau, sentait naître en lui un air triste comme une chanson d'amour. Un homme de petite taille coiffé d'un énorme Afro en descendit. Manuel Pastor. Celui qui descendait de taxi, là, sous la pluie, ne ressemblait pas tout à fait à celui que Thécla avait abandonné à New York. Après avoir vu tomber un à un tous les hommes blancs ou noirs qui parlaient de justice en Amérique, Manuel s'était convaincu qu'aucun fruit bon à manger ne pouvait pousser à ce figuier maudit de pays. Evitant l'Afrique, où les dictateurs prenaient du galon, il avait découvert à quelques encablures de Miami une petite île au soleil où on célébrait l'avènement d'un dieu noir. La Jamaïque! Oui, l'Eternel avait nom Jah et Marcus Garvey était son prophète! Fort de cette certitude, il avait remué ciel et terre et en fin de compte retrouvé sa Thécla.

Face à Manuel Pastor, Gesner ne faisait pas le poids. Le premier avait trop d'assurance, l'avantage de manier trois langues, d'avoir vu du pays et d'être originaire d'une terre qui avait fait la révolution. A propos de sa terre pourtant, Manuel ne mâchait pas ses mots :

– A Cuba, il n'y a pas de place pour le nègre. A Cuba, le nègre est traité comme un chien. Là comme ailleurs, il n'y en a que pour les Blancs et les mulâtres! Communiste ou pas, Cuba est aussi raciste que les Etats-Unis d'Amérique!

Il haussait les épaules à chaque objection de Thécla tandis que, fiévreux, mon grand-oncle Jean écrivait sous sa dictée. Oublié de tous, Gesner marchait à grands pas sous la pluie. C'est dans ces circonstances qu'il composa son air célèbre : *Dey o*[1].

Mon grand-père Jacob, qui pourtant tenait à Thécla plus qu'à la prunelle de ses yeux, fut bien obligé de la blâmer quand il sut qu'elle passait des bras de Gesner à ceux de Manuel dans une des trop accueillantes cases en gaulette de Jean. Passe encore pour la liaison avec Gesner, rechute presque touchante dans ces amours enfantines dont on ne guérit pas! Mais d'où sortait ce deuxième homme? Même s'il ne s'associa pas au flot d'insanités que débitaient Flora Lacour, forte de sa position retranchée dans la maison de la rue du Faubourg-d'Ennery, et toutes les femmes de la famille, il n'en pensait pas moins. Il apparut donc à l'Anse Laborde, sombre et tourmenté, avec une embellie de ciel bleu. Dominant la terreur que faisait en lui son extrême amour, il osa regarder Thécla en face et lui reprocher :

– Il ne faut pas prêter le flanc à la médisance. Que dirait ta pauvre mère si elle était en vie pour voir ce que je vois? Nous appartenons à un petit pays où l'on se soucie plus de la couleur des draps du voisin que de l'odeur des siens. Tu es une femme mariée, souviens-toi. Même si ton mari est au loin...

Thécla rassemblait ses mots pour une verte réponse quand Manuel bondit de la salle d'eau, une moitié du visage rasée, l'autre encapuchonnée

1. « Deuil oh. »

de mousse blanche, et, avec sa fougue bien connue, se jeta au cou de Jacob. En un rien de temps, comme cela s'était passé avec Jean qui désormais ne jurait que par lui, Manuel retourna le cœur de Jacob. Infernal bagout!

– On raconte que le grand-père de mon père, Joaquim Pastor, un nèbre Ibo qui avait réputation de *santero*[1], prit la montagne avec une douzaine d'esclaves. Arrivé tout en haut, il délimita un quadrilatère qu'il entoura d'un fossé de deux pieds de large, hérissé de pieux badigeonnés de poison. Ainsi naquit le *quilombo*[2] de Camaguey qui pendant douze ans, par la grâce des dieux d'Afrique, tint tête aux Blancs. Ils avaient beau lâcher leurs chiens. Ceux qui s'approchaient de trop près tombaient, la bave aux naseaux, frappés d'un haut mal! Papa, il faut ressusciter les quilombos!

Jacob fit avec désespoir :

– Comment? Comment?

Manuel ne demandait qu'à s'expliquer :

– L'esprit de lutte n'est pas mort en nous. Simplement il s'est assoupi! Alors, chacun doit se vouloir rebelle pour entraîner les autres...

Jacob éclata d'un rire amer et lui, qui ne parlait jamais de lui-même, parce qu'on ne l'écoutait jamais, se trouva conter la triste odyssée du Parti des Nègres Debout et le naufrage de ses illusions. Ah oui, on l'avait bien suivi!

– C'est tuer qu'ils ont failli me tuer!

Manuel lui prêta une attention peu commune et conclut :

– Il fallait te garder des communistes qu'on me dit puissants dans ce pays. Ce sont les plus dange-

1. Prêtre de la santéria, religion africaine de Cuba proche du vaudou.
2. Royaume édifié par des esclaves rebelles.

reux. Avec leur théorie que la race n'existe pas et que seule compte la classe, ce sont les fossoyeurs de nos peuples. Ils ont détruit Marcus Garvey. Ils n'ont pas fini d'en détruire d'autres.

Sans discontinuer, pendant trois jours et trois nuits, Manuel tint Jacob sous le feu et le charme de son verbe, exaltant cette profonde unité des diasporas que Jacob n'avait que confusément entrevue. A ses yeux, le Soubarou et son père à lui, donnant d'un même mouvement dos à la canne et partant l'un vers l'or de la Californie, l'autre vers les gratte-ciel de Manhattan, étaient jumeaux. Sortis du même ventre de détresse et de refus. Mais le Soubarou avait été plus chanceux... Là, Jacob protestait, songeant à toute l'amertume de la vie de son père :

– Plus chanceux !

– Oui, car il en a fini pour lui et pour les siens avec la misère du corps ! Mes frères et moi, nous avions une sœur qui ne nous quittait jamais : la faim ! L'hiver, quand New York s'enveloppe de kilomètres d'hermine, nous grelottions, le givre aux dents. Nous n'avions qu'une paire de chaussures pour nous quatre qui faisait à Duke des pieds de Charlot et à Earl, des moignons de Chinoise. A quatre ans, moi qui te parle, je vendais de la neige aux drogués de Central Park. J'ai été épargné, mais mon cadet est mort d'une overdose à sa sortie de prison. Mes deux autres frères, les *cops*[1] les ont eues. Je te dis, papa, il faut ressusciter les quilombos. J'ai entendu dire qu'il y en a sorti de l'eau dans une petite île toute proche, la Jamaïque. Eh bien, je vais y voir !

1. Flics.

XI

Mon grand-père Jacob abaissa les paupières de cette manière maladroite qui était la sienne quand il essayait de cacher ses sentiments et fit :

– J'aurais tant aimé que tu restes ici avec nous. Mais ta mère ne le veut pas.

Je hoquetai :

– Pourquoi ? Chacun sait que ce n'est pas l'affection qui l'étouffe !

Il émit un petit bruit de contrariété :

– Tut ! Tut ! Tut !

Puis il me mit entre les mains une vieille boîte en carton.

– Tiens, j'ai trouvé ces photos dans le galetas. Veux-tu les ranger ?

Il savait que c'était mon passe-temps favori.

La vérité toujours si déplaisante à regarder a le corps hérissé de dards, de pointes qui finissent par déchirer les linges et les linceuls dont on l'entoure. Pour finir, on ne peut la retenir de se balader nue par les rues comme le roi du conte. « A qui cette enfant ? », ce cri initial de mon grand-père à l'aéroport n'exprimait pas une véritable interrogation. Il jaillissait plutôt de sa reconnaissance terrifiée. Un temps, la rumeur tenace avait couru que la belle, la fière Thécla Louis s'était fait faire un ventre à crédit comme la première paysanne venue. Puis, personne n'ayant vu de ses deux yeux ni le ventre ni l'enfant, Thécla ayant commodément disparu de Paris, cette rumeur n'avait pas été entretenue et attisée dans les foyers où les étudiants guadeloupéens s'assemblent pour se tenir informés du malheur des uns et du bonheur des autres. Néanmoins, elle n'était pas entièrement éteinte et rôdait, chuchotée à l'occasion. En me voyant au Raizet, ce qui avait torturé le cœur si prompt à saigner de mon grand-père avait été la confirmation de toute cette douleur solitaire de sa fille et de son humiliation. Il avait serré ses poings inoffensifs, songeant :

– Ah, si j'avais été là quand ce jeune homme badinait avec ma fille, c'est en compote que je lui aurais mis la figure ! Après ma fulgurante intervention, sa propre mère ne l'aurait pas reconnu !

Aussi, les premières semaines, son regard m'évitait, voletait avec précaution autour de moi et se posait rarement jusqu'à ce qu'un jour, je ne sais trop comment, je me retrouve juchée sur ses genoux, ma joue contre le drill blanc de son veston écoutant un conte.

« Un matin, quelques jours après la mort de sa mère et elle avait eu un bel enterrement, Ti-Jean sortit de sa maison et donna un tour de clef à sa porte. Les gens s'étonnèrent :

« – Hé, où est-ce qu'il va de si bonne heure matin ? Les coqs n'ont même pas encore éternué dans les poulaillers et le brouillard traîne encore au fond des traces.

« Man Sonson, qui avait accouché sa mère, ne put y tenir et cria par-dessus la haie de sang-dragons :

« – Mais où vas-tu sans même, j'en suis sûre, une goutte de café sur ton cœur ?

« – Je vais chercher mon père.

« – Ton père ?

« – Oui, si je ne le trouve pas pour lui dire ce qu'il a fait à ma mère, je ne veux pas de la vie... »

Mon grand-père savait bien que s'il n'intervenait pas, un matin, comme Ti-Jean, je partirais pour un périple fatal. Aussi il tenta de me retenir en m'asseyant devant une bonne douzaine de forts albums cartonnés et ouvrit le premier à la première page sur le visage d'un homme d'une trentaine d'années, beau avec son crâne en forme d'œuf, son menton creusé d'une fossette et sa bouche large s'ouvrant sur une infinité de dents à manger le monde.

– Mon père, ton aïeul Albert Louis.

Oui, ce jour-là, mon grand-père tenta de couvrir la ligne d'infamie « Née de père inconnu... »! Oui, il tenta de m'enraciner!

Hoquetant toujours, j'ouvris la boîte en carton. J'avais appris à les connaître, les visages de tous ces morts depuis longtemps retournés en poussière dans l'ombre du caveau familial. Théodora. Maroussia. Nirva. Albert le Soubarou. Petite Mère Elaïse. René. Camille Désir. Et j'aimais classer, ordonner ces images de plus en plus déteintes qui réduisaient leurs vies à une succession de cérémonies rituelles, baptêmes, mariages, premières communions et de distractions dérisoires, baignades à la rivière, pique-niques à la mer. J'allais, distraite, quand soudain, pour la première fois, je me trouvai nez à nez avec celui qui ne devait plus me quitter. Garçonnet mulâtre. Les cheveux partagés par une raie sur le côté gauche et soigneusement calamistrés. Costume à col marin. Cerceau. Bottines. Fixant l'objectif sans rire ni sourire. Au dos de la photo, une main peu habituée à l'écriture avait tracé : Albert Louis. Angers. 1934.

– Grand-père qui est-ce, celui-là?

Le visage de mon grand-père se contracta de la honte et de la douleur qu'il avait :

– Nous ne savons pas ce qu'il est devenu!

Quoi? « Nous ne savons pas! » Dans cette famille où le moindre fait était répertorié, où chacun pouvait se rappeler avec certitude quel jour Maroussia, enlevée au monde visible depuis dix ans par suite d'un abcès dentaire, avait eu la joue plus grosse que son plus gros giraumon et à quelle heure les douleurs d'enfantement avaient pris pour ses garçons, l'unanimement regrettée, toujours vivante dans la niche des cœurs de ceux-là mêmes qui ne l'avaient pas connue, Petite Mère Elaïse! « Nous ne savons pas!!! »

Le désespoir ravagea les traits de mon grand-père :

– Toutes les familles cachent un crime, celui-là c'est le nôtre. Mon demi-frère Albert, que mon père avait eu d'une négresse anglaise qu'il avait connue à Panama...

Et ainsi de suite!

En vrai, Bert et Bébert ne commencèrent pas de me hanter dès cet après-midi-là, car j'avais le cœur à un chagrin très égoïste. J'allais partir, quitter l'île déjà mienne, quitter ceux-là qui m'avaient plantée en terre d'affection, m'arrosant de petits mots tendres :

– *Ti chabine an mwen!*
– *Coco doudou!*
– *Choubouloute!*
– *Douchérie!*

J'allais errer de la vaine errance de Thécla.

Je ne sais trop à quelle occasion Bert et Bébert prirent possession de mon imaginaire. Mais une fois qu'ils l'eurent décidé, ils ne me lâchèrent plus.

XII

« *Mon cher Pierre,*
Tout est tellement confus! Ne cherche pas à me joindre, je te ferai signe dès que je verrai clair en

moi. Pardonne le désordre que j'introduis dans ta vie...

Ta pauvre Thécla. »

Pauvre ? Encore ?

XIII

La petite ville de Kingston, comme tant de villes de la Caraïbe, est faite d'une juxtaposition de quartiers, les uns beuglant la misère dans les airs du reggae, les autres léchant le vert des pelouses à l'anglaise. Les terrains de cricket et de tennis voisinent avec les terrains vagues hérissés de carcasses de voiture. Les immondices montent la garde à certains carrefours.

Quand Thécla et Manuel y arrivèrent avec leur compagnie, Kingston se remettait à peine d'une fiévreuse émeute de la faim, car les magasins étaient vides. Le riz du secours américain était vendu au marché noir avec le lait en poudre de la Croix-Rouge. Rassemblant leur colère, les paysans étaient descendus des montagnes et il avait fallu la tuerie de deux régiments pour les y renvoyer.

Manuel avait sa chambre réservée dans une villa de Red Hill occupée par une communauté *rasta*[1]. Cette communauté avait la particularité de compter un grand nombre de Noirs américains. En fait, c'était l'un d'entre eux qui, de passage à New York pour vendre son appartement et faire ses adieux à sa famille, avait « converti » Manuel.

O douceur et beauté des femmes rasta. Velma était négresse et sentait la *ganja*[2]; toujours j'ai vu qu'il y avait sous le grand foulard tricolore qui

1. Religion de la Jamaïque.
2. Le chanvre indien.

231

enserrrait sa lourde chevelure des perles brillantes de sueur, à l'entour de ses yeux noirs de nuit – et sa bouche, quand, en lieu et place de Thécla, elle me mangeait de baisers, avait le goût des fruits du goyavier sauvage, cueillis avant midi.

Ce fut Rasta Roy, compagnon de Velma, qui m'apprit l'anglais, serein face à la douzaine d'enfants chahuteurs que comptait la communauté. Ses cheveux fauves arrivaient en crinière de lion jusqu'à ses épaules et sa peau de chabin était parsemée de taches de rousseur, le matin un peu vertes, orange au fur et à mesure qu'avançait le jour. Son travail de maître d'école terminé, il prenait ses fusains et dessinait. Il me laissait entrer dans le petit atelier qu'il s'était aménagé dans une dépendance de la villa et je touchais à tout, revenant inlassablement au portrait d'un gros homme joufflu en uniforme à boutons et coiffé d'un casque surmonté d'un panache de plumes blanches dont le nom m'était familier pour l'avoir entendu prononcer par mon grand-oncle Jean ou Manuel ou Thécla ou les trois...

– Celui-là? Mais je te l'ai déjà dit, c'est notre prophète Marcus Garvey!

Ceux qui connaissent l'art rasta doivent savoir que c'est moi qui ai servi de modèle pour ce portrait de *Petite Fille* qui a fait le tour de nos îles et que j'ai retrouvé à New York dans une librairie haïtienne d'Amsterdam Avenue. Une petite rebelle les bras croisés regardant droit devant elle d'un air de défi sous sa chevelure somptueusement emmêlée. Les jours où Rasta Roy nous donnait congé, nous descendions au marché avec Velma et d'autres femmes pour vendre les balais et les paniers de vétiver qu'elles tressaient. Avant de reprendre le chemin de notre colline, elle nous emmenaient à la plage de Hellshire où le sable a la couleur de l'or fondu. Les bourgeois et leurs enfants nageaient en cercle autour de nous pour mieux nous lorgner et commenter sur notre laideur. Puis la progéniture déjà vicieuse et sachant l'impunité nous lançait sournoisement du sable pour faire pleurer nos yeux.

Pourquoi nous haïssait-on?

Nous allions, les yeux dans ceux de Jah, nos mains dans sa grande main protectrice. Nous fumions l'herbe des champs selon sa prescription. Nous ne mettions dans nos bouches aucune nourriture impure. Nous nous réunissions pour lire et commenter de longs passages de la Bible. Le dimanche au cours de nos services, devant une immense photo de Hailé Sélassié entourée d'un drapeau rouge, jaune et vert, nous chantions nos hymnes.

> « *Exilés dans Babylone,*
> *Où la terre est sèche comme les cœurs*
> *Et tout les figuiers maudits*
> *Nous crions vers toi...* »

Je voyais peu Manuel et Thécla qui avaient leurs entrées dans la communauté de Bob Marley car ils avaient commencé d'élaborer une *Histoire des nationalismes noirs*. Misère! J'aurais aimé qu'on les dénonce comme les imposteurs qu'ils étaient! Au lieu de cela, on les traitait avec le plus grand respect comme des compagnons d'une espèce supérieure. Ils ne procuraient aucun revenu à la communauté puisqu'ils ne participaient à aucune de ses activités, et pourtant ils étaient servis comme des avatars d'Hailé Sélassié soi-même. Même une jeune sœur en foulard blanc était chargée de changer les draps maculés de sperme entre lesquels ils s'étaient vautrés, de vider leurs cendriers puants de cendres froides, de laver les verres souillés dans lesquels ils avaient bu leurs boissons fortes. Le jour où je vis Velma repasser le linge de ma mère, je suffoquai de rage. Rasta Roy, qui lisait en moi comme un père, me retint après la classe :

– Vois ! Sur cette terre où nous passons, chacun doit exprimer au mieux ses dons. Ces deux-là œuvrent d'une autre manière que moi ou Rasta Jim. Il est de notre devoir de les entourer comme nous le faisons car ils vont témoigner à la face du monde visible que nous ne sommes pas ce que l'on croit que nous sommes. Mais les véritables enfants d'Israël !

Je ricanai :

– Ce livre qu'ils doivent écrire ne sera jamais écrit ! Pas plus que les autres !

Il prit mes mains et les força à se joindre à la hauteur de son cœur :

– Répète :

« *Le père du juste a une grande joie*
Et celui qui a donné la vie à un enfant
sage s'en réjouira.
Que ton père et ta mère se réjouissent,
Et que celle qui t'a enfanté soit dans l'allégresse. »

Ce reproche acheva de m'ulcérer et, comme à chaque fois que mon cœur pesait comme une roche dans ma poitrine, je rédigeai une lettre pour mon grand-père Jacob, Il les a toutes conservées avec leurs fautes d'orthographe, gribouillées dans une boîte à biscuits boudoir et, près de quinze ans plus tard, je les ai relues sentant renaître en moi la douleur qui m'emplissait en ces jours-là.

Un midi, la classe était finie et l'odeur du manger commençait de s'élever des cuisines, quand des camions vert bouteille s'arrêtèrent devant notre villa. Des douzaines d'hommes en uniforme bleu sombre en descendirent brandissant des gourdins, des matraques, des fusils-mitrailleurs. En un rien de temps, ils escaladèrent les grilles et se ruèrent sur nous, frappant, brutalisant, jetant à terre les plus faibles ou les plus jeunes. (Par bonheur) Manuel et Thécla se trouvaient à la maison ce jour-là. Intellectuels ou pas, ils furent assommés comme les autres et poussés à grands coups de crosses vers les camions qui attendaient la gueule béante leurs proies d'hommes, de femmes et d'enfants. Comme Manuel voyant couler le sang de Thécla perdait la tête et hurlait qu'il alerterait l'ambassade de France, l'ambassade des USA et provoquerait des retombées internationales, il reçut en travers du visage un coup magistral qui le lui mit en bouillie.

Après quoi, les camions s'ébranlèrent vers le commissariat central.

XIV

APRÈS les jours que nous passâmes, entassés dans une cellule, rien ne fut plus pareil. Thécla, Manuel ainsi que tous les autres Noirs américains, les cheveux rasés de force et la peau du crâne plus claire que celle du visage, furent relâchés avec des mots d'excuse, mais Rasta Roy, Rasta Jim et les autres, accusés de vol avec effraction, furent transférés en prison, jugés, condamnés. Ils ne bénéficièrent d'une remise de peine et ne revirent le soleil qu'au moment où Michael Manley arriva au pouvoir en 1972. Bravement, les femmes continuèrent de prendre soin des enfants, mais le deuil de leurs hommes noircissait leurs paupières. Entre mes cauchemars, j'entendais les sanglots de Thécla. Une nuit, je rejoignis Manuel au pied du magnolia du jardin. De par la ville, les bourgeois avaient cadenassé portes et fenêtres et leurs chiens aboyaient à la lune et aux rôdeurs. Il n'y avait guère d'amour entre Manuel et moi. Néanmoins, cette nuit-là, ses paroles à peine audibles se frayèrent un chemin jusqu'à mon oreille et, de là, à mon cœur :

– Quelle potion amère que la vie du nègre ! On ne sait où trouver le sucre pour la sucrer. USA, Haïti, Jamaïque... Pareil !

Je suggérai d'un ton d'espoir :

– Si on retournait à la Guadeloupe ? Là au moins on a la paix !

Il caressa mes cheveux qui repoussaient rêches et jaune paille :

– Tu parles ! Ne t'y trompe pas ! Un de ces jours l'île basculera dans le sang et la violence. Il ne fera pas bon y être... Ecoute, je vais partir...

– Partir ?

– Oui, j'aime ce pays et je crois qu'il ne manque pas de coins où on peut être heureux. Je reviendrai dès que j'en aurai trouvé un. En attendant, prends soin de ta mère...

Je n'eus heureusement pas à m'acquitter de cette mission !

Trois jours après que Manuel eut prit l'autobus pour Negrill, dont on lui disait monts et merveilles, un Noir américain débarqua sac au dos à la villa. Enfin, Noir ! Il fallait toute la sagacité américaine pour traquer en lui la goutte fatale et du coup le boucler dans un ghetto ! Terence Cliff-Brownson appartenait à une de ces familles de Washington D.C. qui se nomment « premières » parce qu'au temps où la majorité de leurs congénères tentaient, en dépit des obstacles dressés sur leur route, d'apprendre d'autres métiers que ceux qui font le dos rond, elles avaient déjà produit un maître d'école, un infirmier, un employé d'assurances. Le

236

père de Terence était médecin psychiatre. Sa mère, fille d'un révérend, cher à Dieu pour ses prêches onctueux. Pas étonnant qu'il n'ait pas pu tenir au-delà de ses seize ans et ait tâté de la drogue et du vol avant, réalisant l'effet qu'il produisait sur les hommes et les femmes, de se livrer à la prostitution.

Mais tout cela, c'était de l'histoire ancienne. Par une aube blême, revenant d'une triste partouze, il en avait eu assez de la puanteur de sa vie et il avait pris la décision de nettoyer son écurie d'Augias. Il s'était donc converti au rastafari.

Quand Terence était un fils à papa, il avait fait cinq heures par jour de gammes et d'acrobaties, car ses parents rêvaient d'un fils pianiste de concert en habit. Il avait, bien sûr, tourné le dos à cette belle carrière. Néanmoins, il n'avait pu détruire en lui l'empire des sons et tentait de créer un langage mi-musique, mi-poésie que les exégètes ont depuis dénommé « *roots poetry* ». Il venait à la Jamaïque pour des recherches.

Quand Terence entra dans notre jardin, le soleil était descendu du côté de la mer pour y prendre son bain quotidien et enfin la pénombre, la fraîcheur nous reposaient de ses excès. Brusquement il sembla que le despote avait fait un caprice et décidé de remonter à la place qu'il venait de quitter, éblouissant, royal, irrésistible. Je me suspendais avec Willy aux branches du magnolia. A cette vue, les bras m'en tombèrent et je me retrouvai par terre, le souffle coupé. Il courut vers moi, me releva et me serra contre lui :

– Tu t'es fait mal, *honey*?

Ma mère qui traînassait sur la véranda vint à son tour vers moi :

– Si au moins cela te faisait tenir tranquille !

Mais elle ne me regardait pas et, lui, ne me regardait déjà plus. Je ne sais si dès cette nuit-là

Terence coucha dans le lit de Thécla. Ce qui est sûr, c'est que les choses ne traînèrent pas et que bientôt chacun dut s'apercevoir que pour Manuel le proverbe « Loin des yeux, loin du cœur » se vérifiait.

Il existe des règles dans toute communauté sans lesquelles la vie verserait dans la grande ornière de la promiscuité. La fidélité à un compagnon en est une, essentielle. Certes les hommes ne se privaient pas d'intégrer des compagnes, venues de l'extérieur (une Canadienne de Winnipeg passa six mois parmi nous! Une autre fois, ce fut une Américaine de Detroit!), mais jamais un Rasta n'aurait levé les yeux sur la femme d'un de ses frères. Personne cependant, en l'absence de Manuel, ne prononça de blâme ou d'exclusion et le couple put se livrer à toutes les indécences de la passion. Rester couché dans les rires, les soupirs et les confidences, jusqu'à passé midi. Partir se baigner nu dans quelque crique déserte. Composer et lire des poèmes à deux voix. Becqueter dans le même plat. Descendre chahuter dans les boîtes de nuit. Rentrer soûl de musique et d'alcool aux petites heures du matin.

Velma, qui portait un autre petit de Rasta Roy, belle ô belle dans ses robes de plus en plus amples, allait et venait, le front barré d'un grand pli de souci au-dessus des yeux noircis d'anxiété. Mais sa voix ne trahissait rien.

– Sœur Thécla, je descends en ville. Tu ne veux rien?

– Si! Si! Ramène-moi deux ramettes de papier machine!

Moi, j'attendais la violence. Le sang. En première page du *Daily Gleaner*[1] : « Horrible assassinat dans une communauté rasta de Red Hill.

1. Journal de Kingston.

Depuis des années, les citoyens de notre ville n'ont pas cessé de se plaindre des méfaits des Rasta. Ce matin à l'aube, ce sont deux émigrés américains attirés par ce paradis de la drogue et du vice qui se sont entre-tués à cause d'une femme, guadeloupéenne celle-là... »

Et pourtant, il faut que je le dise. Des hommes qui se sont succédé dans le lit de ma mère, aucun n'a pris plus grand soin de moi que Terence. Non pas par devoir comme Pierre, mon beau-père légitime. Par affection. Par amour. Terence m'aima. Chaque jour, il me composait un poème. (En voici une traduction bien imparfaite :)

> « Dans la savane verte
> Aux goyaviers roses
> Paissent les bœufs noirs,
> Entre leurs cornes, une tache blanche
> L'oiseau pique-bœuf! »

(Ou cet autre :)

> « Viens ma jolie bringue
> Aux joues tachées de son de soleil
> Aux yeux plantés de clous d'étoiles
> Ton rire blanc
> Dans ton visage d'or. »

Physiquement, je lui ressemblais. J'aurais pu être à lui et, quand il m'apprenait à plonger à Hellshire, cela ne faisait de doute pour personne.

– Regarde le Rasta et sa petite fille! Si ce n'est pas malheureux tout de même!

Il pêchait les poissons au harpon et les couchait sur un lit de braises après les avoir badigeonnés au piment. Cela emportait la bouche. Je grimpais le long de son dos jusqu'aux fruits défendus du bord des routes. Hélas! il commit deux crimes que je ne pourrai jamais lui pardonner!

L'absence de Manuel, qui sembla interminable, ne dura qu'un mois et deux semaines. De temps en temps, il téléphonait des coins les plus divers de l'île. Sa voix résonnait, inattendue, comme celle d'un enterré sorti sans crier gare de son tombeau, choquante comme celle d'un veuf qui hurle sa joie en plein cimetière.

– *Hi, baby!* Negrill est envahi par les laissés-pour-compte de San Francisco, *flower people* dont les pétales sont devenus des coquilles d'huître. Ce n'est pas sur cette terre-là que nous bâtirons notre maison. Je suis sur une autre piste. Tiens bon!

Finalement, il revint un dimanche matin, au beau milieu d'un service. Rasta Moses, épargné Dieu seul sait comment par la geôle, lisait les paroles du Livre : « Il y a un temps pour tout; il y a sous le ciel un moment pour chaque chose. Il y a un temps pour naître et un temps pour mourir; un temps pour planter et un temps pour arracher ce qui a été planté; un temps pour tuer et un temps pour guérir; un temps pour démolir et un temps pour bâtir; un temps pour pleurer et un temps pour rire; un temps pour gémir et un temps pour sauter de joie. »

XV

La seule violence qui accompagna le retour de Manuel fut celle des éléments.

Ce dimanche-là, le soleil avait refusé de se lever et depuis le matin le ciel était couleur de plomb. Brusquement, peu avant midi (au moment où Manuel mettait le pied dans le temple?), il devint

noir d'encre. En même temps, les vents accouru-
rent des quatre coins de l'horizon tandis que la
mer, comme une femme folle, hurlait dans le délire
des vagues et des jets d'embruns avant de se ruer
sur les rochers. Dans les enclos, le bétail mugit. La
volaille caqueta, les poules toutes plumes gonflées
courant en cercle. Les chiens, la queue basse,
prièrent en gémissant qu'on les laisse entrer à
l'intérieur des maisons dont les habitants barrica-
dèrent à la hâte portes et fenêtres.

Dans le tumulte des pleurs d'enfants (et des
cœurs?), Rasta Moses éleva une voix qu'il voulait
apaisante :

« *Je dis à l'Eternel : '' Tu es mon refuge
et ma forteresse...''... »*

Le vent, s'étant engouffré dans la baie de Kingston, sortit de la ville et se précipita au grand galop
sur la route de Savannah-la-Mar, envoyant valser
arbres et autobus. Là-dessus, le cheval de la pluie
s'avança d'abord gracieux, sans avoir l'air d'y
toucher. Puis de plus en plus furieux, écrasant,
écrabouillant, tordant, triturant, sous ses sabots.

La violence des éléments dura trois jours. Au
quatrième matin, elle cessa. Ce fut le cyclone
Beverley, un des plus terribles que la Jamaïque ait
jamais connus. On dénombra deux cents disparus,
trois mille sans-abri, des ponts arrachés sur des
rivières en crue, des routes défoncées, des hectares
et des hectares de terre ravinés. Quand nous
eûmes fini de déblayer le jardin, Terence m'annonça que le lendemain nous prenions la route
pour Black River.

Ce cyclone-là ne fut pas ressenti en Guadeloupe
où il plut simplement de façon inhabituelle pour un
mois d'avril. Toutefois, Flora Lacour, la compagne
de mon grand-père Jacob, qui depuis quelques

années avait des visions dans son sommeil, se réveilla sur le coup de minuit en disant qu'un grand danger menaçait Thécla. De quelle nature, elle n'aurait su exactement le signifier. En tout cas, il fallait beaucoup prier pour elle. C'était d'autant plus surprenant, cette sollicitude, que Flora haïssait Thécla comme le fiel et avait profité de l'intimité que donne le sommeil sur un même oreiller pour engager Jacob à parler sérieusement avec sa fille.

– Vrai, on achète l'instruction, mais on n'achète pas l'éducation. Déjà, elle apporte la honte sur ton nom avec cette enfant à crédit. Mais encore, elle laisse celui qui l'a relevée, son mari, en métropole pour venir se mettre en ménage avec un nègre de rien du tout comme Gesner. On a beau faire, on a beau dire, ce n'est pas pour un joueur de gwo-ka que tu l'avais élevée! Et par-dessus le marché, elle lui met des cornes et joue la fille de l'air avec un nègre anglais ou espagnol [??]. Des fois, quand je réfléchis, je me demande si ce n'est pas ton frère Jean qui est derrière tout cela pour te blesser!

Jacob haussait les épaules :

– Tu deviens folle! *Tu découds*[1]! Jean et moi, c'est kif kif.

Néanmoins la vision de Flora, bonne femme à part cela et autrement talentueuse au lit que Tima malgré ses quarante-cinq ans, méritait considération. Après avoir changé l'eau des vases et rallumé les cierges qui fumaient en spirale, Jacob s'assit sur la tombe de Petite Mère Elaïse :

– Qu'est-ce qu'elle a, cette enfant mienne? Pourquoi ne trouve-t-elle pas ce qu'elle cherche? Et d'abord qu'est-ce qu'elle cherche? Mon père désirait l'argent. Moi, l'instruction. Elle, elle a l'un et

1. « Tu perds la tête ! »

l'autre. Qu'est-ce qu'elle cherche à présent et pourquoi ne peut-elle l'obtenir ?

Petite mère Elaïse essuyait sa sueur de ses doigts d'ombre et répondait :

– Laisse, laisse, Ti-Kongo ! Moi, je te le dis, tu as été le meilleur des pères.

A tout hasard, Jacob fit dire une messe et demanda à une des femmes de la famille de voir son séancier. Puis il prit la route de l'Anse Laborde où il n'avait pas mis les pieds depuis des mois.

Car en dépit de ses protestations, les paroles de Flora trouvaient un écho en lui et il se demandait si son frère n'avait pas travaillé à lui enlever sa fille. Oh, certes, il ne campait pas un personnage bien intéressant. Boutiquier, vendeur de saindoux ! Néanmoins, c'était grâce à ses mandats constants et généreux qu'outre Dieudonné, trois des enfants de Jean poursuivaient leurs études en métropole. L'argent, c'est comme le fumier. C'est sale, ça pue. Alors on laisse au jardinier le soin de le manier pour faire pousser les fleurs !

Jacob se monta la tête tant et si bien qu'il arriva tout enragé chez Jean, décidé à lui parler sec. Hélas ! la case du grand homme était vide ! Marietta, dolente et les yeux rouges, lui suggéra de voir du côté de Saint-François s'il y était chez une certaine Fabienne.

– Ah, je vous dis, ce n'est plus le même homme ! Voilà qu'il court une jeunesse à présent !

Jacob remonta tristement dans sa voiture. La route courait noire entre la noirceur des champs de canne à sucre. Insatiables, les crapauds s'enrouaient à réclamer une eau dont ils venaient d'être gorgés et les vaches au piquet meuglaient misérablement.

Soudain, Jacob souhaita que sa vie s'arrête là sur ce bout de goudron défoncé par les récentes averses.

La jalousie de Marietta disait la vérité. Jean était bien avec Fabienne dans un lit à deux places sous un drap de toile froissé.

A la différence de Jacob, que son sexe avait toujours malmené, Jean était sous ce rapport tranquille comme la rivière Moustique. Brusquement, à une réunion où se débattaient les futures actions de l'Union des travailleurs de la canne, tout avait chaviré. Une jeune mulâtresse aux yeux de braise insultait les camarades médusés :

– Si on continue à traîner les godillots avec vous, à pratiquer l'abstention de vote révolutionnaire, à ne pas s'éclater au grand jour, en l'an 2000, la Guadeloupe ne sera toujours pas indépendante. Il faut la lutte armée.

– La lutte armée, tu dis ?

– Oui, la guerre de guérilla ! Têtes de pioche, est-ce que vous lisez les journaux pour savoir quelle danse danse le monde ? Non ! Vous êtes là à beugler commodément vos slogans : « *Palé kréyol ! Dansé gwo-ka*[1] *!* »

On ne supporta pas qu'une femme parle ainsi à des hommes et Fabienne fut exclue. Mais on devait s'apercevoir que ses paroles n'étaient pas du vent et que des jeunes les recueillaient comme les pépites des rivières. Bientôt ils allèrent former un Mouvement pour la libération immédiate de la Guadeloupe et ce fut cette première grande scission du camp indépendantiste dont parlent nos historiens.

Jean suivit Fabienne comme un chien sans laisse qui se soumet de son plein gré. Comme elle avait près de vingt ans de moins que lui, il lui semblait

1. « Parlez créole ! Dansez le gwo-ka ! »

que, l'ayant enfantée, il avait façonné sa révolte. Fabienne, c'était ce que Thécla aurait pu être!

Il n'est pas souhaitable qu'un homme de quarante-huit ans s'éprenne d'une jeunesse qui n'a même pas abordé sa trentaine. Car, doutant de lui, il se demande jour et nuit comment l'éblouir. Au lit, Jean avait tellement peur de ne pas satisfaire Fabienne qu'il en devenait lassant! Sorti du lit, c'était la terreur de la décevoir intellectuellement. Alors, il se lançait dans des tirades sur la révolution, le marxisme, le retour au peuple, la conscientisation qu'elle écoutait railleuse avant de commenter, coupante:

– Mon pauvre Jeannot, tu ne sais vraiment pas de quoi tu parles! As-tu lu le Gramsci?

Le pauvre Jeannot devait bien avouer que ce nom-là était nouveau pour lui! Ajoutez à cela que ses anciens amis dépités l'accablaient régulièrement dans les colonnes de leur hebdomadaire et vous comprendrez que Jean, tête basse, se mette à traîner les pieds comme un vieux corps et sursaute, tiré de douloureuses méditations intérieures, quand on lui adressait la parole. Marietta l'observait et ronchonnait pour elle-même:

– C'est bizarre! Je n'avais jamais remarqué combien en fin de compte il ressemble à son frère Jacob! Moins noir, mais presque aussi laid! Enfin, on ne peut pas avoir été et être! Heureusement, il nous reste les enfants!

Et elle se tournait vers Manuela, sa fille favorite qui écossait, maussade, des pois d'Angole!

Les gens disent que ces années-là, les premières années 70, furent terribles dans notre pays. Les hommes, las de porter le deuil de la canne, partirent chercher ailleurs des espérances de vie. Comme mon aïeul, d'autres Albert s'en allèrent vendre leur sueur en France, serrant et vissant les boulons des automobiles.

Une histoire fit pleurer de la Basse-Terre à la Grande-Terre. Roselaine, une petite femme de Saint-Sauveur, dont les cinq garçons étaient en métropole et qui, de ce fait, restait seule dans sa maison trop grande, en perdit la tête. Un soir de messe de minuit, où elle s'apprêtait à se coucher, sans repas de boudin, de viande de cochon et de pois d'Angole, elle sortit sur le pas de sa porte et hurla :

– Non, ce n'est pas une vie que nous vivons là ! Plus d'hommes pour bêcher nos jardins et tenir chauds nos cœurs ! La Bête du Bureau des Migrations les dévore et nous n'avons plus que nos deux yeux pour pleurer ! Quand, quand refleurira la canne ?

Puis elle tomba raide morte avant que les voisins aient pu intervenir.

QUATRIÈME PARTIE

I

La pension de famille Waterloo que Manuel venait de prendre en gérance à Black River était une maison georgienne, bâtie en 1799 pour le compte d'une riche famille de planteurs anglais, la famille Barrett. Elle demeurait splendide en dépit de son délabrement et des injures que lui avaient infligées ses divers acquéreurs-vandales. Les bardeaux du toit avaient été remplacés par des feuilles de tôle. Les balcons bouchés par des planches et leurs balustrades de fer forgé arrachées. Comble de disgrâce, quelqu'un avait défoncé la façade pour y loger un climatiseur Westinghouse. L'affaire avait périclité entre les mains des derniers propriétaires, des Américains de Boston, mais Manuel était bien décidé à la rendre rentable.

Une fois poussée la porte, une procession de rats se débanda tandis que des araignées velues remontaient en vitesse dans leurs toiles pour nous guetter de leurs yeux froids. A grands gestes, Manuel toujours volubile, mais la voix rauque de tristesse contenue, nous fit explorer les deux étages, expliquant les réparations-restaurations indispensables !

– Là, il faudra remplacer les cloisons, car elles sont mangées de poux de bois ! Là, il faudra ajouter deux poutres. Là, il faudra boucher les fuites. Là...

En attendant de savoir d'où sortirait l'argent pour tout cela, on compta cinq chambres logeables au premier. La salle à manger du rez-de-chaussée, le salon attenant et les cuisines étaient presque en bon état. Par contre, le verger était un paradis de beaux arbres fruitiers. Quenettiers, cerisiers, letchis, avocatiers, orangers, manguiers, citronniers, abricotiers, pamplemoussiers... tout y poussait !

L'après-midi de notre arrivée, sans perdre une minute, Thécla, que l'endroit enchantait, retourna au village pour se procurer de la domesticité, mais alors, toutes les portes se fermèrent devant elle. Car les habitants de Black River, petite communauté paisible qui ne comptait point d'excentriques, mais des pêcheurs, quelques rares agriculteurs, deux ou trois commerçants, un médecin, un curé que l'on avait expédié là à la suite d'un péché mortel et quelques familles blanches qui depuis l'indépendance et les récentes violences vivaient terrées derrière leurs persiennes, n'avaient pas de goût pour nous et entendaient nous le signifier. Sans doute possible.

Le lendemain matin, trois crapauds, les pattes liées de fil rouge et la gueule ouverte, étaient cloués à la véranda. Deux jours plus tard, un chien crevé montra les crocs dans notre citerne. Des mangoustes lâchées de jour comme de nuit égorgeaient nos poulets et Thécla faillit rendre l'âme quand elle trouva un coui de sangsues à sa porte. Terence prit les choses en main et descendit à son tour au village. Dieu seul sait ce qu'il y fit en six heures de temps ! En tout cas, il ramena deux (jolies) filles ? l'une pour le ménage, l'autre pour aider à la cuisine. Mais il apparut très vite que sous leurs allures dociles, c'était de terribles bougresses. Elles répondaient vertement à Thécla qu'elle n'avait qu'à faire le travail elle-même, car Dieu merci, l'esclavage des nègres était fini depuis longtemps, et couvraient ses observations par un flot de jurons en pidgin. Après quoi, il fallait que Terence s'enferme avec elles des heures entières pour les pacifier et les receinturer de leur tablier. A la suite d'une dispute à quatre voix, celle de Thécla dominant pour une fois toutes les autres et Manuel restant pour une fois silencieux, elles s'en allèrent et Terence s'installa tout seul dans une chambre du second aux murs couverts de moisissure. Il y dormit plus d'une semaine, sourd aux appels de Manuel :

– Ecoute, ne fais pas l'imbécile! On n'en parle plus!

On a souvent parlé du ménage à trois pour s'en offusquer ou l'admirer selon les convictions et le tempérament. On a rarement pris en compte l'avis d'un quatrième personnage qui peut s'y trouver mêlé bien contre son gré : l'enfant!

Les servantes que Thécla avait renvoyées se hâtèrent de faire circuler l'information et à l'école, bien différente de celle de Rasta Roy, les enfants se tordaient dès que j'apparaissais. Questionnant :

– Combien de papas as-tu?

Me surnommant « *Double-Daddy*[1] »

Ou en chantonnant en se bouchant le nez :

« *Pass the dutchie by the left hand side*[2]... »

L'amitié fleurit cependant dans cet enfer. J'eus une compagne, une paria exclue, bouc émissaire comme moi, mais pour des raisons différentes. Melissa était une petite Jamaïquaine blanche dont les parents préféraient s'étioler derrière leurs persiennes plutôt que d'aller s'installer à Miami en Floride comme leurs compatriotes de même cou-

1. « Double Papa. »
2. Vieille chanson jamaïquaine.

leur. Aux leçons d'histoire, la maîtresse la faisait mettre debout, diaphane à côté du tableau noir, et l'accusait pêle-mêle des viols de la traite, du sadisme des planteurs, de l'exécution de William Gordon et de bien d'autres crimes que j'oublie. Elle était aussi accusée de la rupture des relations américaines avec Cuba et des interventions en Haïti !

Pas étonnant si Melissa et moi fuguions, préférant les halliers, la mer, les mornes à cette geôle où on nous martyrisait. Que la nature est amour pour l'enfant sans amour ! Les mangots et les goyaves charnus pour sa faim, les roseaux de canne pour sa soif, l'oreiller d'herbes de Guinée pour son sommeil et le ventre chaud de la mer maternelle pour s'y blottir ! Parfois nous poussions sur la route de Savannah-la-Mar jusqu'à la maison de Patience qui, dans le temps, s'était louée chez les parents de Melissa. Elle nous montrait des photos de son fils qui avait émigré dans les arpents de neige de Toronto et en dépit du transistor et du grille-pain électrique qu'il lui avait envoyés, elle finissait invariablement par pleurer.

– C'est pas humain, le froid ! C'est pas humain, la neige ! C'est pas fait pour le corps ni pour le cœur de l'homme de chez nous, ces pays-là ! Parfois j'ai envie d'aller demander aux politiciens qu'ils me le rendent, mon garçon !

Puis reprenant sa bonne humeur, elle me savonnait et me frottait tout le corps avant de s'armer d'un peigne, ronchonnant :

– De beaux cheveux comme ça ! Elle devrait les couper, ta maman, si elle ne sait pas les entretenir ! Moi, j'étais *coco sec*[1] jusqu'à mes vingt ans. Et puis quand mon garçon est né, aïe, mes cheveux sont sortis ! Ils sont devenus tellement longs que je

1. Sans cheveux.

m'asseyais dessus ! Une femme sans cheveux, c'est un bouquet à soupe sans soupe !

Quand je réapparaissais juste avant le bain de mer du soleil, je trouvais Manuel fendant du bois dans la cour. Il essuyait sa sueur :

– Où as-tu encore été traîner ?

Je passais sur lui, sans même le regarder, et j'allais m'asseoir aux pieds de Terence qui, au second, tapait d'un doigt sur une vieille Olympia. Il tapait du matin jusqu'au soir, Terence, et parfois fort avant dans la nuit avant de s'en aller promener Dieu sait où et de rentrer quand il voulait. Cela encolérait fort Manuel devenu, outre un homme à fendre le bois, un homme à allumer le feu, faire les courses, tordre le cou aux poulets, vider le poisson, éplucher les racines et tondre la pelouse. Thécla en foulard et tablier gros bleu s'occupait de la table et je dois lui reconnaître de l'imagination et des dons de cuisinière.

Car nous eûmes des clients à la pension de famille Waterloo ! Des jeunes, européens et américains, en route sac au dos pour les paradis de Negrill ! Des agents du tourisme et de l'environnement en Mercedes ! Parfois des amoureux en week-ends clandestins ! Deux Françaises très bon chic bon genre, Elyane et Frédérique, y demeurèrent échouées pendant près de six mois, la première ajoutant au menu des innovations comme le canard aux navets, la seconde faisant l'amour avec Terence et mettant en français ses poèmes. Du coup, puisqu'elle faisait mal à Thécla, nous devînmes les meilleures amies du monde, déblatérant en déambulant dans le jardin.

– Ma pauvre chérie, j'avais toujours entendu dire que les femmes noires avaient un supplément d'amour maternel. Celle-là en a autant qu'une arête de poisson.

Je renchérissais :

– On se demande ce qu'ils lui trouvent tous deux. Elle est affreuse, non?

Frédérique faisait la moue :

– Là, mon chou, tu exagères! On peut tout dire d'elle sauf cela. Elle n'a même pas les traits négroïdes!

Pauvre Thécla! Le souci que lui donnaient les infidélités d'un de ses hommes la faisait fondre comme chandelle, resserrant autour de sa taille amenuisée les cordons de son tablier toujours trop grand. On n'entendait plus guère le son de sa voix et comme elle se trompait régulièrement dans ses calculs, Manuel ne lui laissait plus le soin de préparer les additions. Surcroît de travail pour lui! Pas étonnant qu'il hurle en vidant le poisson, tordant le cou des poulets, passant la serpillière, transportant les poubelles :

– Merde! Merde! Putain de vie! Qu'est-ce que je suis venu foutre ici? Dites-le-moi! Mais dites-le-moi!

Après de longues semaines où nous ne reçûmes dans la salle à manger que deux ou trois « sacs au dos » comme nous les appelions de façon méprisante, Manuel s'enferma dans le salon attenant à la salle à manger, puis en ressortit, déclarant :

– Il faut faire quelque chose. Nous n'avons plus en caisse que cent quatre-vingt-deux-dollars. Jamaïquains.

II

Le soleil joue à quatre piquets avec la terre et nos ombres se couchent en rond à nos pieds en chiennes dociles. Comme il n'y a pas à manger chez moi, Melissa voisine m'emmène chez elle. Elle pose un doigt sur ses lèvres d'un rose si pâle. C'est la première fois que je pénètre dans sa maison. Elle est belle, sa maison, même si elle mériterait un sérieux coup de peinture. Le premier étage majestueux sous son lourd toit rouge passé déborde légèrement sur le rez-de-chaussée et est prolongé par une véranda carrée, encombrée de berceuses, de guéridons et de plantes en pot. Nous en faisons le tour et entrons dans la cuisine vieillotte avec son *potager*[1] de briques et son réfrigérateur à pétrole.

– A cause des pannes, explique Melissa raisonnable.

Elle ouvre le four. Un gigot et un gratin de christophines. Quel délice! Je m'apprête à dévorer, mais Melissa bien élevée insiste pour que je me lave les mains et récite le bénédicité.

– Tu veux du vin?

Du vin?

Melissa malicieuse ouvre le réfrigérateur qui grince à la mort et tire une bouteille entamée. Je déchiffre tant bien que mal sur l'étiquette : gewurztraminer! Mellissa docte commente :

– On ne doit pas boire de vin blanc avec du gigot.

Pourquoi?

Melissa hausse les épaules, elle n'en sait rien. Là, j'ai marqué un point. Je mange, elle me regarde manger, le bonheur au fond de ses yeux d'eau triste. J'approche mon verre. Elle s'en remplit un et nous trinquons. Dieu, que ce vin est bon! Je n'ai jamais rien bu d'aussi bon! Elle me sert à nouveau. Du gigot et du reste! Nous rions. Melissa innocente questionne :

1. Paillasse.

– Pourquoi les enfants t'appellent-ils Double-Daddy?

Bizarre, la question ne me gêne pas! J'y réponds gaiement :

– Parce que ma mère couche avec deux hommes!

Stupeur, puis fou rire de Melissa!

– Comment fait-elle?

Je hausse les épaules...

– Je ne sais pas, je ne suis jamais allée y voir.

Melissa rit de plus belle. Elle se tord littéralement :

– J'aimerais bien voir ma mère...

Elle hoquette :

– Elle qui se baigne avec sa chemise et se couvre les cheveux pour dormir!

Nous rions aux éclats. Le vin coule, poisseux et frais.

– Je me suis toujours demandé, toujours demandé...

– Quoi?

Elle rit trop pour trouver ses mots. Brusquement la porte s'ouvre et une femme entre. Précisément, la mère. Blanche! Je n'ai jamais vu une femme aussi blanche alors que le soleil cuit les corps au-dehors. Elle est coiffée en bandeaux lisses et noirs, çà et là tachés de blanc, comme j'en ai vu plus tard à George Sand. Elle a deux trous verts à la place des yeux. A notre vue, son visage de zombie reprend vie comme si elle avait mangé du sel. Ses lèvres de papier mâché s'écartent et elle hurle :

– Melissa! Melissa! Qui est-ce? Sors immédiatement d'ici, sale petite négresse! Sors!

Est-ce que j'ai rêvé cette scène?

III

CE fut l'idée de Thécla.

Puisque la musique avait élu la Jamaïque pour son royaume et que les foules adoraient comme des dieux les compositeurs, pourquoi ne pas organiser des concerts non de reggae cette fois, mais d'une autre musique populaire, par exemple le gwo-ka, la musique chouval bwa? Le parc de la pension était assez grand pour accommoder un millier de personnes. A cinq dollars la tête, cela ferait une petite fortune. En même temps, cela travaillerait à resserrer les liens de connaissance entre la Caraïbe anglophone et la Caraïbe francophone. Et patati et patata... Thécla sauta sur sa plume et adressa une épître-fleuve à Gesner.

Celui-ci la reçut alors que, pacifié par la paternité, il se penchait sur le berceau du gros garçon que venait de lui donner Gerty et elle rameuta toute cette souffrance qu'il avait eu tant de mal à dominer! Ah, ils ne lui avaient pas porté bonheur, les Louis! Passe encore pour Thécla puisque la femme est née inconstante et cruelle! Mais Jean, son père adoptif! Penser qu'il avait ouvert les deux bras à Manuel, celui-là même qui lui ravissait Thécla! Du coup, Gesner acceptait aveuglément comme vérité les attaques du journal *Libèté* qui peignaient Jean en petit-bourgeois tout petit, prisonnier de sa classe, mesquin, arriviste et féroce. Il faut ajouter aussi que sa liaison avec Fabienne l'avait écœuré, car Gesner n'avait jamais couru les femmes. La révolution commence par cette maîtrise de soi. Vrai, Jean se révélait pareil aux politicards des partis traditionnels qui se servaient de leur position pour se constituer de véritables harems!

Gesner répondit donc par un mot très sec où il s'inventait une foule d'engagements. Mais il en resta des nuits et des jours entiers tout chagriné, à marcher comme une âme en peine sur sa galerie sans plus prêter attention à son fils. Les yeux de Gerty se mouillaient. Ah, cette Thécla! Ne lui avait-elle pas déjà fait assez de mal? Qui, qui nous délivrera des intellectuelles? Elles n'ont pas de cœur, les intellectuelles! Elles n'ont qu'un poids de cervelle et font des expériences avec l'amour des hommes. Elles n'ont pas le sang chaud, les intellectuelles! Froides comme serpent, elles fascinent leurs proies. Finalement, Gesner se ressaisit et, du souvenir de sa douleur ravivée, composa un de ses plus beaux airs : *Déviré*.

Thécla à son tour fut morose de ce refus de Gesner, revivant l'amour si lumineux de son adolescence à Grands-Fonds-les-Mangles et se demandent si elle n'aurait pas dû tout simplement jeter son seau dans ce bonheur-là au lieu d'aller pêcher en eau trouble. Néanmoins, elle se ressaisit, ne se déclara pas battue et se tourna vers Ottavia. Ottavia, la campagne du précédent naufrage! Précisément celle-ci se trouvait à un jet de pierre, à Montréal où la communauté des Haïtiens la traitait comme une reine, et elle ne fit aucune difficulté pour répondre à l'invitation.

Ottavia arriva à Black River un jour où un cyclone était annoncé. Le cyclone alla s'écraser sur les côtes de Floride, faisant cinq morts et une douzaine de blessés. Néanmoins Ottavia créa l'événement. Les gens généralement cachés derrière leurs volets sortirent dans le grand jour de la médisance et de la raillerie pour regarder ses deux guitares, son poncho indien, sa natte noire, épaisse et rigide comme un pieu, sa haute taille de déesse guerrière!

Je retenais mon souffle, en attendant la rencontre Terence-Ottavia et je me réjouissais déjà de ce qui ne manquerait pas d'en résulter pour la plus grande souffrance de Thécla. A quoi avait-elle la tête ? Apparemment, profitant de ses années d'avance, elle avait meilleure connaissance que moi du cœur des humains. Car ces deux-là ne se frôlèrent même pas du regard et n'échangèrent que deux trois mots cérémonieux.

– J'admire beaucoup ce que vous faites !
– Moi aussi, je vous ai entendue à New York !

Terence, qui par les femmes avait ses entrées dans bien des maisons, fut chargé de la publicité du concert. On ne sait comment il parvint à une entente avec le curé qui un dimanche en chaire rappela les malheurs du peuple frère d'Haïti et loua le talent exceptionnel de celle qui s'en faisait le porte-parole. En conséquence une bannière flotta au fronton de l'église :

« Ottavia di Maggio chante Haïti. »

Puis Terence alla porter la bonne nouvelle à des kilomètres à la ronde parmi les colonies cosmopolites de Rasta de Negrill, les petits commerçants de Savannah-la-Mar, les fonctionnaires de Mandeville et s'arrangea même pour avoir un entrefilet dans des journaux de Kingston. Manuel, tout seul, armé d'une tronçonneuse électrique louée à Savannah-la-Mar, abattit deux mahoganys du parc, les scia en long et mit debout un podium. Puis il installa la sonorisation, festonna les arbres de guirlandes d'ampoules multicolores et, pour finir, se donna un tour de reins qui l'obligea à rester couché huit jours en gémissant de douleur.

Pendant ce temps, Ottavia et Thécla reprenaient leurs bavardages là où elle les avaient laissés, étendues à plat ventre sur des pneumatiques, Ottavia en plein soleil et badigeonnée d'huile de coco,

Thécla à l'ombre, toutes deux à égale distance d'une des bouteilles de rhum Barbancourt qu'Ottavia avait eu la sage précaution d'emporter avec elle. Ottavia s'indignait que Thécla ait pu se marier à un Blanc (un Blanc!) et la pressait de questions. Thécla qui, si habile à disserter sur « Race et Classe dans la Caraïbe » ou « Musique et Pouvoir Populaire » sans oublier « Mouvements révolutionnaires du monde noir », se perdait dans les circonvolutions de son propre cœur et s'essayait à l'auto-analyse :

— Pour moi, Pierre n'est pas un Blanc. C'est... Pierre! Personne n'a jamais été aussi proche de moi, à part Gesner peut-être, mais Gesner et moi, nous étions deux enfants. Je ne comprends pas pourquoi nous sommes tellement obnubilés par la race, les couleurs... Qu'est-ce qu'elles signifient?

— Tu vas divorcer, j'espère?

— Je ne sais pas, je ne sais pas.

Moi, quand je ne courais pas, la bride sur le cou, avec Melissa, quand lasse des fugues de la veille je ne somnolais pas à son côté au dernier banc de la classe, je tuais le temps à me demander laquelle je haïssais le plus d'Ottavia ou de Thécla avant de donner l'avantage à la première. Je lisais « Faux » dans son regard velouté italien. J'entendais « Faux » dans sa voix impétueuse comme l'Artibonite, le grand fleuve de son pays! « Faux », « Faux », « Faux », partout faux. Pour moi, enfant exigeante et injuste, j'en conviens, faux, ce grand souci du peuple, cet amour des nègres comme dirait mon grand-père Jacob, cette haine de l'exploitation de l'homme par l'homme comme dirait mon grand-oncle Jean. Seul le désir de se singulariser et la rage des comptes personnels à régler.

Quand midi n'était pas loin, Manuel, las de tout ce bavardage, de son lit de douleurs hurlait :

– *Fuck you, women*[1] *!* Allez faire à manger !

Ottavia et Thécla descendaient donc à la cuisine et dans des fous rires d'écolières assaisonnaient au hasard poissons et viandes.

La présence d'Ottavia attira quelques clients à la pension, Français ou Amériçains qui l'avaient entendue à Paris ou à New York et l'entouraient de leur admiration poisseuse de sycophantes.

– Je vous ai entendue à l'Olympia. Vous étiez sublime !

– J'ai tous vos disques, vous savez !

En conséquence, Manuel qui était aux caisses multipliait par trois les additions et demandait le prix d'un saumon de Norvège pour une tranche d'espadon trop grillée.

IV

LE jour du concert se leva bleu au-dessus de la mer étale comme une flaque d'huile. Ottavia qui avait répété des heures durant dans le fond du jardin et l'écho vigoureux de sa voix nous parvenait :

> « *Mwen kouché malad*
> *Pa sa lévé...* »

avait ajouté à son répertoire deux poèmes de Terence (cela aurait dû réveiller ma méfiance, mais j'étais trop occupée à faire les honneurs de la pension à Melissa qui, avant ce jour, ne s'était jamais aventurée chez nous).

Le concert était prévu pour six heures, heure à laquelle les premières étoiles s'allument. A six

---

1. « Merde, femmes ! »

heures moins le quart, deux minibus peinturlurés déchargèrent la quarantaine d'Américains et de Français sycophantes qui avaient déjà goûté aux délices de nos menus. A six heures un quart, les gamins de Black River prirent d'assaut les arbres environnant notre parc d'où ils avaient vue plongeante sur le podium. A six heures trente, une poignée de jeunes se massa à hauteur des grilles grandes ouvertes comme si elle redoutait de se laisser enfermer dans un piège et ménageait sa sortie. A sept heures, quand il devint évident qu'il n'y aurait pas un spectateur de plus et que les billets soigneusement numérotés par Manuel demeureraient virtuellement invendus, Ottavia se décida à chanter.

Melissa et moi, nous nous prîmes la main et au fur et à mesure qu'elle chantait, le sel et l'eau se mêlèrent au creux de nos yeux étonnés et ruisselant sur nos joues, en dessinant des sentiers lumineux. Ni elle ni moi ne savions sur quoi nous pleurions. (Pas sur nos pays dont nous ne réalisions pas encore le deuil et la misère.) Sur nos enfances en lambeaux. Sur la scélérate qui nous guettait et ne nous donnerait pas une chance, mal parties comme nous l'étions. Derrière un amandier-pays, Terence sanglotait comme un enfant et nous prit contre lui. Aux alentours, la nuit dérivait.

Des quatre, Ottavia fut la moins affectée par l'échec du concert. A Thécla effondrée, Manuel soucieux, Terence fataliste, elle démontra que c'était absurde de parler créole à des Jamaïquains et simpliste de s'imaginer que la musique était une sorte d'espéranto compréhensible pour tous.

– Chaque musique véhicule une culture et chaque culture est une île.

Pour cette raison sans doute, elle ne se pressa pas de mettre la mer entre elle et ce souvenir, de retrouver ses admirateurs d'Amérique qui eux emplissaient ses salles. Elle s'éternisa au contraire, mais s'acheta une conduite. Finis les réveils bien plus tardifs que ceux du soleil! Finie l'oisiveté méandreuse et bavarde arrosée au rhum Barbancourt! Finis les fous rires d'écolière en tablier noué si serré qu'il en aplatissait les seins! Finies les promenades le bras passé autour de l'épaule de Thécla, entre les poiriers et les tulipiers du parc! Levée à six heures alors que le jour hésitait encore derrière les persiennes, baignée à l'eau froide de la citerne, elle grimpait jusqu'à la pièce du dernier étage où elle travaillait et sa voix crescendo decrescendo faisait vibrer les cloisons, grincer le toit, fuir à la débandade les insectes et m'avisait qu'il était temps de choisir entre la fugue ou l'école. Terence qui lui aussi s'était acheté une conduite montait la rejoindre, une chope de café à la main, car elle avait décidé de mettre en musique ses poèmes après les avoir traduits en français puis en créole. Ce n'était pas une petite affaire! Souvent elle se penchait par-dessus la balustrade et appelait Thécla à la rescousse :

— Dis! Comment traduirais-tu en créole : « La lune béate assise sur la marche du ciel… »?

Toutefois, celle-ci, de la pièce où elle griffonnait, fiévreuse, ne daignait pas répondre. Car un silence s'était installé dans la maison que je refusais d'entendre. Pour me protéger peut-être, je me voulais sourde, aveugle, muette. Quelque chose était pourri quelque part dont je refusais de sentir la puanteur abominable. Un soir dans la salle à manger à odeur de mer et de moisi où depuis des semaines pas un client ne s'était assis, Terence me força à détacher les yeux du poste de télévision et me récita le poème qu'il avait composé directement en français :

– Ecoute, *sweetie pie*[1] !

> « *Dans la calebasse sans fond de l'eau*
> *J'ai mis du gros bleu d'indigo*
> *Beaucoup, beaucoup*
> *J'ai versé du sel blanc de cuisine*
> *Et j'ai fait naître*
> *La mer...* »

Je m'apprêtais à battre des mains, ravie, quand d'une gifle, Thécla me fit remplacer le goût des louanges par celui des pleurs. D'un même mouvement, Terence et Ottavia se levèrent et ce fut le désordre d'un pitt' quand coqs et hommes, soûls de rhum Montebello, se ruent dans une confusion d'ailes et de voix, d'ergots de fer crissant et de sang tiède tombant goutte à goutte sur le sol bétonné ! A son tour, Manuel se dressa comme un ressort et, debout de sa petite taille à côté de la hauteur d'Ottavia, tapa de toutes ses forces sur la table. Brusquement Thécla fila vers le fond du jardin et tous partirent à sa poursuite. Je fus bien forcée d'accepter que quelque chose n'allait pas !

Mais quoi ? La vérité est comme un bébé au berceau que sa mère ne veut pas voir grandir. Ou encore comme les pieds bandés d'une Chinoise qu'on couvre de bandelettes pour les mutiler à jamais.

Qu'est-ce qui n'allait pas à la pension Waterloo ?

Trois concerts de Peter Tosh à Kingston nous amenèrent leur quota de jeunes sacs au dos traînant leurs baskets crasseuses à travers l'île. Inévitablement pris de passion pour Black River, ils prenaient pension chez nous. Thécla et Ottavia épaule contre épaule, mais sans plus se souffler

1. « Mon chou ! »

mot ni se frôler du regard, charbonnaient des poissons sur le gril avant de les couvrir de pimentade. Manuel avait ajouté à ses fonctions celle de serveur, qu'il avait d'ailleurs exercée dans un restaurant de la Cinquième Avenue, et allait visage fermé d'une table à l'autre. Où était Terence ?

Je n'ai gardé le souvenir que de l'absence de Terence, par les jours aveuglants, absence aussi envahissante, étouffante, angoissante que certaines présences. Il n'était pas là en chair et en os, mais il était évident qu'il emplissait tout l'espace comme ces morts passés de l'autre côté du monde visible qui continuent néanmoins d'habiter les lieux et les êtres qu'ils aimaient. Melissa tentait de m'aider à résoudre cette équation insoluble, mais nous en revenions toujours à la sempiternelle question :

– S'ils ne s'aiment plus, pourquoi restent-ils ensemble ?

A presque douze ans en effet, comment savoir qu'il est plus difficile de se déprendre que de se prendre ?

Un après-midi, et Melissa avait beaucoup pleuré à la leçon d'histoire, nous cherchions le refuge du parc pour deviser sur la méchanceté insondable du cœur des adultes, quand nos pieds butèrent sur les racines emmêlées et noueuses d'un caoutchouc.

Les racines d'un caoutchouc ?

Voici que touchés par la baguette d'une de ces Carabosses toujours prêtes à errer là où elles ne doivent pas et à jeter leurs mauvais sorts, elles prirent la forme d'un homme et d'une femme, les derniers que notre naïveté se serait attendue à voir dans cette tenue, tenue qui ne laissait aucun doute sur l'action dans laquelle ils étaient engagés et qui leur faisait la figure rouge et suante, d'autant plus laide à faire peur qu'ils étaient beaux, cet homme et cette femme, quand le désir planté en eux par

Carabosse ne les transformait pas en pourceaux à nos pieds.

Quelqu'un poussa un cri (je crois que ce fut moi!) dont la flèche fibra, vola et se ficha par-dessus les toits du village, les bateaux des pêcheurs et la houle de la mer jusque dans le cœur sanguinolent du soleil!

Puis des ailes me poussèrent aux talons et je m'envolai droit devant moi portée par l'horreur, la révolte, la douleur!

V

PATIENCE partagea mes cheveux par une raie médiane le long de laquelle elle promena son index enduit d'huile de palma-christi, puis dit:

– Tu devrais tout de même rentrer chez toi, Coco. Tes parents vont s'inquiéter.

Je fondis en larmes. Elle n'insista pas, se bornant à soupirer fortement.

– Est-ce que le Bon Dieu sait ce qu'il fait? Moi qui aurais tellement voulu une petite fille!

Quand elle m'eut coiffée en deux nattes, au bout desquelles elle suspendit deux rubans, je lui tendis ma joue à baiser et lui dis:

– Merci, Tantie!

C'était une des petites délicatesses de manières auxquelles elle m'avait accoutumée. Il y en avait beaucoup d'autres et je ne m'y reconnaissais pas très bien. Par exemple, le matin, il ne fallait surtout pas lui parler avant de s'être lavé la bouche à grande eau. Il ne fallait jamais avaler la nourriture avant d'en avoir jeté quelques miettes par terre. Il ne fallait pas manger de bananes quand on avait chaud, de quénettes quand on avait froid, d'avocat sans morue, de figues sans tripes. Il fallait se frotter tout le corps de bay-rhum pour combattre les piqûres d'insectes et les jambes d'huile de carapate pour les faire briller. Etc. N'ayant jamais reçu de leçons de Thécla, je ne demandais qu'à apprendre et j'étais une excellente élève.

La case de Patience se composait de deux pièces, une chambre avec un grand lit de mahogany sous sa moustiquaire, une salle à manger assez vide, une cuisine avec un beau réfrigérateur Norge et une galerie pour laquelle Ben, son mari, charpentier de marine, entreposait une partie de ses planches et de ses outils. Ben se déhanchait le long du sentier peu avant le coucher du soleil, une kreye de poissons coloriés en rose, bleu, jaune, à la main et me jetait sans méchanceté aucune :

– Encore là !

Puis il allait se frotter tout le corps au savon Lifebuoy, et se fichait une pipe entre les dents en attendant le court-bouillon que Patience se hâtait de faire cuire. De temps en temps, ils se donnaient les nouvelles de la journée :

– Les tomates sont à près de un dollar la livre au marché. Si tu m'avais écoutée...

– Joe a dû changer le moteur de son canot.

– Laureen a eu deux jumelles !

Après manger, nous écoutions à travers les crachotements de la radio les nouvelles d'une guerre enfin terminée au Viêt-nam après que le chiffre des morts eut outrepassé celui des vivants. Enfin, Patience mouillait son index et ouvrait son Livre :

« *Est-ce toi qui chasses la proie pour la lionne*
Qui assouvis la faim des lionceaux
Quand ils se tapissent dans leurs repaires
Quand ils sont aux aguets dans les fourrés? »

Je dormais sur un lit de camp sous un drap raide et coupant comme une feuille de tôle.

O, image du bonheur!

Hélas, il ne dura qu'une toute petite semaine! Un matin, j'entendis la voix de celui-là même que je voulais rayer de la carte des vivants! De celui-là même que nuit après nuit je rêvais de tuer d'un de ces coups vicieux et vigoureux que Manuel assenait aux *bonites*[1]. Il était debout nu-tête dans le halo du soleil naissant, les *locks*[2] sur les épaules et les yeux débordants d'un amour dont je ne voulais plus, la traîtresse Melissa à son côté :

— Coco, Coco! Tu dois revenir à la maison : un grand malheur est arrivé! Il faut que tu reviennes auprès d'elle!

VI

LES gens disent que la mort de mon grand-oncle Jean Louis survenue le 24 mars 1971 aux petites heures du matin fut une mort annoncée. Les gens disent qu'un soir, une comète tous feux allumés comme un avion traversa le ciel de l'Anse Laborde et alla s'échouer du côté de l'île d'Antigua. Un midi, la moitié du soleil devint couleur d'encre tandis qu'une pluie de cyclone tombait derrière une ligne tracée au nord des Grands-Fonds-les-Mangles. Quand la dernière goutte eut fini de ruisseler, on trouva les crapauds et autres bêtes d'eau calcinés, la gueule charbonneuse dans la gadoue. A l'Anse Bertrand, Délices, une négresse

1. Poissons. Sorte de thon.
2. Mèches du Rasta.

de quarante ans qui n'avait jamais connu l'homme, au retour de la messe d'aurore d'où elle avait reçu comme à chaque matin la Sainte Communion, se mit à *déparler*[1] et annonça l'holocauste d'un juste. Comme on s'approchait du temps de Pâques, on crut qu'il s'agissait de la Passion toujours répétée de Notre Seigneur Jésus-Christ et sa prophétie ne reçut pas l'attention qu'elle méritait.

Par la suite, Fabienne assura que Pablo, le fils qu'elle portait et qui quatre mois plus tard ouvrit des yeux pour pleurer d'orphelin sur le monde des vivants, s'était par trois fois jeté brutalement contre la paroi de son ventre comme pour annoncer l'irruption de la tragédie.

Les gens disent aussi que les coqs chantèrent cocorico dans la noirceur de minuit, que malgré coups de pied et injures les chiens hurlèrent des heures durant et que sans plus de raison, un fromager, arbre à *soukougnan*[2], debout à la tête du morne Zandoli, perdit ses feuilles et resta nu comme un filao.

De l'avis de tous, Jean vécut ses derniers jours comme un homme qui se prépare pour une difficile traversée. Il rendit visite à Gesner et à Marietta chez qui il n'avait pas mis les pieds depuis de longs mois. Le premier ne devait jamais oublier comment de bonne heure matin, alors qu'il donnait la Phosphatine à son joufflu de garçon, il le vit pousser la barrière, la figure à l'envers et les habits chiffonnés comme s'il avait dormi dedans. Toute son affection lui remontant malgré lui dans la bouche, pressentant une catastrophe, il interrogea :

– Ami Jean, qu'est-ce qui ne va pas ? Tu as l'air de te faire du mauvais sang. Pourquoi ?

1. Délirer.
2. Esprit nocturne.

Jean resta un long moment silencieux à polir le caillou rond du crâne de l'enfant qui se retenait de pleurer, puis se décida :

– C'est vrai ! D'abord, je me fais du mauvais sang pour notre Thécla. Et je ne suis pas le seul. Son Blanc de mari a écrit à Jacob pour dire qu'elle filait un mauvais coton et demander ce qu'on pourrait faire. Mais que pouvons-nous faire ?

Gesner resta coi, car il avait trop de mal à entendre parler de Thécla et Jean soupira :

– C'est drôle, ce Blanc ! Il a l'air de tenir à elle comme à la prunelle de ses yeux ! C'est bizarre ! Un Blanc peut donc aimer une négresse avec son cœur ? Moi, je croyais que c'était le sexe, l'exotisme...

Gesner, que décidément cette conversation torturait, ne dit rien et Jean alluma une cigarette :

– Notre Thécla ne fait que des bêtises ! Et puis, je me fais du mauvais sang pour notre pays. Fabienne ne dit que la triste vérité. Si les Patriotes n'imaginent pas une autre stratégie, en l'an 2000, nous en serons toujours à mettre sur pied des conférences des dernières colonies.

Gesner sortit enfin de son mutisme pour questionner moqueusement :

– Que préconises-tu, toi aussi ? La violence ? Des bombes ?

Jean leva des yeux où tournoyaient des étoiles :

– Oui, mon cher ! Il faut des martyrs !

Gesner crut avoir mal entendu. De quoi parlait cet homme déjà bedonnant ? Ce père de fils ? Il répéta :

– Des martyrs ?

– Oui, il faut que des hommes versent leur sang fertile pour que d'autres se lèvent.

Laissant Gesner à sa stupeur, Jean continua chez Marietta.

Depuis qu'il l'avait abandonnée avec leurs cinq plus jeunes enfants dont le dernier n'avait pas sept ans, Marietta ne portait pas son ex-compagnon dans son cœur. A « Verse toujours », elle prenait ses clients à témoin :

– Qu'est-ce qu'un homme? Ah non, n'aimez pas sur cette terre! Dans toute la fleur de mes dix-huit ans, j'ai pris mon cœur et je l'ai donné à cet ingrat. Mario, mon père, un Blanc-France, ne voulait pas que je salisse mes draps avec ce nègre noir. Mais je lui ai dit : « Halte-là! Pas de ces bêtises-là. C'est lui que je veux. Pas un autre. » Regardez-moi à présent! Je suis bien récompensée! A quarante ans dans deux mois, ma couche est froide comme celle d'une vieille. Mon cœur est laissé pour compte comme un mauvais champ!

Et de donner sur cette Fabienne qui ne l'emporterait pas en paradis! Les clients las d'entendre ces sempiternelles rengaines gardaient le nez baissé sur leur ventre.

Néanmoins quand Marietta vit entrer le père de ses enfants avec cette tête d'enterrement, tout son amour lui reflua au cœur. Elle revit leur première rencontre quand il allait au dos de sa mule et qu'elle l'avait si vertement rabroué avant de se pelotonner dans ses bras sur un lit de fougères. Elle interrogea :

– Jeannot, qu'est-ce qui ne va pas?

Jeannot ne dit mot. Sachant ce qui délie la langue des hommes, elle poussa vers lui la bouteille de rhum agricole et il but coup sur coup trois secs, ce qu'elle n'avait jamais vu en vingt ans de vie commune et fit :

– Laisse-moi te dire, j'ai été fou et orgueilleux. Si quelque chose m'arrive, fais revenir tous les enfants qui sont en France. Demande à Jacob ma part d'héritage et achète-leur des hectares de terre, qu'ils la plantent en riz vert, patates douces, tomates rouges et juteuses...

Marietta vit bien là que Jean était toujours en pleine folie et fit avec irritation :

– Tu crois qu'ils arrêteront leurs études de médecine, droit ou pharmacie pour se faire des ampoules aux mains en maniant le coutelas ?

– Il le faut ! Il le faut !

Marietta pria le Bon Dieu de lui donner calme et patience. Jean se vida un nouveau sec et répéta :

– Il le faut ! C'est là qu'est le salut ! Nos pères n'avaient rien compris. Il ne faut pas donner dos à la terre. Il faut seulement la posséder pour la faim et la soif !

Du coup, Marietta retrouva sa mauvaise humeur et gueula :

– Tu te prends pour un prêtre à l'église que tu viens prêcher ici ?

Ce qui fait que les deux époux se séparèrent fâchés une fois de plus et que Marietta n'eut pas assez de toutes les années qui lui restaient à vivre pour regretter cette brouille-là.

Ensuite, Jean alla rejoindre ses complices.

C'est là, l'injustice. La mort de mon grand-oncle s'est étalée à la une de tous les grands journaux internationaux. Même le *New York Times* qui lui a consacré quelques lignes : « Odieux attentat politique dans une petite île des Antilles. »

Car ce petit-bourgeois en mal d'écriture, en rupture avec sa classe, faisait une bonne aubaine pour les copies des journalistes. Mais l'on n'a guère songé aux deux autres, pères de famille ceux-là aussi, amants attentionnés et fils aimants, qui finirent leur vie avec lui. Félix Thalassa et Ronny Kandassamy.

Le premier enseignait la physique et chimie à l'Anse Bertrand. Fils de géreur, mauvais sujet depuis l'enfance, irrité de voir son sévère paternel, redevenu gamin, obséquieux, rouler son *bakoua*[1] entre ses doigts et chantonner « Oui, patron » au Blanc. C'est tout seul qu'il avait appris à fabriquer de petits cocktails Molotov qu'il faisait péter aux manifestations. Lors de la grande grève des ouvriers du bâtiment, il avait été à son affaire, cachant ses diaboliques engins dans des tas de sable afin qu'ils explosent entre les jambes des CRS Ronny Kandassamy, lui, était un Indien. Natif natal de Port-Louis, il avait grandi sur les terres de l'usine Darnel, ouvrier agricole modèle. Puis il s'était lassé de sa perfection et s'était rendu à Paris juste à temps pour goûter à mai 68. Revenu au pays, il chômait depuis bientôt quatre ans, car il refusait de croire son père qui répétait :

« Le *coolie*[2] est fait pour la canne. La canne est faite pour le coolie. »

Malgré mes investigations, je n'ai pu découvrir comment ces trois hommes si différents par l'âge, le cheminement et le milieu social s'étaient rencontrés et avaient signé le pacte d'amitié. Tout ce que je sais, c'est qu'ils mirent au point tous les trois leur projet.

Il s'agissait ce samedi-là de placer une bombe fabriquée par Félix dans la voiture du préfet Lebreton à Matouba dans l'ancien fief des grands Blancs. Lebreton mariait sa fille. Des invités étaient venus de Martinique, de Saint-Martin et même de France. Au moment précis où la voiture nuptiale parée de fleurs comme un char en carnaval s'engagerait dans l'allée de cocotiers avec à son bord Lebreton père, radieux, et sa fille, elle devrait exploser. Quel plus beau symbole que cette France saignante ! Qu'est-ce qui se passa exactement ? On en discute encore à travers la Caraïbe... Toujours

1. Chapeau de paille.
2. L'Indien.

est-il qu'à quatre heures du matin, une déflagration venue du garage réveilla Lebreton, sa famille et ses invités qui se retrouvèrent sur la véranda dans les postures ahuries d'hommes et de femmes arrachés brutalement au sommeil pour voir les flammes enragées bondir vers le ciel. Il fallut des jours pour identifier les débris de corps calcinés.

Les Patriotes se hâtèrent de faire de mon grand-oncle Jean un martyr. Ils se hâtèrent de lui creuser une niche à côté d'autres nègres, morts en leur temps dans la pauvreté, les soucis et l'indifférence générale quand on ne leur avait pas ôté sciemment la vie. Toussaint Louverture, Dessalines, Marcus Garvey, Amilcar Cabral, Martin Luther King, Malcolm X; la liste, la liste en serait longue. Ceux-là même qui le dénigraient la veille l'encensèrent, ce qui fit qu'on se resouvint de *La Guadeloupe inconnue* qui dormait dans la poussière des librairies et qu'il s'en vendit en un ou deux mois mille sept cent cinquante exemplaires. Plus grave encore, les communistes qui avaient toujours considéré mon grand-oncle comme un fou risible, mais inoffensif, réalisant l'effet de sa mort sur notre peuple qui, c'est vrai, a besoin de martyrs, le récupérèrent. C'est ainsi que la municipalité de La Pointe débaptisa notre bonne vieille place de la Victoire pour en faire la place Jean-Louis. Mais les habitants se soucièrent peu de ces changements politiciens et continuèrent de lui donner le nom qu'avait consacré l'usage! Certains conseillers municipaux allèrent jusqu'à proposer l'acquisition de la plus belle maison de la ville, celle d'anciens esclavagistes, la maison Fouquier-Barrat, construction de fer et de briques roses datant de la fin du XVIIIᵉ siècle, pour en faire un musée au disparu. Cependant qu'exposerait-on à travers ses deux étages? Quelques exemplaires de *La Guadeloupe inconnue*? Le chapeau de paille bakoua sous lequel il aimait à s'abriter? La canne sur laquelle il s'appuyait quand il se promenait à travers les halliers? Cela parut bien maigre et l'idée fut finalement abandonnée. Mon grand-père Jacob avait, quant à lui, son point de vue sur cette mort. Il n'avait jamais pris au sérieux les tirades de son frère et pour l'avoir fréquenté assidûment les derniers mois, croyait savoir pourquoi Jean avait marché vers sa mort. En réalité, c'était Anaïse, la femme-fleur bafouée, qui l'avait entraîné. Les péchés de jeunesse sont comme nos volcans, Soufrière ou Pelée. On les croit éteints. Puis, un matin, sans crier gare, ils se réveillent et couvrent les bananeraies d'un linceul de cendres qui interdit la vie.

La pensée d'Anaïse ne l'avait jamais quitté. Comment oublier en effet sa beauté à ses seize ans, son corps de canne Kongo surmonté du panache de sa face-fleur. Ses lèvres savoureuses et mauves comme prune café! Mais dans ses quarante ans, elle était revenue en force et il n'avait plus vécu qu'avec elle. Dans le devant-jour, quand il sucrait son café, elle était là. Là, quand il dévissait son stylo pour rédiger ses élucubrations. Là, quand il s'entretenait avec des paysans qui, perspicaces, sensibles à la vacuité de son regard, se chuchotaient qu'on leur avait changé leur ami. Là surtout quand il s'apprêtait à faire l'amour à Fabienne et de la voir sans colère ni rancune, seulement attentive, lovée dans la moustiquaire, son désir s'éteignait comme un boucan sous la pluie. Dans le sommeil, il la retrouvait, essuyant la sueur de ses mauvais rêves. Jacob, à qui il se confiait, s'évertuait à lui répéter que cela n'avait rien d'étrange et d'anormal :

– C'est comme Petite Mère Elaïse! Elle ne me quitte jamais. C'est elle qui me conseille sur tout ce que je dois faire. Si elle n'était pas là, je serais comme une âme en peine! Et les autres aussi sont là...

Mais Jean n'avait pas voulu l'écouter. Il avait interprété à sa manière cette présence et la prenant comme un appel, avait obéi. Oh oui, il avait bien médité son coup! Il ne s'était pas glissé à la sauvette dans une rivière en crue emportant veaux, vaches, couvées sur son passage. Il n'avait pas mâchonné furtif des racines vénéneuses de manioc ni des baies de mancenillier pour entrer gourd et froid dans la couche éternelle. Non! Il avait choisi le spectaculaire et tracé d'un pinceau écarlate dans le ciel lumineux de l'île les jambages de sa mort! Jacob le reconnaissait bien dans cette finale extravagance! Il n'avait jamais pu vivre comme tout le monde, le petit frère, né une année de cyclone! En fin de compte trop fier, trop orgueilleux dans son apparent renoncement! La mort ne pouvait pas venir le chercher sur un lit de maladie pour l'emmener au pas, devant une veuve et des enfants endeuillés jusqu'à une tombe banale. Non! Il lui fallait deux à trois mille personnes derrière son cercueil, la Guadeloupe estomaquée, s'interrogeant à n'en plus finir :

– Vraiment, on peut mourir pour « Lendependans » ?

VII

Thécla se tenait debout à côté du caveau ouvert comme si elle avait voulu entrer dans son ventre et s'y blottir pour mourir à son tour. Ses yeux aveugles n'avaient pas lu les journaux, unanimes pour une fois dans l'émotion et le regret. Ses oreilles sourdes n'avaient pas entendu l'homélie embarrassée du prêtre partagé entre sa sympathie et sa peur de l'évêque. Sa bouche salée du sel de ses yeux n'avait pu embrasser les deux veuves (pour ainsi dire!) qui réclamaient chacune l'entièreté du respect et de la compassion. Je n'avais jamais remarqué comment ma mère avait vieilli. Or c'était une vieillarde que l'on pouvait voir debout sous le soleil, en cheveux parmi les têtes en capeline ou en toques, mais engoncée dans le grand deuil d'une robe gauchement coupée par cousine Nirva. Deux tranchées perpendiculaires se creusaient des ailes de son nez à son menton fendu d'une fossette en biais. Ses joues étaient molles et affaissées. Ses yeux éteints entre des cils poisseux de mascara, car pour réparer l'irréparable, elle s'était barbouillée de maquillage *Jungle Line* (spécial femme noire). Sous cette apparence de Mas' à goudron en carnaval, Thécla souffrait le martyre. Comme toujours, c'est au moment où elle le perdait qu'elle réalisait combien elle aimait son oncle, combien elle lui avait été ingrate et combien elle l'avait déçu. Eh oui, sa vie était un brouillon qui n'en finissait pas avec ses pâtés, ratures, mots griffonnés! Que faisait-elle à la Jamaïque? Qu'y cherchait-elle? Voilà qu'elle ne le savait plus. Dans son désarroi, elle s'appuyait de tout son poids contre son père qui bouleversé de ce contact fondait en tendresse et rêvait de la prendre dans ses bras comme autrefois pendant ces brèves années où Tima et lui avaient été tout pour elle. Quel pain dur que la paternité! Ah, quand le gwo-ka de la mort aurait cessé de battre, ils feraient un grand causer! Il s'assiérait dans la berceuse, elle serait à ses pieds, Tima invisible entre eux et il l'engagerait à se résigner, à arrêter son errance, à rejoindre son mari tout Blanc qu'il était et à prendre soin de son enfant. A renoncer, quoi! Aux rêves, aux ambitions, au souci du nègre, du peuple (qu'on l'appelle comme on voudra!) puisque de toute façon, ils butaient sur cette boîte oblongue aux lourdes dorures.

Comme la mort a le pouvoir de colmater provisoirement les brèches au fond des familles, mon grand-oncle Serge était descendu de Gourbeyre avec Nadège et quelques enfants, les derniers. Légion d'honneur à la boutonnière, mince à force de brasses papillon dans sa piscine, de marches au trot au flanc de la Soufrière et de saunas rue du Sable à Basse-Terre, il tranchait, détonnait dans la famille et les gens se demandaient d'où sortait ce Louis qui en avait si peu la mine. Sous cet air d'étranger cependant, Serge souffrait lui aussi de la mort, pour lui absurde, du petit frère né l'année du cyclone et se reprochait de l'avoir durement traité de démagogue et d'imposteur. Après tout, il en faut du courage pour vivre tout ce temps dans une case en gaulette sans eau courante ni électricité à côté de paysans discutant en gras créole coupe de canne, transport à l'usine en cabrouet à bœufs et sarclage de leurs jardins vivriers! Peut-être Jean était-il un saint qu'il avait méconnu?

Moi, j'étais la seule à flotter radieuse dans ce bain chaud de deuil où nous étions plongés. D'abord, j'avais peu aimé mon grand-oncle, pète-sec prétentieux qui ne m'avait jamais dit autre chose que :

— Va jouer!

Ou :

— Tiens-toi tranquille!

Surtout, je m'étais retrouvée. Je cicatrisais mes plaies.

Flora Lacour que j'appelais docilement « Amie Flora », en haine de ma mère, m'avait prise en amour et je dormais lavée, bichonnée dans un pyjama de finette qui avait appartenu à un de ses garçons (mes oncles, mais ils ne semblaient pas nés de la semence de mon grand-père et baissaient humblement les yeux en s'adressant à ma mère, leur sœur) entre des draps odorants comme des pétales d'ylang-ylang! Pour moi, il aurait pu mourir de mort violente un Louis par jour si sa mort devait avoir ce résultat-là!

Déjà m'éclipsant de la veillée tandis que les femmes, chapelet aux doigts, psalmodiaient les « Notre Père » et les « Je vous salue, Marie », les hommes buvant du rhum blanc et se racontant des blagues, je m'étais glissée dans le bureau de mon grand-père et j'avais rouvert les albums de famille. Ils n'avaient pas bougé. Ils étaient tous là à m'attendre. Depuis le beau nègre d'environ trente-deux ans, beau avec son crâne en forme d'œuf, son menton creusé d'une fossette (celle de ma mère!) et sa bouche large s'ouvrant sur une infinité de dents à manger le monde... jusqu'à lui. Jusqu'à Toi. Albert le garçonnet aux cheveux partagés par une raie sur le côté gauche et soigneusement calamistrés. Costume marin. Cerceau. Bottines. Fixant l'objectif sans rire ni sourire et dont personne ne savait plus rien.

– C'était le fils d'un garçon que ton aïeul Albert avait eu d'une négresse anglaise qu'il avait connue à Panama...

Je m'apprêtais à commencer sans tarder mon travail de fourmi ramassant, recueillant des miettes d'information pour les engranger dans le lieu sûr de ma tête.

Bientôt, on allait s'étonner :

– Quelle petite curieuse!

Protester :

– Qu'est-ce que ça peut bien te faire? Ta mère elle-même n'était pas née à l'époque!

Plisser le front :

– Attends, attends! Moi-même, j'étais encore petit(e). C'est plutôt quelque chose qu'on m'a raconté. D'après moi, c'était avant la guerre. Ou bien c'était le temps de Sorin? En tout cas, il y avait encore des surettiers sur le morne de l'Hôpital et des tamariniers des Indes. Le jeudi, il n'y avait pas d'école et nous jouions à « chaud » ou à « saute-mouton »...

VIII

MON grand-oncle Jean ne fut sitôt blotti au fond de sa fosse pour l'éternité qu'il renaquit pour une autre vie dans le monde des vivants. Elaïse avait accouché de lui le jour même du terrible cyclone de 1928. La pluie rageant sur les tôles en débandade, c'est pataugeant dans ses hautes bottes cirées que Mme Fidelius, la sage-femme, avait sauvé des eaux le nouveau-né braillard, la face enserrée jusqu'au menton dans une membrane aveugle. Puis il avait pris sa première tétée goulue à l'abri d'un parapluie tenu d'une main tremblante par la servante debout à la tête du lit. Pour cette raison sans doute, l'eau avait toujours été son élément favori. A quatre ans, quand les enfants équilibrent tout juste leurs jambes, il nageait en ligne droite jusqu'à l'îlet du Gosier. Plus tard, il devait battre à la course les gommiers de l'Anse Laborde. Avec cela, intraitable! A six ans, au moment de répéter le fameux conte à dormir debout :

– Nos ancêtres les Gaulois...

il avait éclaté de rire et avait serré les dents avec arrogance. De même, à seize ans, il n'avait pas voulu devenir un valet comme les autres et avait repris le chemin déserté du peuple. Et patati et patata... Une rivalité se développa entre Grands-

Fonds-les-Mangles et l'Anse Laborde, chacune de ces localités se lançant des événements de sa vie à la tête. C'est à Grands-Fonds-les-Mangles qu'il avait donné dos à l'administration coloniale. Oui, mais, mais c'est à l'Anse Laborde qu'il avait rédigé *La Guadeloupe inconnue!* Sa première femme fleur Anaïse venait de Grands-Fonds-les-Mangles. Oui, mais sa femme mariée était native de l'Anse Laborde! Et patati et patata... Ah oui, soupiraient les vieux tirant sur leurs pipes, c'était un mal-nèg, un nègre marron, en vérité! On n'avait pas vu de nègres comme lui depuis... Depuis que le géreur Simidor, las de dire « Oui, patron », avait mené les ouvriers agricoles à l'assaut de l'habitation Bertin Desmarais. C'était en 1914, l'année même où les Blancs-France commençaient à jouer à leur petit jeu favori. Et patati et patata... Même Marietta qui mieux que personne connaissait la vraie mesure de son homme qui cédait à la tentation :

– Il pouvait rester des jours sans boire ni manger. Pas même une goutte de café sur son cœur. A écrire, écrire. Si par malheur, je venais lui apporter un petit quelque chose, une tranche d'avocat, de la farine de manioc, une *chiktay*[1] de hareng saur, ses yeux lançaient des éclairs : « Tonnerre de Dieu, femme! Tu crois que c'est l'idée de manger qui est dans ma tête! »

L'apothéose fut offerte par Gesner qui, oubliant la manière dont Jean avait fait fête à son rival, composa en son honneur un concerto pour deux flûtes, un ti-bwa et deux gwo-ka, que l'on joua un dimanche à onze heures en l'église de l'Anse Bertrand! L'assistance pleura à chaudes larmes avant de déferler en raz de marée vers la Table Sainte. A l'« *Ite Missa est* », une pie entrée là par mégarde vola à travers la nef et chacun jura que

1. Plat antillais.

c'était le défunt venu communier avec ceux qui l'honoraient.

Dès que la famille eut quelque peu l'esprit à autre chose qu'à pleurer le disparu, il apparut que la cohabitation de Flora et Thécla dans la même maison de la rue du Faubourg-d'Ennery était impossible. La première ne comprenait pas qu'une personne qui se respecte puisse avoir le mode de vie de la seconde.

– Ma chère, c'est pas une femme! C'est un sapeur-pompier toujours dans la fumée! Quand elle se décide à sortir de son lit, je rentre dans la chambre et j'ouvre grand les fenêtres. De l'air, du soleil! Et un de ces gosiers en pente!

Mon grand-père Jacob loyal à sa fille allait donner l'ordre à Flora de se taire ou de quitter sa maison quand Thécla prenant les devants partit pour Juston.

Je comprends maintenant qu'en réalité, elle se terrait, reprenant son souffle entre deux douleurs, deux houles de souffrance comme un nageur harassé, ballotté sur la mer. Dans l'immédiat, je vis seulement que j'étais débarrassée de sa présence!

Comme, à douze ans passés, je savais à peine lire et écrire, écorchant pareillement trois langues, avant d'y adjoindre une quatrième, le créole, que parlaient exclusivement mes cousins-cousines dès qu'ils se trouvaient à bonne distance des oreilles des adultes, on me confia à Mme Lacour, institutrice de classe exceptionnelle en retraite qui avait fait merveille avec des enfants retardés.

Merci, Amie Antonine, comme on m'ordonna de l'appeler! Merci de tant d'efforts et de patience!

1 tournesol + 2 géraniums
3 chardons + 3 marguerites
5 bleuets + 6 jonquilles
7 tulipes + 8 myosotis
9 coquelicots + 10 dahlias nains...

Hélas, je m'égarais dans ce parterre de fleurs jamais vues, jamais respirées, tant et si bien qu'Amie Antonine prit son courage à deux mains et de sa belle écriture penchée d'institutrice de classe exceptionnelle en retraite écrivit à mon grand-père Jacob qu'il me fallait les soins d'un éducateur spécialisé. Peut-être en métropole? En attendant que mon grand-père, tout chagriné, cède aux pressions de Flora et se décide à parler sérieusement avec sa fille, je fus libre de consacrer mon temps à ma passion : la recherche de Bébert.

Je remis les pieds sans trop de difficultés dans les traces des souliers de son père. Le lycée. L'amitié avec Gilbert de Saint-Symphorien. Le départ pour Angers. Arrivée là cependant, je butais et ne comprenais plus rien. Que s'était-il passé pour que lui et son fils à naître soient rayés de la carte des Louis? Mon grand-père Jacob, par fidélité à son père, me disait à sa manière confuse :

– Il y a eu accident!

Accident? Accident?

Si j'avais tout le jour pour me casser la tête sur cette énigme-là, le soir, c'en était fini. A six heures un quart tapantes, mon grand-père me hélait du rez-de-chaussée et nous partions pour le cimetière. Le court trajet jusqu'au quartier Saint-Jules était coupé par trois haltes obligatoires. Dans l'échoppe d'un cousin cordonnier du nom de Séraphin Chèradieu, qui crachait ses clous pour demander si je travaillais bien à l'école. Dans le *lolo*[1] à odeur de clous de girofle d'une cousine, Mérita Blanchedent, qui posait la même question. Dans le salon d'une grand-tante veuve aveugle, Altagras Sophocle, qui posait la même question, mais en prime promenait ses doigts, taillés dans l'os, sur mon

1. Petite boutique.

visage. Après ces trois stations, nous entrions dans la cité des morts. Mon grand-père, le visage transfiguré, agile et preste comme un petit garçon, changeait l'eau des vases, coupait avec un canif très fin la tige des fleurs qui tenaient encore bon, remplaçait celles qui étaient fanées, rallumait les veilleuses éteintes, balayait le caveau avec un petit balai de feuillage sans cesser de bavarder à demi-voix, ponctuant sa conversation avec ses invisibles de soupirs et de hochements de tête. Assise sur la pierre brûlante du soleil du grand jour, je le regardais, heureuse de son bonheur avant de songer au mien et de prier :

– Toi là-haut, Bon Dié ou Jah, Blanc ou Noir, fais qu'elle me laisse ici !

La Guadeloupe, c'était mon pays !

Les gens ne choisissent pas leur pays. Il leur est livré avec une mère, un père, des frères, des sœurs... au matin de la nuit utérine. Moi, j'avais choisi le mien de préférence à la Bretagne grise et mouillée où pourtant j'avais coulé des jours bien doux avec Maman Bonœil, à la Jamaïque, quilombo gardé rebelle par les chiens de la mer !

Mais à quoi bon prier Bon Dié ou Jah ? Ces deux-là ont autre chose à faire qu'écouter les pleurnicheries des humains ! J'eus beau répéter ma prière quotidiennement, un soir en revenant du cimetière, alors que d'habitude Flora nous attendait dans l'ombre du balcon avant de descendre réchauffer et servir le repas, nous vîmes la maison illuminée à chacun de ses étages comme un cargo de nuit. Mon grand-père sursauta et pressa le pas :

– Thécla ! Thécla !

Eh oui, elle était là avec son mascara poisseux et ses cheveux en broussaille, tenant en laisse ce sang-orgueil de Gesner. Elle dit sans regarder ni à droite ni à gauche :

– Nous repartons demain, Coco et moi !

Je me suis longtemps demandé si Thécla savait ce qui l'attendait à Black River. Je comprends à présent qu'elle n'en ignorait rien et marchait les yeux ouverts vers la confusion de sa douleur comme vers le châtiment d'une faute qu'elle n'avait pas commise, mais qui circulait de toute éternité dans le sang de notre famille, jamais contente, jamais capable de se procurer ce qu'elle cherchait et d'en jouir, argent, honneur, bonheur !

Je passai la nuit dans les pleurs et les grincements de dents, échafaudant mille projets. Et si j'allais me cacher à Juston ? Les cultivateurs me donneraient bien de leurs racines[1] tandis que les pêcheurs revenant de Viard me donneraient bien de leurs *balarous*[2] ? Et si je faisais les soixante ou soixante-dix kilomètres qui me séparaient de Gourbeyre pour soumettre mon cas à mon grand-oncle Serge qui, lui, exception n'est pas règle, avait l'air d'avoir jeté son seau là où il était et de s'en trouver bien ? Les créatures de la nuit ne me faisaient pas peur. Je saurais bien déjouer les jeux de Ti-Sapoti. Quant au cheval à trois pattes de la Bête à Man Hibè[3], je l'entendrais venir de loin et me jetterais dans un fossé à l'abri des herbes de Guinée. Et si je courais droit jusqu'à la porte d'Enfer là où le brigand Thesmée avait tenu tête trois mois aux gendarmes venus l'arrêter ?

Pourtant l'œil du matin s'ouvrit, gris-bleu et me vit pelotonnée dans mon lit.

Vers huit heures, mon grand-père Jacob qui,

1. Fruits de la terre.
2. Poissons.
3. Esprits nocturnes.

depuis que ses deux bâtards Rodrigue et Carmélien rivalisaient pour prendre la place de son bras droit au magasin, se permettait des douceurs auxquelles il n'avait jamais goûté, grasse matinée jusqu'à sept heures, café au lit bien chaud servi par Flora avec un pain natté et un morceau de corossol, entra dans ma chambre, sa bonne figure de deuil plus endeuillée que jamais. Il m'essuya les yeux :

– J'ai essayé de lui parler. Elle ne veut pas.

– Pourquoi ? Pourquoi ?

Il haussa les épaules d'un air de n'y rien comprendre à tout ce qui se passait dans la tête et le cœur de son enfant. Puis il croassa :

– Tu reviendras ! Tu reviendras ! Nous restons là à t'attendre ! Les morts comme les vivants sont là !

IX

Dans l'avion, pour la première fois depuis trois ans que nous vivions l'une à côté de l'autre, derrière son mur, ma mère se mit à me parler de cette voix un peu rauque et cependant musicale, fluide et cependant bégayante, lumineuse et cependant pleine d'ombres, qui n'appartient qu'à elle :

– C'est vrai, tu es l'enfant de ma honte et de mon chagrin. Cela, je ne peux pas l'oublier. Quand tu es devant moi, ce n'est pas toi, Coco, que je vois. C'est ton père avec son sourire belles dents blanches de garçon bien élevé alors que le dernier coupeur de cannes avait plus d'honnêteté que lui. Et c'est sa mère que je vois aussi, montant sur ses grands chevaux pour demander de quelle famille je sortais et renifler d'un air dégoûté l'odeur de morue salée de notre nom. Car personne n'a jamais parlé de ma couleur qui au fond faisait le vrai problème. On ne parle pas de la couleur, même si elle est là à crever les yeux : cela ne se fait pas ! C'est plus sale, la couleur, que la diarrhée verte de la dysenterie amibienne ou le pissat jaune soufre de l'incontinence ! Quand je te vois, oui, ce n'est pas ma faute, c'est tout cela que je vois ! Eux, lui ! Bêtise crasse, arrogance bornée, mesquinerie, ô mesquinerie ! Derrière, il y a peut-être beaucoup d'autres choses que moi-même je ne peux pas voir et qui seraient belles à la lumière de nos deux cœurs. Hélas, c'est comme ça et ni toi ni moi n'y pouvons rien. Nous sommes condamnées à marcher jusqu'au bout de nos vies sans jamais pouvoir nous donner la main ! Espérons que dans cet invisible dont parle tant mon père, ton grand-père, il en sera différemment !

Puis elle tourna sa tête lasse vers l'ovale bleu du hublot.

En arrivant à Kingston, j'étais encore tout en pleurs et j'avais l'esprit à autre chose qu'à m'étonner de voir Manuel accueillir seul Thécla et la guider comme une malade en puissance vers une Mercedes de louage !

Le 12 octobre 1971, Terence Cliff-Brownson et Ottavia di Maggio se marièrent en l'église baptiste de N. Shepherd Street à Washington D. C. Huit cent cinquante personnes assistèrent à la cérémonie. Toute la communauté haïtienne des environs était présente, y compris deux ex-Tontons Macoutes qui s'étaient refait une respectabilité dans une blanchisserie de New York. Avant l'élévation, Ottavia chanta une composition de son mari qu'elle avait mise en créole et en musique et que je donne ici en français :

« ... le ciel fait son nid et le
Soleil comme un bœuf vient y apaiser sa langue
Les araignées dorment dans ses replis[1]... »

A dater de ce jour-là, elle ne devait plus monter sur un podium et se produire en public, mais se consacrer à l'éducation de ses fils. Quatre dont le premier naquit moins de cinq mois après cette éblouissante cérémonie nuptiale.

Pendant des années, j'ai refusé de répondre aux lettres tendres et pathétiques que Terence m'adressait. Je ne m'y suis décidée que voici trois ans, preuve que j'atteignais plus tard que la majorité des gens à l'âge adulte. Même, je lui ai rendu visite. Le couple habite une banlieue résidentielle de Philadelphie car Terence, qui a publié trois ou quatre recueils de poèmes dont les critiques disent grand bien, enseigne à Temple University. Le cours qui lui attire une foule d'étudiants et lui vaut une popularité folle sur le campus : « Musique et pouvoir populaire dans la Caraïbe. Le cas de la Jamaïque et de Haïti. » Il s'est rendu à plusieurs reprises à la Jamaïque, de même qu'en Haïti où Ottavia n'a, quant à elle, remis les pieds qu'en 86 lors du *déchoukage*[2] de Duvalier fils. Rompant son vœu, elle a alors donné un concert gratuit devant deux mille personnes ivres de la liberté. Terence, toujours beau, a coupé ras ses locks (tout cela n'est plus qu'un souvenir d'enfance !). En tenue de jogging, il passe son bras sous le mien et m'entraîne jusqu'à un parc couvert de neige qui crisse sous nos bottes.

– Comment va-t-elle ?
– Bien ! Bien !

1. Que Jean Ristat me pardonne ce petit emprunt au *Tombeau de Monsieur Aragon* !
2. Renversement.

Silence. L'air dur de givre nous écorche les lèvres. Enfin, il se décide :

– Je sais ce que tu penses. Je ne décline pas toute responsabilité. Pourtant tu dois essayer de comprendre. Thécla avait été élevée dans la conviction que tout lui était dû...

Je l'interromps :

– Ce n'est pas ce que j'essaie de comprendre. Je passe mon temps à me demander à quoi vous jouiez, si vous n'étiez pas simplement des tricheurs, des imposteurs !

Il réfléchit très longuement :

– Non, pas des tricheurs ni des imposteurs. Des petits-bourgeois naïfs ! Et très prétentieux !

Silence à nouveau. Puis il me regarde dans les yeux :

– C'est quel genre de type, son mari ?

– Un type très bien !

Silence. Je devine une foule de questions qui tournent et retournent dans sa tête. Néanmoins il ne les pose pas et me prend la main :

– Reste avec nous, Coco ! Reste avec nous ! Cela me ferait tant plaisir !

J'aurais peut-être accepté l'invitation s'il n'y avait pas Ottavia. En face d'elle, je retrouve intactes mes humeurs d'enfant. Mère-poule avec élégance, elle couve ses fils. Quand elle les a envoyés au lit, à l'exception de Julian, l'aîné, qui emmitouflé jusqu'aux yeux accompagne son père à un match de basket-ball en nocturne, nous nous retrouvons toutes les deux devant un feuilleton de télévision. A son tour, elle essaie de se disculper :

– Je sais ce que tu penses, mais tu dois essayer de comprendre... Et patati. Et patata...

Un peu plus tard, dans la nuit américaine, j'essuie mes larmes pendant qu'il me vient des idées. Si je jouais une adaptation de *L'Invitée* ou de *L'Eté meurtrier* ? Si je leur faisais mal, si je me vengeais, si je la vengeais, car ces deux-là, quoiqu'ils s'en défendent, ont assassiné ma mère.

X

QUAND Thécla se fut brûlé les doigts jusqu'à l'os en les posant sur le grill en lieu et place du *vivaneau*[1], quand par quatre fois, elle fut tombée sans pouvoir se relever, la robe relevée jusqu'au pubis, quand elle ne sembla plus ni voir ni entendre ce qui se passait autour d'elle, Manuel se décida à consulter le médecin de Black River. Celui-ci déclara son incompétence et suggéra de se rendre à Miami, Floride. Une heure et demie de vol par Air-Jamaïque. Manuel s'y refusa et se mit en tête de soigner Thécla à sa manière. Que lui fallait-il? Beaucoup, beaucoup d'amour et les soins d'un séancier un peu rasta qui connaissait les plantes.

Thécla se mit à ressembler à Tima. Du matin au soir, les mains croisées sur les genoux, les yeux ouverts sur l'invisible, à se bercer dans une berceuse, avant arrière, arrière avant. Manuel la faisait boire et manger comme une enfant, assis à ses pieds, lui lisait les journaux ou lui tenait d'interminables monologues.

– Tu guériras, *querida*. La beauté se rallumera comme un feu de boucan au fond de tes yeux. Tu retrouveras ton sourire et ceux qui t'ont fait du mal seront punis. Je sais, il n'y a pas qu'eux. C'est toute la vie qu'il faudrait refaire. Renaître un matin d'un Nouveau Monde. Nos peuples seraient autres, satisfaits, heureux et nous n'aurions plus la prétention de leur donner le bonheur.

1. Poisson.

Comme Thécla dodelinait de la tête en mesure, il s'imaginait qu'elle approuvait et il lui baisait les mains avec emportement.

Le séancier s'amenait le jeudi, jour faste pour les esprits, et portait dans sa macoute un assortiment de petites calebasses et de petits flacons soigneusement bouchés avec de la paille. Ils contenaient des poudres, des onguents, des lotions, des solutions qu'il fallait avaler, respirer, ingurgiter, dont il fallait se frotter la tête, le corps, les membres. Les uns étaient odorants comme le magnolia et la fleur d'orange. Les autres, fétides comme la bave du crapaud et la crotte de chèvre, d'autres enfin étaient acides comme le venin du serpent twa-lang qui se cache dans les feuilles du raisinier-pays. Le séancier tonnait de droite et de gauche, s'adressant à des interlocuteurs que seuls ses yeux voyaient :

– Arrière, arrière! Enlève tes mains sur elle! Ce n'est pas parce qu'elle a la tête chargée et noircie que tu dois profiter! Laisse-la, laisse-la, je te dis!

Mélissa et moi, des branches d'un goyavier, nous regardions cette mise en scène barbare, moi en ricanant, elle en tremblant et me répétant :

– Tu es là, tu ris, tu fais des jeux[1]! En tout cas, c'est ce qui a sauvé mon papa qui était à l'article de la mort. Il était déjà tout bleu. L'*obeah-man*[2] l'a remis debout sur ses deux pieds. Quand il a rouvert les yeux, il ne se souvenait plus de rien. Jusqu'à maintenant, il a un grand trou noir dans sa tête. Si tu lui parles de certaines choses, il reste devant toi comme un zombie!

La nouvelle du départ de Terence et d'Ottavia pour cause d'amour et de mariage et la maladie de ma mère qui avait suivi avait circulé comme un faire-part de deuil bordé de noir. Du coup, plus un

1. « Tu te moques! »
2. Séancier.

client dans la salle à manger. Pas même le chat furtif dans les allées du parc ou une *anoli*[1] verte sur les gouttières! A croire que ni bêtes ni gens n'aiment la sale odeur du malheur!

Mais la chute de la pension Waterloo entraîna sur un certain plan un revirement total des esprits. D'enfant-paria, je devins enfant-à-tout-le-monde! Les persiennes jusque-là baissées sur l'intimité impénétrable des foyers se relevèrent par magie. Les portes s'ouvrirent et mille mamans-bonté me firent entrer pour partager l'ackee et le riz et morue[2]. On posa sur mes plaies de petits emplâtres de feuilles. On me fit avaler des thé-pays allongés de rhum pour mes toux. Jusqu'à la maîtresse qui m'avait assignée à résidence au dernier banc de la classe qui se mit en tête de me faire réciter la liste des héros nationaux jamaïquains.

Numéro un : Nanny of the Maroons.

Numéro deux : Marcus Garvey.

Numéro trois : Paul Bogle.

Numéro quatre... Numéro quatre...

Seuls les enfants de l'école refusèrent de céder à cette mode et continuèrent de me bouder pareillement.

Puisque Mélissa était tenue d'enfiler chaque soir son uniforme de petite fille modèle pour paraître à la table du dîner familial, je poussai sans elle jusqu'à Negrill où je retrouvai mes chers Rasta blottis comme des laminaires dans les anfractuosités des criques.

Temps béni.

Territoire sans limite de la mer sous le ciel.

Je l'ai compris trop tard : à défaut d'amour que, de son propre aveu, elle ne pouvait pas me donner, ma mère essayait tout de même de me donner

1. Petit lézard.
2. Plat très répandu.

292

quelque chose. Une enfance antithèse de la sienne. Habituée à gratter la terre aride pour ma survie et à me contenter de miettes, j'en aurais le cœur dur comme du bois de fer. Comme cela doit être. Ce sont les rêves au creux des têtes qui tuent, les fantasmes ambitieux de changer, refaire, jouer un rôle, les histoires de héros, modèle!

« Alors, Ti-Jean mit dans sa macoute un harpon de pêcheur, prit son grand coutelas, attacha ses reins bien serré et partit : " Je m'en vais tuer la Bête qui a avalé le soleil et ce pays, mon pays, sera dans la lumière. " »

Hélas, sur ce point-là non plus, elle n'a pas réussi! Je saigne du même sang! Cependant au bout d'un temps à Negrill, un vif remords de lui avoir donné dos dans son triste état me fit reprendre le chemin de Black River.

Sa berceuse abandonnée et morose dans un coin, Thécla était debout sur la véranda. Amaigrie, les bras, les jambes pareils à des baguettes de goyavier, les prunelles enfoncées et rougeoyantes comme la lave au creux du cratère d'un volcan, mais rétablie et parfaitement en état de gueuler :

– Mais où étais-tu encore allée traîner? Est-ce que tu sais que Manuel a fini par aller à la police?

A qui attribuer la guérison spectaculaire de Thécla? Melissa se hâta, triomphante, de la mettre au compte du séancier. Moi, j'ai une autre explication. La chanson le dit bien : « La femme tombée ne doit jamais désespérer. »

Pourtant nous étions arrivés au bout de quelque chose. Pendant quelques mois ou quelques semaines, je ne sais plus, Thécla et Manuel firent semblant. Les journées sans clients leur laissaient le temps de travailler à leur grand ouvrage : *Mouvements révolutionnaires du monde noir*. Parallèlement, Thécla rassemblait ses souvenirs et écrivait à mon grand-père Jacob aux anges d'être pareillement en correspondance avec sa fille en vue d'une biographie de « Jean Louis, patriote guadeloupéen » tandis que Manuel offrait ses services de chercheur international *(sic)* aux quelques pays progressistes d'Afrique. Mais on sentait bien que c'était un baroud d'honneur, une dernière parade avant de baisser les bras et de laisser la scélérate faire ses scélératesses en paix.

XI

En revenant de Philadelphie, j'ai rendu visite à Manuel dans la minable université de Los Angeles où il enseigne. Il vit dans un quatre-pièces à la lisière du campus, encombré de chats, d'étudiants noirs venus pleurer sur le racisme des Blancs et de manuscrits de la correspondance de Marcus Garvey qu'il se promet toujours de publier avec des annotations. Cœur fidèle, il est resté célibataire. Je ne l'aimais guère, Manuel, et pourtant, en revoyant ses yeux d'escarboucle sous son Afro démodé et grisonnant, c'est toute mon enfance sans douceur qui me remonte au cœur avec douceur. Il bégaye :

— Comment va-t-elle ?

— Bien, bien !

Pendant qu'il souffre, nous parlons de choses et d'autres, des « murals » de Los Angeles, d'Alvin Ailey qui se produit à Pasadena, des jardins de cactus de la Huntington Library, puis il se décide :

— Dans un couple, c'est archi-connu, il y en a toujours un qui aime plus que l'autre. De nous deux, c'est moi. Thécla voyait dans mes yeux une copie conforme de ce qu'elle souhaitait être. Militante surdouée alors que dans la réalité, c'était tout autre chose. Ses parents lui avaient fait croire qu'elle était née pour être une reine. Quand elle s'est aperçue que pour la plupart des gens, c'était loin d'être la vérité, elle n'en est pas revenue et, du coup, a voulu tout bouleverser ! Moi, j'ai vu ma mère user ses moignons jusqu'à l'os à cirer les parquets des Blancs. Au sortir de la canne, j'ai vu mon père devenir gâteux de coups de pied au cul et de « Oui missié ». Mes frères, overdose + maison d'arrêt + mort. Je ne blague pas quand je dis que ce monde est pourri et qu'il faut le foutre en l'air ! Si je n'avais pas la conviction qu'un jour cela finira par changer, il y a longtemps que je me serais flingué !

Je retiens un petit commentaire cynique que, d'ailleurs, il n'entendrait pas, les yeux dans les yeux du passé :

– Elle n'a jamais été à moi, bien à moi, qu'au moment où elle se remettait d'un coup bas de la vie. C'était d'abord l'abandon de ton père, puis l'assassinat de mon frère. Puis l'attentat de ton oncle coïncidant presque avec le départ de Terence. Et j'en passe... J'étais un infirmier, une sorte de nourrice sèche, de béquille jusqu'à ce qu'elle se rende compte que son grand sorcier blanc était plus puissant que moi ! À y réfléchir, l'affaire ne mérite pas tout le mauvais sang que je me suis fait et les cheveux blancs qui m'ont poussé plein la tête. Thécla, ce n'est peut-être qu'une garce !

Silence. Il reprend :

– Le séancier l'avait bien dit : « Tu veux que je la remette sur ses pieds ? Elle s'en servira aussitôt pour te quitter. » À force de noircir du papier, j'avais fini par trouver du travail à l'université de Dar-es-Salam. J'étais fou de joie. J'envisageais déjà notre nouvelle vie. Uhuru et tutti quanti... Je m'en souviens comme si c'était hier ou ce matin puisque c'est depuis ce moment-là que ma vie a pris le goût de potion amère qu'elle garde au jour d'aujourd'hui. Nous avions des clients, deux Américains de Chicago avec un bébé de quatre mois. La mère était venue réchauffer un biberon dans la cuisine. Quand elle a eu fini de tourner et de retourner en bavardant stupidement comme aiment le faire les Caucasiens, je suis sorti sur la véranda en brandissant la lettre que j'avais cachée pour lui faire une surprise et je lui ai dit : « Baby, je crois que nous tenons le bon bout ! Enfin, nous allons jeter l'ancre sur la mer calmée ! Il y a deux chefs d'Etat africains qui ne ressemblent pas aux autres salauds. Le premier, ils lui ont déjà fait son affaire. C'était Kwame Nkrumah. Le second, c'est Julius Nyerere... » Elle m'a laissé m'exciter à lui bâtir par la parole ce monde du lendemain et puis elle m'a dit : « Je ne viendrai pas avec toi, Manuel. Je n'en peux plus ! Je rentre en France. Je vais rejoindre mon mari. » Je suis tombé raide, je l'ai injuriée, j'ai pleuré, je l'ai suppliée et pendant tout ce temps-là, elle me regardait comme un cheval qui a jeté son maître ! Puis elle s'est levée et elle est montée dans une des chambres du premier où elle s'est enfermée à clef. Après cela, nous avons eu quelques jours très doux. Elle avait tellement de choses à se faire pardonner qu'elle ne me refusait plus rien de ce qu'elle m'avait toujours refusé. Elle dormait dans mes bras comme une enfant et la lune, sur la septième marche du ciel, était oblongue comme une orange bourbonnaise. Et moi, je ne suis pas allé à Dar-es-Salam. Je ne suis pas allé plus loin qu'au bout de ma solitude et de mon chagrin. Tu vois, je n'ai pas baissé les bras. Dans cette petite université, je fais ce que je peux pour panser les plaies des quarante étudiants noirs avec l'aide de mon vieux compagnon Marcus. Pendant des années, je n'ai pas eu de ses nouvelles. Je l'imaginais dans les bras de son Blanc après tout ce dont nous avons rêvé et je devais me pincer jusqu'au sang pour être sûr que j'étais éveillé. Brusquement, l'an dernier, je reçois une lettre d'elle. Tu veux la voir ?

Pendant qu'il la cherche et ne la trouve pas dans les tiroirs débordant de photocopies de lettres indomptables de Marcus Garvey à Amy, sa femme, à Kojo Tovalou, à Gratien Candace, à Adolphe Mathurin..., je reparcours, à mon tour, ce bout de route.

Les Américains de Chicago me confiaient souvent, pour que je la promène dans le parc, Debbie, leur bébé blafard aux yeux incolores et aux quenottes en grains de riz sur qui j'essayais les histoires que me contait Amie Flora :

« Quand Mano se fut couché de tout son long, plus long qu'il n'avait jamais été et qu'on l'eût porté en terre dans son costume de mort cousu et rangé depuis des années dans un panier caraïbe, les joues bien rasées et les paupières soigneusement tirées sur ses yeux marron... » Mais je n'étais pas bonne conteuse et elle ne m'écoutait guère, Debbie ! Elle préférait rire aux anges en regardant le scarabée d'or dans le ciel. Un après-midi je revenais donc vers la pension, Debbie dans les bras, quand Thécla sortit de la cuisine, pas très solide encore sur ses jambes grêles et engoncée dans un tablier trop grand, mais tout à fait capable de m'ordonner :

– Cesse de jouer à la *da*[1] et dépose cette enfant !

Evidemment je n'en fis rien et lui lançai un sale regard. Elle bégaya, retrouvant comme à chaque

1. Bonne d'enfant.

fois qu'elle était en colère son accent antillais enseveli sous des couches d'efforts patients :

– Baisse les yeux, s'il te plaît !

Evidemment, je n'en fis rien et, résignée à ne plus faire semblant de me commander, elle passa à un autre sujet :

– Nous partons. Nous quittons la Jamaïque.

Je soufflai, cœur chaviré :

– Pour la Guadeloupe ?

Elle me tourna le dos, triomphante et inflexible, sachant que sur ce terrain-là elle était gagnante, et se dirigea vers la cuisine où, à en juger par l'odeur, les vivaneaux charbonnaient sur leur gril :

– Non. Pour Paris !

XII

DONC, au printemps de 1972, quand les bourgeons pointent aux marronniers du Luxembourg, Pierre Levasseur reprit possession de Thécla et de sa fille. S'il tenait en réserve assez d'amour pour la première, il n'en avait pas autant à offrir à la seconde. Et puis que faire d'elle qui savait à peine lire et écrire, écorchait pareillement trois langues ? Avec un certain retard, le conseil d'Amie Antonine prévalut. On me chercha un éducateur spécialisé.

Pendant ce temps, au bras de son mari retrouvé, Thécla fit le tour du monde, car les voyages ne font pas que former la jeunesse, ils guérissent aussi des déprimes. En regardant la façade de marbre du Taj Mahal se mirer dans l'eau, on a le cœur moins chimérique.

Cela fut pour Jacob une autre occasion de se vicier le sang ! Qu'est-ce que Thécla allait chercher sous tous ces cieux ? Est-ce qu'elle n'avait pas assez roulé sans mousse? Couché dans le grand lit de bois de courbaril où Albert et Petite Mère Elaïse avaient dormi et où lui-même il avait été conçu, sa voix s'élevait, monocorde, comme s'il récitait une litanie :

– Celui qui m'aurait dit que cette enfant-là me ferait souffrir de cette façon, je ne l'aurais pas cru et je l'aurais envoyé balader!

Flora, lasse d'entendre soir après soir les mêmes jérémiades, haussait les épaules :

– Dors! Moi-même, tu m'empêches de dormir!

Outre ce souci que lui donnait sa fille, mon grand-père Jacob avait fort à faire. Voilà que Dieudonné, le fils aîné de Jean, était revenu de Clermont-Ferrand où il avait fait de sages études de droit. Il n'est pas facile d'être le fils d'un martyr! Le bon sang du père vous interpelle et ne peut mentir. Au lieu de rester tranquille dans le cabinet que Jacob lui avait acheté, voilà que Dieudonné, garçon autrefois si tranquille et même précieux, grand lecteur de Proust qu'il avait découvert à ses quatorze ans alors qu'il se remettait d'une fièvre typhoïde, se mit en tête de défendre les paysans pauvres, les travailleurs spoliés, les malheureux quoi! si nombreux dans notre pays.

Cette métamorphose m'intrigue. Car dans sa première jeunesse, Dieudonné n'avait donné aucun signe de cette future vocation. Je pense qu'elle fut éveillée en lui par les propos des gens de La Pointe. L'ayant vu grandir chez Jacob, c'est tout naturellement que certains le prenaient pour son fils. Alors que les amateurs de généalogie secouaient la tête :

– Mais non, c'est le fils de Jean avec sa première femme...

Là, ils baissaient la voix :

– Celle qui s'est tuée...

Les premiers s'étonnaient :

– Le fils de Jean le martyr ?

(C'est ainsi qu'on appelait communément mon grand-oncle.) Et de commenter, médusés :

– Il n'a rien pris de son côté !

Cela finit par échauffer les oreilles de Dieudonné qui voulut montrer de quoi il était capable et refusa d'avoir plus longtemps pour seuls clients les voleurs de bœufs ou les voisins querelleurs pris d'un mauvais rhum.

L'affaire de Sorlin lui fournit l'occasion qu'il cherchait.

Sorlin était à quelques kilomètres de Sainte-Anne et de sa baie étincelante, à l'époque encore épargnée par le tourisme, une terre d'une centaine d'hectares qui avait appartenue à l'usine, à présent rouillée, abandonnée, vaisseau fantôme échoué dans la mangrove sèche des broussailles. Les paysans, refusant de croiser les bras et de mourir de faim, avaient décidé de relever le défi et de faire lever le riz, l'igname pacala ou la cavennaise. Leur coopérative était prospère et sur les marchés de Sainte-Anne le giraumon joufflu côtoyait la tomate quand la société anonyme propriétaire de Sorlin était sortie de son anonymat pour revendiquer son bien et faire un procès. Ah, il l'avait bel et bien déboutée, le jeune Me Dieudonné Louis. Depuis, de la Grande-Terre à la Basse-Terre, on ne parla que de lui tandis que *La Voix du Palais*, journal des avocats, reproduisait de larges extraits de sa plaidoirie.

C'est alors que profitant de la rumeur autour de son nom Dieudonné annonça qu'il fondait un parti, le PNG, Parti de la Nouvelle Guadeloupe.

Quand il eut vent des projets de son neveu, Jacob le fit asseoir en face de lui et croassa :

– La politique a fait trop de mal à notre famille. Avant ton père, moi que tu vois là devant tes yeux, dans ma jeunesse...

Il avait dans l'idée de raconter ses déboires lors de sa tentative de créer le Parti des Nègres Debout. Mais Dieudonné avait mieux à faire qu'écouter ces sornettes et haussa les épaules :

– Tonton Jacob, tu étais fait pour la politique comme moi pour le commerce du saindoux. A chacun son métier! De ton temps, vous divisiez le pays en trois. Les Blancs, dont vous aviez peur, oui, peur. Les mulâtres que vous jalousiez, oui, oui, vous les jalousiez! Et vous, les nègres, qui sous les beaux discours de devoir envers la race, vous haïssiez les uns les autres. Ce n'est pas avec des idées pareilles que vous auriez fait avancer le pays...

Jacob insista humblement :

– Voyons un peu tes idées?

Mais Dieudonné était déjà loin, sur le pas de la porte, et Jacob renifla tristement.

Dès la création du PNG, il y eut une levée de boucliers, un assaut féroce et général contre Dieudonné. Passe encore de la part des partis traditionnels que l'irruption de tout nouveau venu dans le champ clos de leurs appétits irrite. Mais de la part des Patriotes qui auraient pu épargner le fils de leur ex-homme-symbole, cela semble plus surprenant! Je vais essayer d'y voir clair. Il semble que Dieudonné ait irrité les anciens amis de son père, car, minimisant leur action auprès des paysans, il critiquait violemment leurs slogans : « *Palé kréyol, dansé gwoka.* » (Lui-même ne s'exprimait qu'en français-fleuri, adorait Proust – je l'ai déjà dit – et n'écoutait que les Brandebourgeois.)

– Et cependant, je suis aussi guadeloupéen que vous!

Il était partisan d'une indépendance plus ouverte, moins sectaire, à visage humain, quoi!

Quant aux Patriotes de l'autre bord, il était

hostile à leur violence et fustigeait les poseurs de bombe.

– Il faut dialoguer avec le pouvoir colonial! Dialoguer!

Moi, je ne prendrai pas parti dans ces querelles. Tout ce que je sais, c'est que j'aimais bien mon cousin Dieudonné. Lors de ses séjours à Paris, il ne manquait jamais de me rendre visite dans ces maisons d'éducation spécialisée où je perdais mon sourire. Il m'apportait les longues lettres à l'encre violette de mon grand-père et les douceurs que Flora avait fabriquées avec amour à mon intention. Chadèques, douslets, *sukakoko grajé*[1]. Il me parlait de certaines réalités comme personne ne l'avait jamais fait (surtout pas ma mère dont vu le passé « militant », c'était peut-être le devoir) :

– Notre pays a la saveur iodée d'une mangue greffée. Pourquoi faut-il que tant des nôtres traînent leurs vies dans de tristes banlieues et ne puissent y goûter? Sais-tu combien de Guadeloupéens s'étiolent en région parisienne?

Oui, j'aimais mon cousin Dieudonné!

Bientôt il vint me voir avec une prénommée Monique, jeune fille blonde à qui il donnait du « ma chérie » et qui le couvrait de regards adorants.

Je devinai que cette fois encore notre famille allait s'adjoindre du sang d'une autre couleur.

Je ne me trompais pas. Trois mois plus tard, Dieudonné épousait Monique en la cathédrale de La Pointe. Je ne fus pas présente à ces noces, mais j'en sus tout le détail par une lettre circonstanciée d'Amie Flora. Je sus de quelle couturière venait la robe des demoiselles d'honneur et qu'il avait fallu commander à Porto Rico les chaussures de la mariée.

1. Friandises antillaises.

Ce qu'Amie Flora passa sous silence, ce fut la discorde familiale. Les divers Louis avaient à peine digéré le mariage de Serge et surtout celui de Thécla et s'interrogeaient encore. Jusqu'où irait cette irruption massive de Blancs dans leur sein ? Aussi les uns boudèrent et refusèrent carrément d'assister à la cérémonie nuptiale. Les autres s'y rendirent, mais s'y tinrent rigides et récalcitrants, goûtant du bout des lèvres au champagne Ayala pour lequel Jacob avait un prix. D'autres enfin ouvrirent grands les bras à Monique et à ses parents, chuchotant avec ravissement que ce n'étaient pas des Blancs comme les autres. Cela donna lieu à des discussions interminables :

– Qu'est-ce que cela veut dire ?

– Cela veut dire que les Blancs, c'est comme tout. Il y en a des bons et des mauvais. Ceux que nous avons connus ici étaient les plus mauvais, les békés !

– Tu peux le dire ! Ma grand-mère me racontait que s'ils voulaient battre une esclave enceinte, ils faisaient creuser un grand trou dans la terre pour protéger son ventre et la flagellaient sur le dos et les fesses.

Du coup, les vieilles histoires d'esclavage remontaient du fond des mémoires, assombrissant les visages et polluant la fête. Ah oui, il était loin le temps de ces cérémonies de liesse quand les Louis, unis comme un même corps de métier, buvaient, mangeaient, dansaient sur les biguines de Stellio ou de Mavounzy !

Jacob, quant à lui, trouva là une nouvelle occasion de pleurer à chaudes larmes de voir la descendance de Petite Mère Elaïse faire couleur neuve tandis que Flora le sermonnait :

– Qu'est-ce que tu veux ? Il faut marcher avec

son temps. Vos histoires de nègres, nègres, n'intéressent plus personne.

– Cesse de dire des bêtises!

– Ce ne sont pas des bêtises! Bientôt tout le monde se mélangera avec tout le monde. Déjà il n'y a presque plus de nègres noirs en Guadeloupe!

Jacob quittait la pièce pour ne plus avoir à écouter ces sornettes.

Le soir, au cimetière, il tenta d'avoir le sentiment là-dessus de ses chers invisibles, mais il s'aperçut avec stupeur que ces derniers étaient devenus aveugles à la couleur. Petite Mère Elaïse voyait seulement que le cœur de Monique était chaud comme du bon pain juste sorti du four. Jean, qu'elle serait une épouse dévouée qui ne lâcherait jamais le bras de son mari dans le chemin inégal de la politique qu'il avait choisi et qui avait adopté son pays au point que certains lui reprocheraient de se « croire plus guadeloupéenne que les Guadeloupéens ». (Les gens ne sont jamais contents.) Quant au Soubarou si intransigeant de son vivant, il haussa les épaules et partit d'un éclat de rire. Non, je ne fus pas présente à la noce, mais j'en rêvai. Comme je rêvais de l'île.

Chaque nuit, j'abordais à la pointe des Châteaux. Ou en quelque autre point. L'île sortait de l'eau pour obéir à ma voix. Je sautais sur sa croupe et je survolais les forêts secrètes de son pubis ou les cuisses offertes des ses plages avant de m'empaler vive sur les flèches mauves des cannes à sucre. Mon sang gouttait sur la terre grasse et veinée. Je rôdais dans les usines, lourdes de vesou.

Parfois, sans crier gare, la saison changeait. On se trouvait au temps de l'Avant à chanter des cantiques. Je me souviens de m'être mêlée à une petite foule qui, sur une galerie, scandait ses chants d'un triangle et des battements d'un tambour gwo-ka. C'était, je crois, à Saint-Sauveur.

> « *Voisin, quel est donc ce grand bruit*
> *Qui m'a réveillée cette nuit*
> *Et tous ceux de mon voisin-a-ge*
> *Vraiment j'étais fort en courroux...* »

Au matin, comme un *jan gajé*[1] qui retrouve sa peau quotidienne, je reprenais ma défroque au milieu d'enfants dyslexiques, perturbés, retardés, incontinents, gourds de toutes les peurs du noir de la nuit et seul, le souvenir de mes rêves m'aidait à tenir le coup.

De combien de maisons d'éducation spécialisée du même genre fus-je renvoyée ? On n'arrivait à rien. Ma bouche était un coffre dont on avait perdu la clef. Pas un son n'en sortait. Il m'arrivait plus souvent que rarement de m'oublier et de déféquer sur moi.

Pierre Levasseur, mon beau-père irréprochable, qui avait pris les choses en main, ne se décourageait pas. Chaque semaine, il écrivait à mon grand-père Jacob qui se torturait des lettres rassurantes.

Je ne voyais guère Thécla qui d'ailleurs, elle aussi, ne devait pas en mener large. Car après avoir ambitionné de changer la face des choses et d'inscrire son nom en couverture d'un ouvrage phare comme *Cahier d'un Retour au pays natal* ou *Les Damnés de la Terre*, elle devait se contenter d'être l'épouse-martiniquaise-du-docteur-Levasseur ! (Quel excellent médecin et surtout quel merveilleux contact avec ses malades !) On me dit que Thécla ne plut pas à la famille de Pierre Levasseur,

---

1. Personnage de la tradition populaire.

famille sans racisme qui avait donné un compagnon à Faidherbe et un moine déchaussé, disciple
de saint François d'Assise, à une abbaye de Pro-
vence. Pas de conversation. L'air de dormir
debout. Elle ne se réveillait que si on touchait à ces
sujets que les bourgeois affectionnent : les coups
d'Etat en Afrique, la faim dans le monde, l'apar-
theid. Aux anniversaires et autres célébrations, on
se chuchotait :

– Qu'est-ce qu'il lui trouve ? Mais qu'est-ce qu'il
lui trouve ? On n'épouse pas une femme simplement parce qu'elle est belle !

XIII

C'EST dans les rêves que sont annoncés les grands
événements de la vie. C'est dans le secret des nuits
qu'on apprend glacé et tremblant le départ écrit de
la mère, la déveine du père ou la venue rieuse de
l'enfant-garçon ! Chaque matin que Dieu fait, les
femmes de la famille plissaient le front pour déchiffrer les messages reçus dans le sommeil et ouvrir
l'éventail des interprétations.

– J'ai rêvé que j'avais perdu une dent !
– Une dent ! Mais une dent de devant ? Une
prémolaire ? Une molaire ?

Mon grand-père Jacob assure que les semaines
précédant la mort de Jean il lui suffisait de reposer
la tête sur la taie brodée de l'oreiller et de fermer
les yeux pour vivre la même scène. Il se promenait
dans une trace[1] encombrée de fougères arborescentes, le toit du ciel caché par ce toit de feuillage,
quand il entendait les cris inimitables du porc

1. Chemin de forêt.

qu'on égorge. Surpris, car il se savait loin de toute habitation, il s'engageait dans un sentier brusquement ouvert et débouchait sur une clairière. Là, ligoté, pendu par les pieds, la tête sur l'herbe, il voyait Jean...

– Oui, je savais que le malheur était sur lui. Mais de quel côté est-ce qu'il allait frapper? D'où parer le coup?

Pourtant, moi, je dormis d'un sommeil sans prémonition cette nuit-là! Rien de plus que la rituelle balade nocturne au terme de laquelle je retrouvais au matin la peau d'adolescente à problèmes que j'avais laissée dans mon lit. Et pourtant!

On nous donna un nouveau professeur de français, toute jeunette, de l'apostolat plein les yeux, un peu brune, un peu arabe, métèque assurément! Je l'écoutais à peine et m'apprêtais à la confondre dans l'ennuyeuse cohorte de nos éducateurs spécialisés quand elle me retint à la fin d'un cours.

– A ce que je vois, tu t'appelles Louis et tu viens de la Guadeloupe? Moi aussi! Enfin presque! C'est une très longue et douloureuse histoire que je te raconterai quand nous serons amies. Car nous serons amies, n'est-ce pas? Je le sens bien.

Je regardai d'abord sans réagir ce bout de fille qui prétendait déverrouiller mon cœur de son charme et de sa douceur. C'est qu'on m'avait déjà fait le coup! Mais il y avait dans ses yeux marron clair inconnus, dans le dessin de ses pommettes quelque chose qui me souriait familièrement. Alors, je m'éclaircis la voix :

– Tu dis que tu t'appelles Louis et que tu viens de la Guadeloupe? Comment cela?

Qu'on me pardonne mon obtuse insistance! Non, je n'ai pas vu clair tout de suite. Avec le souci que me faisait ma vie, je les avais un peu délaissés, Bert et Bébert. Voire oubliés. Mon grand-père Jacob n'était pas là pour me mettre entre les mains les albums de famille et me conter au hasard d'une photo ancienne le trois fois beau conte qui s'ouvrait ainsi :

– C'était le fils d'une négresse anglaise que mon père, Albert, ton aïeul, avait connue à Panama...

C'est ma rencontre non annoncée mais sûrement écrite quelque part avec Aurélia Louis, dans un triste cachot d'école spécialisée, qui m'a guérie, qui a débouché mes oreilles bouchées, dessoudé ma bouche soudée et fait fuser, haut et clair, le chant de ma voix éteinte. Car il nous en a fallu du souffle et de la voix pour assembler nos connaissances, les ordonner, les comparer, boucher les trous, déduire, induire, comprendre pourquoi deux morts manquaient à l'appel de notre nom. Deux morts. Deux suicidés.

Voici le récit d'Aurélia.

RÉCIT D'AURÉLIA

QUAND Albert dit Bébert, fils d'Albert dit Bert, arriva dans Paris la grande-ville à la fin de la Deuxième Guerre avec pour tout bien un violon, la misère ne lui fut pas douce. Dieu! Elle lui montra les crocs! Il se remplissait l'estomac à coups de Viandox, se réchauffait au « gros rouge » et lavait son unique chemise dans l'eau froide d'un lavabo d'hôtel. D'où lui était venu son goût pour la musique? Il ne le savait pas lui-même. Pas de mère Marie à coup sûr qui n'avait pas ménagé sa peine pour contrarier sa vocation et faire de lui un garçon dont le père défunt aurait pû être fier! Dès qu'il avait de quoi se payer une entrée, il courait à La Cigale, une boîte des Boulevards où des Antillais se tenaient chaud au feu de leur musique et de leur rhum. Certains se rappellent ce chabin sans paroles à qui on ne tirait que des monosyllabes.

– Tu es d'où, toi?

– Louis? C'est quel Louis ça? Parce que des Louis, mon cher, il y en a en pagaïe!

C'est Bobby Alfred, un vieux musicien de la boîte qui, l'ayant pris en sympathie, le mit au saxo alto. En fait, Bobby, bavard impénitent, en lui parlant de sa parenté, sans le savoir, lui en donnait une et le légitimait.

– J'ai commencé comme toi par le violon. Mon premier violon, je l'ai fabriqué moi-même parce que mes parents m'avaient placé en apprentissage chez M. Letellier, luthier à Capesterre. Tu ne peux pas t'imaginer ce que c'était la vie chez nous en ce temps-là. Mes parents ne savaient ni lire ni écrire. Tout ce qu'ils savaient, c'était conduire des cabrouets pour charroyer la canne à l'usine Marquisat. Douze voyages par jour. Six le matin, six le soir. Quand il n'y avait pas la canne, mes parents étaient derrière leurs animaux. C'était sur l'habitation Boirin Desrosiers. Le soleil se levait et se couchait sur la même misère. C'est pour cela qu'un jour mon papa m'a fait mettre mon costume des dimanches, un petit costume en serge bleu avec des bottines et des chaussettes blanches, et m'a emmené avec lui faire le tour des endroits où on avait besoin d'apprentis. Il ne voulait pas que je meure comme lui dans la canne. M. Letellier était un homme très bien, un Blanc pourtant! (Tu sais, il y en a des bons et des mauvais.) Dès mes seize ans, il m'a fait trouver une place au cinéma-théâtre L'Arc-en-Ciel où j'accompagnais la projection des films muets. Nous étions trois. Un autre, au piano. Un autre, au violoncelle. C'est comme ça que tout a commencé... La première fois que je suis venu en France, c'était pour l'Exposition coloniale et puis, j'y suis resté... C'est Duke, Duke Ellington, qui m'a mis au saxo quand il est venu à Paris en 1932. Un de ses musiciens était tombé malade. Alors j'ai improvisé. Comme ça! Paris, en ce temps-là, ce n'était que la politique! Presque tous les Guadeloupéens étaient des communistes! Il y en avait même qui étaient allés à Moscou, en Russie! Mais moi, je suis un musicien. Je ne me suis jamais mêlé de ces choses-là! Fais comme moi!

Bébert ne suivit pas à la lettre ce judicieux conseil. Il alla traîner les pieds du côté de l'Assemblée nationale lors des houleux débats sur l'Indochine. Il était au Vel'd'Hiv à écouter Lamine Guèye s'indigner des massacres de Madagascar. Pourtant son seul vrai souci était celui de sa petite Guadeloupe. A chaque nouvel an, comme Marie le lui avait appris, il envoyait ses vœux de santé, prospérité, succès dans toutes vos entreprises à M. Albert Louis et famille, commerçant, La Pointe, et ne se décourageait pas du silence.

– Bah, ce sera pour la prochaine fois!

Au fur et à mesure qu'il se familiarisait avec le milieu des musiciens antillais au point qu'on ne l'appelait plus que « chabin », il tirait chacun par la manche.

– Parle-moi d'elle! A quoi est-ce qu'elle ressemble, amarrée au milieu de la mer? Tu ne sais pas le mal qu'on a à ne pas connaître la terre d'où on vient! Des fois, le cœur m'emplit la bouche à m'étouffer. Je marche au galop comme un cheval sans maître dans la ville!

De l'avis de Bobby, qui l'aima comme un fils, ce fut à la fin de 1953, après le départ de Gilbert de Saint-Symphorien, que les choses commencèrent à se gâter sérieusement comme si, pour Bébert, la dernière lueur de l'espoir s'était éteinte!

– Je n'avais jamais aimé ce grand monsieur qui, des fois, venait nous regarder jouer comme des bêtes dans un zoo et daignait s'encanailler en dansant la biguine! En ce temps-là, j'avais été engagé par un compatriote pour jouer au casino de Coutenville. J'avais, bien sûr, fait engager Bébert et il avait invité son parrain qui était monté avec quelques-uns de ses amis! Il fallait les voir *brenner*[1]. Misère!

(Pourquoi, de retour au pays, Gilbert de Saint-Symphorien rompit-il tout contact avec son filleul? Cela demeure un mystère.)

Une fois Gilbert de Saint-Symphorien disparu de sa vie, sans laisser plus de trace qu'un rêve, Bert entama sa dégringolade. Lui qui quelques mois auparavant avait les yeux en grande eau après un malheureux « sec », il en devint si fervent que Bobby devait le gronder!

– Tu ne connais pas le rhum, mon cher! Tu crois que c'est une petite eau, hein, un peu plus chaude que les autres? Mais laisse-moi te dire, quand le rhum te prend dans la tête, il te prend. Il ne te lâche plus et tu es fini.

Bébert n'écouta pas non plus ce judicieux conseil et personne ne put ralentir sa chute. Il commença à tanguer et rouler à toute heure du jour et de la nuit, arrivant en retard à la boîte ou n'arrivant pas du tout, tant et si bien qu'à la fin, on le renvoya. L'aube où on le ramassa dans une flaque de pissat sur le boulevard de Bonne-Nouvelle, Bobby se fâcha et lui interdit l'accès de son pavillon d'Aubervilliers.

– Au début, on lui pardonnait tout. C'était un si merveilleux musicien! Moi, je vous dis qu'au saxo alto il valait mille Charlie Parker! Il aurait écouté les propositions qu'on lui faisait et il serait parti pour l'Amérique, qu'on se serait souvenu de son nom jusqu'au jugement dernier! Seulement voilà, il restait là à se remplir le ventre de rhum et à

1. Se déhancher.

pleurnicher sur sa famille! Il a fini par fatiguer.

Où et comment Bébert, musicien à la dérive, rencontra-t-il Lucette Legendre, petite main chez un grand couturier à qui il fit une fille? Il ne semble pas que cette rencontre-là ait beaucoup compté dans sa vie ni qu'il se soit souvent tenu debout au pied du berceau de son enfant! Moins de deux ans après la naissance d'Aurélia, Lucette se maria à François Paoli, un Corse, ouvrier spécialisé chez Peugeot qui, selon l'expression bien connue, traita-l'enfant-comme-sa-fille! Aurélia a mal jusqu'au jour d'aujourd'hui :

– Comment, comment survivons-nous à nos enfances? Au moment de mon anniversaire, ma mère m'enfilait mes meilleurs habits et me prenait par la main. « Il faut qu'il te voie! Il faut qu'il ait honte qu'un autre que lui s'occupe de toi! » Alors nous traquions d'hôtel minable en hôtel plus minable cet homme usé qui bégayait : « Tu travailles bien à l'école? » et qui parfois glissait des billets de banque à ma mère raide comme le bon droit sur sa chaise. En fait, je n'ai jamais vu mon père seul et je n'ai appris que des années plus tard comment il avait mis fin à sa vie. J'ai d'abord su qu'un jour ma mère a reçu un coup de téléphone et qu'elle a beaucoup pleuré car elle avait beaucoup aimé mon père. (Seulement, c'était un bon à rien!) Mon irréprochable beau-père répétait : « Allons, Lucette, ça vaut mieux comme ça! » Jusqu'à mes dix ans, tout cela n'a pas signifié grand-chose. A l'école, parfois les enfants faisaient la ronde autour de moi et chantaient :

« *Une négresse qui buvait du lait*
Ah, se dit-elle, si je le pouvais!
Tremper ma figure dans ce bol de lait
Je deviendrais plus blanche que tous les Français-
                              [ais-ais! »

Je savais donc que j'étais différente des autres, de mes frères et sœurs blondinets, mais c'était très vague. Puis un jour, ma mère a reçu une lettre de ma grand-mère d'Angers, qu'on avait complètement perdue de vue, suppliant de m'envoyer passer quelques jours avec elle. Mon parfait beau-père n'était pas d'accord. Mais ma mère a tenu bon. C'est de ce temps-là que l'île a commencé de m'envahir. Marie, qui n'en avait jamais rien su, possédait quelques photos jaunies. Celles qui m'intéressaient n'étaient pas celles de sa famille, de son mariage, ni même celles de mon père à des âges divers jusqu'à la dernière, avant sa totale décrépitude, taciturne au milieu d'un groupe de musiciens antillais souriant à belles dents sous leurs chapeaux de paille dans leurs chemises à fleurs. Non, celles que je préférais, c'était celles du pays. Deux ou trois.

Un adolescent maigre, une raie tracée de force dans sa tignasse crépue, un livre à la main, sur des marches : « Ton grand-père Albert, mais tout le monde l'appelait Bert, au lycée Carnot de La Pointe. »

Une maison avec une véranda tout autour et sur la véranda, dans une berceuse, une femme dont on ne pouvait distinguer le visage, un bébé dans les bras : « La belle-mère de ton grand-père, Elaïse. »

Deux garçonnets assez laids, en sarrau d'écolier, l'un d'entre eux suçant son pouce : « Les demi-frères de ton père, je ne sais pas comment ils s'appelaient. »

Plus rien depuis n'a jamais été pareil! Mais par quel bout commencer? Comment m'y prendre? Ma mère répétait :

– Ces gens-là n'ont pas voulu de ton père. D'une

certaine manière, ce sont eux qui l'ont tué. Par respect pour lui, tu ne devrais pas chercher à les connaître.

Et d'ailleurs comment y arriver?

Alors il me restait les rêves! Et ceux-ci me donnaient l'envie féroce de tourner le dos à l'HLM familiale. Ma mère pleurait : « Elle n'a pas de cœur. Ce n'est qu'une tête. » Car pour les fuir, pour ne pas les entendre, ne pas les voir, je travaillais, je travaillais. Première partout. Les maîtresses s'étonnaient qui savaient que pas un objet imprimé n'entrait dans notre trois-pièces, à part *France-Dimanche*! Et pour finir, alors que j'aurais pu devenir médecin, avocat... et habiller de gloire les Paoli, j'ai choisi ce métier ingrat d'éducatrice parce que je ne pouvais pas oublier mon enfance, mon adolescence-à-problèmes, sans mots et sans paroles, sans regards et sans sourire, murée derrière son mur de solitude. Et voilà que pour mon premier poste je tombe sur toi! Cela me ferait presque oublier toutes ces années-là!

Du coup, investie d'une mission, j'étais tentée d'en rajouter dans mes descriptions, sachant comme je le savais que jamais la réalité ne dépasse la fiction. Aurélia m'écoutait avec ravissement, plus intéressée, à ma surprise, par le pays que par les êtres, et m'interrompait de questions que je jugeais naïves :

– Dis-moi, c'est vrai que le diable en mariant sa fille peut faire soleil d'un œil et pluie de l'autre?

– Dis-moi, c'est vrai que la mer est chaude comme une poche des eaux utérines?

En fait, de toute la galerie des portraits que je lui brossais, un seul retenait l'attention d'Aurélia qui, par exemple, ne battait pas un œil au récit de la mort tragique et annoncée de mon grand-oncle Jean, c'était celui que précisément j'escamotais avec acrimonie, celui de Thécla.

– Qu'est-ce qu'elle a souffert !

Je ricanais :

– Ses hommes ont su la consoler !

Aurélia me lançait un regard de reproche :

– Je crois le contraire ! Tu m'emmèneras la voir ?

Je ne disais mot et, dans l'attente d'une réponse favorable, Aurélia m'emmena, quant à elle, voir les Paoli.

C'est injuste ! On devrait pouvoir se choisir des parents ! Dans le grand invisible où se fabriquent petites filles et petits garçons, on devrait avoir son mot à dire :

– Ah non, je ne veux pas de ces deux-là !

– Leur tête ne me revient pas !

Lucette Legendre devenue Paoli gardait autour de ses beaux yeux couleur menthe à l'eau un reste de désir d'évasion qui l'avait jetée dans les bras de son mulâtre musicien. Au lendemain de son mariage, elle avait quitté la maison Jacques Fath et, depuis, ne pédalait plus la Singer achetée en douze mensualités que dans un coin du living-room. Elle faisait tout : les manteaux, les capes, les pantalons, les sous-vêtements... ne recevant en guise de compliments que des remarques aigres-douces :

– C'est un peu serré sous les bras !

– C'est pas assez long !

De l'autre côté de la pièce, François Paoli se retranchait derrière *Paris-Presse l'Intransigeant* et commentait les courses.

Les deux enfants Paoli, qui faisaient encore office de derniers à l'école, étaient vautrés devant la télévision et regardaient les jeux de Jean Nohain.

J'imaginais Aurélia la douce, grandissant dans cet enclos, et j'avais envie de tomber à ses genoux pour lui demander pardon de tout le mal que les nôtres lui avaient fait!

Car tout cela remontait à nous, à notre cruauté initiale! Aurélia privée de soleil et de chaleur, l'esprit et le cœur rabotés!

Je dois à la vérité de dire que les Paoli furent charmants avec moi et que je regrettai presque de les avoir jugés sur leur mine de prolétaires incultes. La bonté se cache bien souvent dans ces milieux-là, j'appris par la suite à le découvrir. François Paoli, qui avait eu sa bolée d'exotisme en faisant son service militaire à Madagascar, me décrivit longuement la beauté des femmes, la gentillesse des habitants et la splendeur des paysages. Lucette me fit goûter un flan de sa préparation et me glissa :

– Est-ce qu'ils t'en font voir à l'école à cause de ta couleur ?

Sur ma réponse négative, ses yeux s'emplirent de l'eau salée d'une très ancienne douleur jamais guérie :

– Les temps changent ! Qu'est-ce qu'ils lui en ont fait voir à mon Aurélia !

Puis les Paoli firent cercle autour de moi :

– Parle-nous de chez toi !

De chez moi ? Voilà qu'ils me donnaient l'île !

En reconnaissance, je les fis rêver. Nous grimpâmes le long des pentes du volcan dont la gueule béante avalait des nuages. Nous nous baignâmes dans une mer trop bleue qui cachait son ventre froid et nous pêchâmes des *ouassous*[1] géants dans le cristal des rivières.

Après cette visite, Aurélia m'emmena chez Marie, la grand-mère d'Angers. J'avais le cœur battant la chamade en me mettant en route. Com-

1. Ecrevisses.

ment réagirait cette femme qui avait tant souffert par nous? Aurélia se mit en demeure d'apaiser mes craintes :

– Mémère, c'est la bonté même. C'est sa bonté qui a illuminé mon enfance et jamais elle n'a prononcé un mot contre les vôtres. Elle préférait décrire son Bert bien-aimé : « Quand il est entré dans la salle de bal, tous les autres hommes sont devenus des freluquets à peau blafarde, à peau malsaine, et c'est moi que son regard a choisie : " Mademoiselle, me ferez-vous la grâce de m'accorder cette danse? " Mademoiselle, tu te rends compte! Moi qu'on n'appelait que la Marie! »

Pourtant, sur un point capital, je n'étais pas préparée à ce qui m'attendait.

On ne devrait jamais arriver à l'âge vieillesse quand le corps navire fait eau de toutes parts. La mort miséricordieuse devrait bien avant l'envoyer reposer par le fond.

En fait, je ne connaissais pas de vieillards. Mon grand-père Jacob, vieux corps robuste en dépit de tous les coups, qui pliait, mais ne rompait pas, grisonnait tout juste du poil. Le père de Pierre Levasseur abattait des palombes d'une main plus sûre que celle de ses fils.

Au terme d'un voyage qui me parut interminable puisqu'une angoisse rétive multipliait les kilomètres, nous arrivâmes à Angers, un matin de marché, la foule plein les rues. Des camelots vantaient leur camelote et une file s'allongeait pour goûter un vin pétillant du pays. Marie habitait un quartier promis depuis des lustres à la démolition. Je vis dans un fauteuil façon bergère une poupée livide, emmaillotée comme une enfant ou une momie et fixant droit devant elle l'espace clos de ses souvenirs. Un tuyau de caoutchouc allait d'un point de son corps à un seau hygiénique, fermé sur l'innommable. Aurélia embrassa ce tas de chairs pourrissantes et m'intima d'en faire autant, ce à quoi je ne pus me forcer. Puis elle déballa un paquet de bêtises que la vieille bouche se mit à triturer avec un effroyable bruit de succion. Enfin, les yeux usés, délavés à force de larmes et de grand âge, se posèrent sur moi et une voix antédiluvienne s'éleva, me prouvant bien vite que l'esprit survit à la décrépitude du corps.

– Je ne sais à quoi Aurélia a l'esprit de t'emmener ici, et de te faire paraître devant moi. Toi, la fille de ceux qui ont tué mes hommes. Mon pauvre Bert d'abord. Mon garçon, mon Bébert ensuite. Ah, je n'étais pas assez bonne pour vous, hein? Est-ce que vous oubliez ce que vous êtes? Des nègres, des nègres! Sans nous, vous alliez les parties génitales à l'air. Vous vous mangiez tout crus les uns les autres! Cannibales! C'est à cause de vous que mon Bert s'est jeté de son poteau électrique. Il m'avait dit : « Maman, t'en fais pas. Nous irons refaire notre vie dans l'île bénie de Madagascar. Tu vois, j'ai fait une demande... » La réponse à la demande est arrivée trois jours après sa mort. Alors, mon Bébert a grandi sans père comme une plante sans soleil. Tout rabougri. Tout souffreteux. J'avais beau lui faire avaler de l'huile de foie de morue, le docteur me répétait qu'il avait le cœur trop faible. Quand il était petit, mon Bébert, c'était un ange du bon Dieu et puis, au fur et à mesure qu'il grandissait, voilà qu'il s'est mis à changer! Il se retournait contre moi. Il prenait leur parti. Je lui faisais honte, paraît-il, j'étais une ouvrière, moi qui m'étais sacrifiée, usant mes mains à la fabrique de bouteilles. Jusqu'au jour où il est parti sans même me dire au revoir. Un matin, je suis rentrée dans sa chambre pour faire son lit et elle était vide. Vide. Même pas un mot comme dans les films. Pendant des années, je suis restée seule à me ronger le sang. Un jour quelqu'un m'a amené sa photo qu'il avait vue dans le journal. Et puis, plus rien. Jusqu'à ce qu'on me ramène son cadavre. Il s'était jeté sous un train de banlieue. A Massy-Palaiseau. Mon Bébert. Tout cela à cause de vous. Sales nègres! Assassins! Assassins!

Je dévalai l'escalier sous ces cris et me retrouvai au soleil dans la rue rieuse.

XIV

– Pourquoi me racontes-tu cette histoire? En quoi me concerne-t-elle? J'ai d'autres crimes sur la conscience que j'assume entièrement. Pas ceux-là! Pas ceux-là!

Je tins bon :

– Est-ce que tu accepteras de la recevoir?

Elle haussa les épaules :

– Et pour quoi faire? Pour lui changer son enfance? Si c'était possible, je changerais bien la mienne!

Ah oui, elle était belle, l'épouse-martiniquaise-du-docteur-Levasseur! Jules-Juliette, le coiffeur antillais chic de la rue des Mathurins, l'avait débarrassée de son Afro broussailleux et casquée de mèches courtes et luisantes. Le bleu habile des paupières rendait troublante l'opacité des yeux, pour l'heure zébrés d'éclairs de colère.

– Qu'est-ce que tu veux? Avec tes doigts d'enfant, tu prétends éteindre des haines, venger des morts, alors qu'on ne peut pas le changer, le monde! D'autres avant toi s'y sont cassé les dents! Il est atroce, le monde! Foutu!

Brusquement, en une de ces volte-face dont elle était coutumière, elle s'adoucit :

– C'est vrai, je me rappelle! Un type qui devait

être son père m'a écrit. C'était... C'était, je ne sais plus quand c'était! Mais j'avais, crois-moi, d'autres chats à fouetter à l'époque!

A ces mots, le cri « Assassin » me retentit à nouveau dans les oreilles. Sans plus insister (A quoi bon? Les salauds vont en Enfer!), je me dirigeais vers la porte, quand elle m'arrêta :

– Coco, ton grand-père est très malade.

Je vacillai, convaincue que la scélérate me portait un de ses coups, mais Thécla secoua la tête :

– Il ne court plus aucun danger. Flora l'affirme dans une lettre à Pierre, pleine à part cela de sournoises méchancetés à mon endroit... Il te réclame comme un cadeau de guérison! Tu pourrais partir dans quelques semaines dès la fin des cours!

Sidérée, je fondis en larmes de stupeur :

– Pourquoi? Pourquoi? M'accorder ce que tu m'as toujours refusé?

Elle ne répondit pas à ma question :

– Tu pourrais tout de même dire merci. Comme on dit chez nous, on irait te chercher la lune avec les dents que tu ne serais pas contente!

Au fur et à mesure que je grandissais moi-même, je réalisais combien Thécla était petite. Sur ses photos d'enfance, il en paraissait autrement, car elle avait grandi d'un coup atteignant dès quatorze ans sa taille d'adulte. Mais à présent, ses yeux étaient presque à hauteur des miens, et ce jour-là j'eus envie d'abattre le mur qui nous séparait pour me serrer contre elle, la dépeigner, laver de sel et d'eau le fard de ses joues! Quelle souffrance de toujours se tenir à distance l'une de l'autre! Surtout quand j'avais si mal! « Assassin », « Assassin! » Les mains rouges de sang, j'avais repris le train sans attendre Aurélia que je n'avais revue que le lendemain à l'école, douce et pareille à elle-même, s'employant à démêler les nœuds de nos mois.

– N'y pense plus. Elle en a tellement bavé que parfois elle perd la tête. Crois-moi, elle a beaucoup pleuré et regretté sa sortie. Mais tu étais déjà loin !

Oui, malgré ce que je croyais mon peu d'amour, en ce moment, j'aurais voulu me serrer contre Thécla, éveiller pour une fois une lueur d'affection dans ses yeux qui, par-dessus ma tête, réservaient leur tendresse à Pierre Levasseur et souffler, blottie au creux inaccessible de son cou :

« Apprends-moi ta vie ! Raconte-moi tes crimes grands et petits ! Tes fautes par action et par omission ! Tes lâchetés, tes trahisons, tes cruautés majeures ou mineures ! Les pièges dans lesquels tu es tombée tête baissée ! Les montagnes que tu n'as pas pu soulever ! Les bêtes qui ont avalé ton soleil ! Pour qu'au même âge je ne sois pas défaite comme toi ! »

Au lieu de cela, Pierre Levasseur revint d'une journée de travail bien remplie, se servit un whisky en nous parlant agréablement de deux ou trois de ses malades et, pour finir, nous invita à aller revoir *Easy Rider,* son film culte !

L'annonce de mon départ jeta Aurélia dans un trouble extrême au point qu'elle ne prêtait plus aucune attention à nos piteuses explications de textes.

« On peut dire que dans ce poème Lamartine nous montre que la Nature peut apporter la consolation des souffrances. »

Elle me rappelait les points de notre reconstitution qui demeuraient obscurs et sur lesquels il fallait que j'obtienne des éclaircissements.

– Ma mère affirme qu'une fois elle était tellement désespérée de mon comportement à la maison et de la guerre entre mon beau-père et moi qu'elle a écrit à La Pointe et même envoyé une photo de moi en communiante. Ce devait être en

1960 ou 1961. A-t-on reçu cette photo ? Qu'est-elle devenue ?

– Il faut que tu obtiennes l'état civil exact de la mère de mon grand-père. Vous dites simplement une négresse anglaise qu'il avait connue à Panama ! J'ai donc des parents à Panama ? Dans une île anglaise ? Pour moi, c'est important de savoir !

Pour finir, bonne, douce, aussi bonne que belle, Aurélia, qui pratiquait le pardon des offenses, s'y reprit à trois fois pour écrire une lettre fleuve à mon grand-père Jacob qu'elle bourra aussi de photos ! Puis, au terme de tant d'effort, elle fondit en larmes :

– J'y retournerai chez nous, en Guadeloupe. Bientôt, bientôt !

XV

Les gens âgés qui gardaient en mémoire que Jacob et Jean étaient issus du ventre de Petite Mère Elaïse n'en finissaient pas d'être étonnés :

– Est-ce qu'un arbre peut porter deux fruits différents ? Est-ce qu'on peut voir côte à côte sur la même branche un fruit à pain et une châtaigne ?

Comment Jean, le martyr que même ceux qui haïssaient le mot « Lendependans » s'étaient mis à vénérer, le plaçant sur le même pied que Salvador Allende ou Walter Rodney, pouvait-il être le frère de Jacob, le boutiquier sans sentiments ? A la suite des déboires qu'il lui avait causés et aussi parce que, comme disait Flora, il fallait marcher avec son temps, Jacob avait fini par vendre le lakou à la municipalité qui, dans ses entreprises d'urbanisme, se portait acquéreur de certains terrains. En lieu et place de cet habitat dégradant, la municipalité avait donc édifié ces cages à lapins de béton armé qu'on nomme HLM. Dans les débuts, tous ceux qui pouvaient payer un loyer mensuel s'étaient rués sur les nouveaux immeubles puisqu'il suffisait d'appuyer sur un commutateur pour faire surgir la fée électricité, de tirer sur une chasse pour chasser ce qu'on avait coutume de charroyer à dos d'homme jusqu'à la tinette, de tourner un robinet pour que jaillît une source fraîche. Bien vite cependant, on devait déchanter quand d'interminables pannes de courant remirent à l'honneur la bonne vieille bougie que l'on avait trop vite reléguée au rang des accessoires, que les water-closets se bouchèrent, empuantissant l'air, et que les robinets refusèrent de goutter avant la noirceur de minuit. Ah, la bonne case en bois du Nord d'antan!

Malgré les critiques qui fusaient de toutes parts, des patriotes, des socialistes, des gaullistes, des centristes (pas des communistes, bien sûr! Vingt-cinq ans plus tôt, ils avaient fait main basse sur la ville!), Jacob racheta en douce le bloc C de la résidence La Mangrove sise à deux pas du nouveau pont de La Gabarre et le reloua appartement par appartement au prix fort. Les journaux eurent beau dénoncer les agissements de ce Shylock (encore!), il empochait chaque mois une somme considérable!

Les gens disent que c'est un groupement de locataires enragés qui chercha à se venger. Néanmoins la chose n'est pas prouvée!

Toujours est-il qu'un samedi après-midi, à l'heure où il prenait le frais sur son balcon en lisant un vieux numéro de *Présence africaine* que Thécla avait laissé traîner lors de son passage des années plus tôt, on apporta à Jacob, sur un joli plateau recouvert d'un napperon brodé, un flan au coco et une belle tranche de gâteau marbré envoyé par un client. Jacob, surpris, car peu de gens lui témoignaient de l'amitié, mais sans méfiance, dévora flan et gâteau marbré. Deux heures plus tard il était pris de vomissements, de diarrhées et de douleurs si violentes qu'on craignit pour sa vie et qu'en même temps que le docteur on fit quérir un prêtre. Le second arriva avant le premier et, ayant dépeint à Jacob qui ne l'entendait d'ailleurs pas les flammes de l'Enfer qui attendent les adultérins, le maria légitimement à Flora. Ce qui fait que les bâtards Rodrigue et Carmélien, qui atteignaient respectivement vingt-sept et vingt-quatre ans, durent changer de patronyme et prendre le nom de Louis. Le changement affecta jusqu'au nouveau-né de Rodrigue qui avait en effet pris pour épouse une fort jolie fille de Marie-Galante, d'ailleurs vaguement apparentée à ma grand-mère Tima, Elisa Bikok.

Tous les efforts de la police pour retrouver la trace de ceux qui s'étaient livrés à ce mauvais jeu qui aurait pu causer mort d'homme furent vains, selon l'expression consacrée.

Quand j'arrivai à La Pointe, mon grand-père Jacob flottait donc dans ses pyjamas trop grands, un badigeon soufré curieusement étendu sur sa peau noire, mais était fort capable de se tenir assis dans son lit adossé à une montagne d'oreillers. Flora Lacour, pardon Flora Louis à qui le rang d'épouse légitime donnait belle mine épanouie, était à son chevet, les doigts roulant les grains d'un chapelet car elle n'avait pas fini de remercier le Bon Dieu de lui avoir gardé son mari qu'elle aimait comme il était.

On me conta par le menu et le détail cet événement qui allait être archivé par nos mémoires et occuper une place de choix dans notre histoire familiale. Comment le plateau d'apparence si innocente était arrivé, présenté par une maigrichonne

bâta-zindien en robe jaune qui parlait très correctement le français. Comment elle avait poliment
tendu sa joue à baiser avant d'expliquer que c'était
la fête de l'enfant de M... là, bredouillage incom-
préhensible... et qu'on lui avait dit de porter cela à
M. Louis. Flora était inconsolable :
— Ma chère, je ne sais pas ce que j'avais ce
jour-là. Pas un moment, mon cœur n'a sauté pour
que je me méfie ! Elle avait une figure tellement
douce et honnête, cette enfant-là. Tu lui aurais
donné le Bon Dieu sans confession. Alors que c'est
le nom exact de la personne qui l'envoyait que
j'aurais dû lui demander. Et puis, tu vois, quand le
Bon Dieu a décidé quelque chose, il l'a décidé !
Jacob n'a jamais apprécié les douceurs ! Suk à
koko, douslets, chadèques, c'est pas pour lui ! C'est
à peine s'il met une cuiller de sucre dans son café.
Or que cette fois, il s'est jeté sur son flan et son
gâteau ! Avant même que j'aie le temps de dire
« ouf », il avait fini. Place nette ! Mais qu'est-ce qui
pouvait croire qu'il y avait des gens dans La Pointe
à penser des pensées pareilles ! Moi je me demande
si, en réalité, ce n'était pas pour Dieudonné qu'on
avait envoyé cela ! Sa femme Monique est enceinte
gros ventre. Alors le midi il mange avec nous. Il ne
rentre pas à Bergette où ils habitent. Il la laisse se
reposer un peu. Et des fois, surtout quand c'est le
samedi comme ça et qu'il n'a pas d'affaires, il reste
jusqu'à quatre heures, cinq heures à discuter avec
son oncle. N'oublie pas que c'est Jacob qui l'a
élevé. Dieudonné ! Jean son père était trop occupé
avec sa politique et ses livres ! Jacob a élevé tous les
enfants de son frère, les uns après les autres !
Chaque mois, c'est des mandats qui partent, qui
partent pour celui-ci ou celle-là ! Il y en a même un
qui étudie à... enfin, en Amérique. Alors ma chère
si quelqu'un vient devant moi pour me dire que cet
homme-là n'est pas bon, je saurai lui répondre, tu

m'entends! Jacob n'est pas beau, ça non, la beauté l'a oublié au passage, mais il est bon. C'est du bon pain.

Ici Flora essuyait une larme, reprenait son souffle et se lançait à nouveau :

– Oui, plus je réfléchis, plus je vois que c'était pour Dieudonné, ce plateau-là! Avec la politique, les gens deviennent comme des chiens enragés. Prêts à se mordre au sang, prêts à se tuer! C'est sûrement des gens que son affaire d'Indépendance-Indépendance embête. Ma chère, cette affaire d'Indépendance nous a déjà causé des histoires! Et ça ne fait que commencer! J'ai déjà dit à Dieudonné : « Ecoute, quand vous serez prêts, avertis-moi pour que je plie bagage! » J'ai une sœur qui habite en France à Mâcon, j'irai la rejoindre!

Puis son grand œil si lumineux et affectionné dès qu'il se posait sur moi se noircissait des ombres de la méchanceté tandis que sa voix devenait fielleuse de sous-entendus :

– Comment va ta maman?

– Bien! Bien!

– Et son mari?

– Bien! Bien!

Entre haut et bas :

– Pourvu que ça dure!

Flora, qui haïssait Thécla comme le sel hait l'eau, ne pouvait toutefois devant un enfant dénigrer sa mère et se bornait à des soupirs chargés de signification.

Et moi-même, assurée de trouver son oreille attentive et prompte à acquiescer, je ne disais rien, saisie d'un vague et nouveau sentiment de devoir.

Toute la maison de la rue du Faubourg-d'Ennery sentait l'assa fœtida, la térébenthine, la teinture de benjoin ajoutés à mille feuillages et racines, car Flora n'avait aucune confiance dans les médecins et soignait mon grand-père Jacob à sa manière, le frictionnant, le badigeonnant, lui posant sangsues, sinapismes et compresses.

Outre Flora, toutes les femmes de la famille y allaient de leurs recettes médicinales. Cousine Ti-Maroussia, que l'on continuait d'appeler ainsi bien qu'elle fût deux fois grand-mère parce qu'elle portait le même prénom que sa mère depuis des années couchée à côté de son mari maître voilier dans le cimetière marin de Port-Louis, arrivait chaque dimanche à midi tapant avec un remède miracle enfoui dans un panier et s'enfermait avec Flora pour lui en décrire les propriétés. Après quoi, elle montait à la chambre de mon grand-père et n'en redescendait qu'une heure plus tard pour faire réchauffer un pâté aux palourdes dont elle ne finissait jamais de se vanter et me regarder le manger avec tristesse.

– Cette enfant-là a vu des choses que mes yeux n'ont pas vues. Mais elle ne sait pas se tenir à table !

– Ma chère, et pour cause !

Soupir de Flora.

On sortait tout juste du souci que donnait la santé de mon grand-père qu'un autre vint tourmenter la famille. Alors que les bombes venaient d'éclater (hélas! cela devenait de plus en plus fréquent dans notre pays, à croire que le sang de mon grand-oncle Jean était fertile!) blessant (légèrement, Dieu merci!) deux touristes italiens égarés au Café Richepanse, voilà que Dieudonné refusait de s'arrêter à un barrage de police et brûlait la politesse aux képis rouges ! Il n'en fallait pas davantage pour que, l'ayant rattrapé à la hauteur des Trois Chemins Abymes, on le boucle en prison !

(En fait, Dieudonné ne trouva pas là l'occasion qu'il cherchait peut-être et fut rapidement relâché. Néanmoins pendant quelques heures l'émotion fut à son comble, la famille le voyant déjà s'allonger à côté de son père pour dormir du même sommeil!)

Tout cela, joint à la pensée que certains le haïssaient au point de vouloir hâter sa fin et à la faiblesse de son organisme durement secoué, ne manqua pas d'affecter considérablement l'humeur de mon grand-père. Dodelinant de la tête, les joues luisantes de larmes, il ressassait sa sempiternelle litanie :

– Dans ce pays-là, on ne veut pas que les nègres réussissent! C'est dans la canne, le bakoua sur la tête, qu'on veut les voir jusqu'au jour d'aujourd'hui!

Je hasardai :

– Peut-être n'accepte-t-on pas que les nègres fassent comme les autres et piétinent leurs pareils pour réussir?

Du coup, il en restait bouche bée avant de gémir :

– D'où sors-tu ces bêtises? Coco, tu as bien changé! Est-ce que toi aussi tu te serais mise à lire ce Marx?

Dans l'attente de son rétablissement, j'avais bien du mal à garder pour la bonne bouche la nouvelle de ma réussite là où il avait échoué, à ne pas lui parler d'Aurélia. Mais j'entendais la savourer, m'en délecter avec lui. Non pas la livrer à son esprit encore aussi affaibli que son corps nourri de blancs de poulet arrosés de thé-pays! Impatiente comme la mère d'un enfant demeuré, je le guettais, je mesurais ses progrès, inquiète qu'à certains jours il demeure recroquevillé comme un fœtus sous ses draps. Le midi où il descendit à la salle à manger, soutenu à droite par Flora, à gauche par Carmélien, je sus que le temps de l'aveu approchait. Moi qui le connaissais par amour et intuition, je sais que cette maladie, malgré son heureuse issue, marqua pour mon grand-père le commencement de la fin. C'est de ce temps-là qu'il se désintéressa de son magasin, de ses appartements à louer, de ses affaires... qui avaient tenu tant de place dans sa vie et se déchargea de tout le tracas qu'ils lui donnaient sur les épaules de Rodrigue et Carmélien qu'il considéra peu à peu comme ses « fils » et non plus comme ses « bâtards ». Pour finir, il abandonna La Pointe, où les voitures de plus en plus nombreuses crachaient trop de monoxyde de carbone pour son goût, et comme son père, le Soubarou, se retira dans la maison de changement d'air de Juston. Là, il ne tracassa plus les ouvriers agricoles, redressant lui-même ses tuteurs d'igname, taillant sa vigue et cueillant ses pois d'Angole à côté de Flora bon pied bon œil qui tempêtait après le caca de ses poules.

Certes mon grand-père était dans la compagnie journalière et constante de Petite Mère Elaïse et de son bien-aimé frère Jean. Certes, il avait retrouvé sa Tima, douce comme satin. Certes il sentait rôder autour de lui la contrite présence de son père, honteux de ses rudesses de vivant et qui parfois tentait d'engager la conversation. Mais deux choses le chagrinaient, le rongeaient, rendant ses vieux jours moroses.

D'abord l'absence de sa Thécla. Dix fois le jour, il gémissait :

– Pourquoi, pourquoi est-ce que cette enfant-là a retiré la Guadeloupe de son cœur ?

A chaque fois, Flora entrait en rage :

– Assez avec ça ! Est-ce que tu vas manger ton âme pour cette ingrate ?

Ensuite, la fin de la famille. Où était le temps où les sœurs d'Albert, leurs maris, leurs alliés, leurs enfants s'assemblaient le dimanche pour faire honneur à la cuisine de Théodora, puis de Petite Mère Elaïse ? Où naissances et mariages étaient prétexte à ripailles ? Décès, prétextes à veillées ? Excepté Dieudonné sans Monique ni les enfants, rares étaient ceux qui prenaient le chemin de Juston et s'asseyaient sur la galerie le temps d'un bon grand causer. Les nouveau-nés venaient affronter la lumière à son insu. De même, les corps vannés se coulaient dans l'ombre de la mort et souvent il ne l'apprenait qu'en écoutant les avis d'obsèques après le bulletin de nouvelles. Alors il geignait :

– Me voilà tout pareil à un mâle crabe dans son trou !

A la fin de sa vie, il se mit à radoter sur son séjour à New York, parenthèse de répit dans le labeur de sa vie. A parler de Marcus Garvey qu'il n'avait jamais rencontré comme d'une vieille connaissance :

– C'est lui qui m'a dit : « Rentre chez toi et fais briller mon nom. » Voilà pourquoi j'ai voulu créer le Parti des Nègres Nouveaux. « J'apprendrai aux nègres à voir la beauté en eux. » Aï, aïe, aïe !

Quand la mort vint le chercher, Thécla se trouvait à Bangkok où Pierre Levasseur assistait à un congrès médical. Aussi le cercueil dut l'attendre quatre jours et quatre nuits, ingénieusement tenu au froid dans l'odeur des bougies fondues et des fleurs fanées grâce à un système mis au point par l'entreprise de Pompes funèbres des Fils Hercule. Elle marcha les yeux secs derrière le corbillard et remonta dans son Boeing sans vouloir parler partage de biens avec Flora. Néanmoins, elle trouva le moyen de passer quelques jours à Saint-Martin avec Gesner et tout le monde s'en trouva scandalisé !

Serge, qui ne fréquentait plus Jacob, descendit de Goubeyre dont il était toujours conseiller municipal apparenté gaulliste et l'accompagna au cimetière, le visage aussi endeuillé que le crêpe de

Flora. En guise de condoléances, en l'embrassant, il sanglota :

– S'il avait eu une autre couleur et s'il était né dans un autre pays, il serait allé très loin !

Etrange hommage funèbre pour cet homme qui avait réuni dans un seul cœur la bonté naïve, l'avarice sordide, l'idéalisme et la petitesse, l'amour des siens et le sens féroce de l'exploitation !

XVI

LONGUEMENT, longuement les yeux de mon grand-père Jacob restèrent fixés sur un point de l'espace, puis ils revinrent se poser sur moi :

– C'est « Assassin » qu'elle a dit ? C'est bien ça ?

Je cherchai une diversion à ce chagrin que je voyais prêt à déborder sur ses joues :

– Lis plutôt la lettre d'Aurélia !

Mais il continua de murmurer comme s'il savourait la cruauté du mot et la douleur qu'il lui faisait :

– Assassin. Assassin. C'est ça même.

Puis sa tête retomba en avant et il fondit en larmes. Gênée par ces gros sanglots d'adulte, je battis en retraite. D'ailleurs, Dieudonné m'attendait pour m'emmener chez lui à Bergette.

Dieudonné, qui haïssait ce qu'on avait fait de La Pointe, HLM à barres parallèles et tutti quanti et qui voulait demeurer dans cette région de Petit-Bourg où il avait passé ses vacances d'enfance, avait racheté une ancienne habitation à laquelle il avait rendu sa splendeur à coups de gazon à l'anglaise, de geais et de paons, de statues de pierre, d'arbres tutélaires et de bergers allemands. Les gens qui passaient sur la route en cars rapides hochaient la tête :

– Regardez-moi ça! Le jour où les Patriotes habiteront dans des cases, ce jour-là, je les prendrai au sérieux!

Dieudonné était un des rares membres de la famille à chérir Thécla et il ne se lassait jamais de me raconter comment elle l'avait protégé dans l'enfance, de Tima, des servantes de Tima, des enfants du lycée qui l'avaient surnommé « Nèg mawon », de Marietta marâtre toujours à lui mettre la brosse à récurer le plancher entre les mains avant de conclure :

– Thécla, c'est quelqu'un d'extraordinaire! Si seulement elle avait pu nous écrire toutes ses expériences!

Je ricanais en douce! Ma mère écrivain! Dieu nous en garde!

Il y avait grand branle-bas chez Dieudonné, car Monique venait d'accoucher d'un nouveau Jean Louis, insensible au poids du nom de martyr qu'il portait et vagissant comme le premier venu dans son berceau. Du coup, les grands-parents avaient débarqué de Clermont-Ferrand et je me demandais quelle tête aurait fait l'aïeul Albert, lui qui avait si carrément exclu Bert pour une faute similaire à celle de Dieudonné et... de Thécla! Quand je confiai mes réflexions (naïves) à Dieudonné, il pérora, car il tenait de son métier un goût assez assommant du beau langage :

– Les savants nous prouvent que les races n'existent pas. Il n'y a que les cultures. Nos parents et nos grands-parents se sont mobilisés sur une idée fausse qui va mourir d'elle-même. Mais dans le cas qui nous préoccupe, je crois que notre aïeul, tout paria et puant qu'il était aux yeux de la petite et moyenne-bourgeoisie établie, a manifesté des préjugés de classe! Marie n'aurait pas été une ouvrière d'usine que la face du monde aurait été changée!

Vrai ou faux? Mes quatorze ans et demi n'étaient pas en mesure d'en décider!

Oui, c'est Dieudonné qui m'a mis au cœur cet amour pour la région de Petit-Bourg. Pas de sites spectaculaires. Pas de beautés à couper le souffle. Un charme diffus. Le voyageur pressé d'arriver à Basse-Terre peut la traverser sans y prêter attention. Là, la canne n'est pas reine. Elle partage son royaume avec des ignames lovées autour de leurs tuteurs et des bananiers aux feuilles laquées. Entre les champs somnolent une ou deux rivières. Si je reviens un jour vivre « au pays », me disais-je, c'est là que je planterai racines!

Quand je me promenais par les sentiers de Bergette, les paysans me dévisageaient durement, les femmes laissant leurs carreaux[1] sur la braise rouge, les hommes oubliant d'abattre leurs cartes, et dans leurs yeux je lisais la même interrogation.

– *A ki ta la enko[2] ?*

Car pas plus que les paysans de Juston n'avaient aimé le Soubarou qui ne se gênait pas pour les exploiter, les paysans de Bergette n'aimaient Dieudonné qui déclarait n'avoir au cœur que leur souci. Pas facile de se gagner les paysans! Traditionnellement méfiants à l'égard de ces messieurs-de-la-ville, nègres ou mulâtres, pour eux, c'est pareil! De ces messieurs-comme-il-faut! Même s'ils tombent la veste et écoutent des contes aux veillées! On soupçonnait Dieudonné de boire sans soif ses secs sur secs et on lui en voulait de ne pas parler créole. Certains allaient jusqu'à insinuer que, s'il avait défendu ceux de Sorlin, c'était pour qu'on parle de

1. Fers à repasser.
2. « D'où sort-elle encore celle là? »

lui autant que de son père! Un vrai patriote celui-là! (A croire qu'il n'y a de vrai patriote que mort!)

Mme Nirmal, directrice d'école en retraite qui finissait doucement sa vie à côté de son mari, percepteur celui-là, dans la villa qu'ils avaient construite avec leurs économies et que désertaient les enfants faisant du CFA en Afrique, un jour, ne put plus y tenir et m'interpella par-dessus la haie de bougainvillées :

– Tu es l'enfant de qui?

Dans les premiers temps, m'interroger ainsi revenait à me mettre à la question, puisque ma réponse révélait la moitié obscure et béante de mon origine. Père Inconnu. Absent. Fugueur. En cavale. Indifférent. Indigne. A présent, cela m'était bien égal, cette béance à mon flanc! Mon grand-père Jacob, Flora, Dieudonné et les autres l'avaient comblée de pelletées d'amour! Du coup, je déclinai crânement :

– Je suis la fille naturelle de Thécla, elle-même fille légitime et tant désirée de Tima et de Jacob, lui-même fils favori d'un côté, mal aimé de l'autre de Petite Mère Elaïse, dite l'enfant du Bon Dieu, et d'Albert, dit le Soubarou, qui s'en alla suer sa sueur et peiner sa peine à Panama pour gagner de l'or et découvrir qu'en fin de compte il n'achète rien!

Et je la laissai se perdre en conjectures. Moi, je n'avais plus honte. J'avais planté mon drapeau dans l'île.

Venue pour un week-end à Bergette, j'y restai une semaine, retenue auprès de Monique que sa mère ne parvenait ni à consoler ni à intéresser aux premiers sourires de son fils et à ses signes d'intelligence précoce. La nouvelle mère ne faisait que geindre :

– Ce n'est pas un homme que j'ai épousé, Coco,

c'est un courant d'air! Est-ce que tu ne sais pas qu'il oublie nos anniversaires de mariage? Qu'il n'était pas là quand les premières douleurs m'ont prise et que j'ai dû faire appel à Ferrant, le garagiste? Je ne le vois pas de la journée. Quand il est là, c'est avec une douzaine d'hommes pour des soi-disant réunions interminables...

Je faisais (sans trop de conviction) :

– Que veux-tu? Le souci du pays...

Elle haussait les épaules :

– Qu'est-ce que tu racontes là, Coco? Est-ce que ce n'est pas nous les femmes qui faisons et défaisons les pays? Tant qu'ils nous tiendront à l'écart, ils n'arriveront à rien! Et longtemps, longtemps, la Guadeloupe restera dernière colonie!

Au bout de deux semaines, et c'est vrai, je n'avais guère vu Dieudonné, la Citroën DS 19, savonnée, lavée à grande eau et lustrée chaque dimanche après-midi par les jeunes de la famille, s'arrêta devant la grille, et le cousin pauvre qui faisait office de chauffeur annonça que mon grand-père me réclamait. D'urgence.

XVII

IL me guettait debout au seuil du salon, habillé d'un de ses meilleurs costumes, noir fileté de blanc, chaussé de bottines noires, ce qui lui faisait l'élégance d'un croquemort, les joues rasées de près, mais tout de même râpeuses, sous un chapeau de feutre à large bord qui faisait de l'ombre à ses yeux pleins d'ombre. Je me réjouis de le voir si gaillard car la dernière fois il n'avait pas fière mine, squelettique, dans son pyjama rayé. Il me dit avec une nuance de colère, inhabituelle chez lui :

– Pourquoi est-ce que tu es restée tout ce temps chez Dieudonné ? Tu savais bien quand même qu'il y avait des choses à faire !

Sans plus tarder, il prit, moi sur ses talons, le chemin tant de fois emprunté du cimetière avec ses haltes obligatoires. Chez Séraphin Chèradieu. Chez Mérita Blanchedent et pour finir chez Altagras Sophocle qui cette fois enfonça ses doigts en os dans mes seins naissants en s'exclamant :

– Eh bien, ma chère, je sens déjà les bourgeons. A quand les fleurs ?

C'est au sortir de la maison de cette dernière, au beau milieu de la rue que traversaient en courant sous le nez des voitures, des auto-chars et des cars rapides des nuées de petites filles, des papillons plein les tresses, et de petits garçons bagarreurs, car c'était la sortie de l'école Saint-Jules et ils s'avançaient sages comme des images sous la conduite d'une religieuse jusqu'aux grilles fraîchement repeintes en vert clair, qu'il commença à parler de sa voix rouillée :

– J'ai demandé à Petite Mère Elaïse. C'est elle qui m'a dit de ne pas m'occuper. Que ce qui compte, c'est le pardon des morts. S'ils nous pardonnent, eux, c'est l'essentiel ! Elle peut nous appeler comme elle veut ! « Assassin » ou n'importe quoi. Je sais ce que tu penses. Tu penses qu'elle a raison et que mon père, ton aïeul, était un nègre terrible, sans cœur et sans sentiment ! C'est ce que tous les gens de La Pointe pensaient et même la famille ! Quand il est mort, je ne sais pas si il y a eu une personne pour verser une larme ! Au contraire, les gens disaient : « Ah, le Diable retourne dans son Enfer ! » Moi-même, un temps, je pensais comme cela quand tout ce que je connaissais, c'était le goût de sa canne sur mon dos ! Une fois, il a failli crever mon œil. Tu vois cette marque-là, c'est lui qui me l'a faite ! Et puis j'ai compris ce qui se passait dans son cœur pour le rendre amer comme le fiel, dur comme la roche! Je ne savais pas qu'un jour, moi-même qui te parle, je serais pareil à lui! Parce que moi aussi, dans mon temps, j'en ai rêvé des rêves! J'en avais plein la tête. Quand je me réveillais, ils obscurcissaient mon jour. La nuit, ils me tenaient éveillé à me tourner et me retourner jusqu'à des quatre heures du matin. Les coqs commençaient à chanter que je baignais dans leur eau! Et puis, et puis... Quand j'ai compris que je n'aurais pas d'autre vie que la vie que je vis, alors j'ai rêvé mes rêves pour Thécla. Et là, bref, passons! Tu crois qu'elle est heureuse comme cela avec son Blanc? Mystère et boule de gomme comme on dit. Aïe, la vie! Laisse-moi te dire, quand je sens ce que je sens, je comprends mon père, ton aïeul. Toi, tu es encore trop petite. Il s'est dit : « Mon enfant fera ce que je n'ai pas fait, marchera là où je n'ai pas marché! Son soleil va briller... » Et puis, et puis. Ce que je te dis là, c'est Petite Mère Elaïse qui me l'a fait comprendre. Parce que moi aussi, j'étais révolté quand je pensais à ces deux morts! Morts au loin. Peut-être parce qu'elle a toujours aimé son Albert, elle l'a toujours compris. Parce que c'est cela aimer, comprendre! Comprendre ce qui rend la personne mauvaise, menteuse et l'aimer quand même. Oui, c'est Petite Mère Elaïse qui m'a expliqué que ce qui compte, c'est leur pardon. A eux. A eux seuls! J'ai mis mes deux genoux en terre pour le leur demander. J'ai allumé des bougies. J'ai versé de l'eau bénite et puis j'ai eu cette idée. Tu vas voir...

On était arrivé.

Un enterrement sortait du cimetière, les musiciens de la fanfare se débandant et courant pressés, pressés derrière leurs cars rapides, les amis se dispersant, car il commençait à se faire tard et laissant la veuve en grand deuil et les orphelins cheminer leur chemin de solitude. Comme à chaque fois qu'il entrait dans la cité de ses morts, Jacob rajeunissait, son dos bossu perdant sa bosse, son pas devenant plus léger, ailé. Il se dépêchait, comme un enfant impatient de retrouver sa mère et l'odeur très douce de son baiser. Moi, je suivais à mon pas, plutôt effrayée comme à chaque fois par ces hautes façades funèbres sous la voûte noire des filaos.

Le tombeau de la famille Louis occupait l'angle de la ruelle n° 4. Albert avait fait bâtir à son Elaïse, la compagne à laquelle il n'avait jamais su signifier son amour, un Taj Mahal de marbre venu à grands frais d'Italie et qui se dressait massif derrière une grille digne du Louvre que gardaient deux lévriers de pierre. Théodora, qui avait d'abord dormi dans une tombe assez modeste, avait été transportée à côté de sa belle-fille avant d'être rejointe par son fils. Depuis lors, tous les Louis avaient pris le même chemin et s'étaient allongés sous la même dalle pour leur éternité.

Comme à l'accoutumée, mon grand-père fouilla dans sa poche à la recherche de son trousseau de clefs, en essaya une demi-douzaine d'une main trop impatiente avant que les grilles ne glissent doucement, doucement! S'étant signé, il s'agenouilla. Mais cette fois il ne resta pas longtemps genoux en terre et, s'étant prestement relevé, il me dit :

– Tu vois? Tu vois?

Quoi?

Je regardai aveugle autour de moi. Alors, il me désigna le fronton du tombeau sur lequel s'allongeait la procession de nos défunts. Les lettres m'en semblèrent fraîchement repeintes. Noir sur blanc immaculé. Comme je ne voyais toujours rien de plus, mon grand-père me prit la main et, la pressant à chaque nom, commença à décliner à voix haute :

– Théodora Bonaventure Louis née Brasdor – 1856-1925.

– Elaïse Marie Apolline Louis née Sophocle – 1895-1937.

– Albert Quentin Louis – 1875-1948.

– Ultima Marie Madeleine Louis née Lemercier – 1917-1969.

– Albert dit Bert Fortuné Louis – 1905-1925.

– Albert dit Bébert Jacques Louis – 1926-1970.

– Jean Ismaël Théodore Louis – 1928-1971.

– Tu vois, ils sont tous là. Tous. Je leur ai demandé pardon. Je leur ai demandé la permission de mettre leurs noms là. Avec ceux des autres. De tous les autres. Avec nous. Chez nous.

Nous restâmes longtemps longtemps au cimetière ce soir-là !

A part les couinements et les froissements d'ailes des chauves-souris voletant de tombes en filaos, on n'entendait par-dessus la grande rumeur de la mer en contrebas que les sanglots de mon grand-père. Moi, je ne pleurais pas. Je revivais ma fortuite (fortuite ?) rencontre avec Bébert au travers des pages d'un album de famille. La photo jaunie. Et de là, tout le trajet parcouru jusqu'à ce rendez-vous final, à ce monument aux morts.

Que de chemin parcouru depuis cette première rencontre. De questions posées. De questions éludées. De questions sans réponse. D'ombres levées. De clairs obscurs. D'obscures clartés. De broussailles débroussaillées. De boucans brûlés. De seaux d'eaux charroyés. Jusqu'à ce que la vérité montre les plaies et les cicatrices de son visage. Mon grand-père, qui croyait que la vie compte moins que la mort, pensait avoir payé sa dette. Tout comme pour moi avec son amour, il pensait panser les blessures infligées par d'autres. Recoller les lèvres béantes des plaies. Réduire les fractures. Chimérique espoir! Mais voilà qu'au lieu de rire de cet éternel naïf sa foi me gagnait à mon tour.

Peut-être faudrait-il que je la raconte, cette histoire? Avec risque de déplaire et de choquer, peut-être faudrait-il que moi, à mon tour, je paie ma dette? Ce serait une histoire de gens très ordinaires qui à leur manière très ordinaire n'en avaient pas moins fait couler le sang. (Assassin! avait-elle dit!) Il faudrait que je la raconte et ce serait mon monument aux morts à moi. Un livre bien différent de ceux ambitieux qu'avait rêvés d'écrire ma mère : « Mouvements révolutionnaires du monde noir » et tutti quanti. Un livre sans grands tortionnaires ni somptueux martyrs. Mais qui pèserait quand même son poids de chair et de sang. Histoire des miens.

Mon grand-père se leva enfin, plus noir que la nuit autour de nous. Il se signa, épousseta soigneusement ses genoux et fit :

– Rentrons à présent, Coco. Tu connais Flora? Elle doit déjà se faire du mauvais sang.

XVIII

Les vacances ne s'achevèrent pas sans incident notable.

Le dimanche 15 août, Marietta Maria Manuela sa fille préférée. Préférée non parce qu'elle avait fait des étincelles à l'école ou manifesté des qualités de cœur. Non! Préférée de l'aveu même de sa mère, parce qu'elle avait oublié la noirceur et la laideur des Louis pour ne se souvenir que de la famille maternelle et allait, pulpeuse chabine dorée, le visage piqueté de roux pour avoir trop regardé le soleil à travers les trous d'une passoire et la natte blonde flottant au vent. Cette blondeur-là avait aussi séduit Ephrem Robert, un jeune médecin de Port-Louis qui avait fini par faire une demande en mariage en règle à « Verse toujours ». Voilà Marietta plus enflée que la grenouille de la fable rappelant à qui voulait l'entendre comme elle avait trimé, sué sang et eau pour élever ses enfants pendant que Jean faisait des projets chimériques avant de trouver la mort qu'il méritait au bout d'un petit matin et comment elle voyait là enfin sa récompense. Ces propos, portés, amplifiés par la rumeur des cannes, arrivaient à La Pointe, Bergette, Port-Louis, Abymes... là où résidaient des Louis, leur causant grand chagrin. Néanmoins, cette sensation qu'ils avaient de ne plus former un corps homogène, irrigué par le même sang et réuni sous la même membrane de peau, les faisait tenir coi. Ah non, on n'allait pas encore jeter l'huile sur le feu et distendre des liens déjà distendus ! Laissons Marietta dire ses bêtises !

Le dimanche 15 août donc, l'on vit au complet, endimanchés et émus, ce qui restait des nôtres, à l'exception bien sûr de ceux de Basse-Terre qui vraiment ne comptaient plus. Dernier carré de brebis sous la houlette du pasteur Jacob vêtu de clair pour l'occasion à côté de Flora en chapeau de paille d'Italie.

Ce fut pour moi l'occasion de revoir Gesner Amboise qui venait d'obtenir un disque d'or pour une chanson de Carnaval satirique et dansante : *Dévlopé péyi-là*[1]. De tous les hommes de ma mère, Gesner était peut-être celui que j'avais le plus haï. Parce qu'il lui était tellement asservi qu'il ne m'avait jamais accordé d'attention sinon pour regretter très visiblement ma présence sur cette

1. « Développer le pays. »

terre. Et puis, influencée par la famille et surtout par Amie Flora, je le trouvais lourd, gauche, la parole pauvre et embarrassée.

– Qu'est-ce que Thécla lui trouve?

Pour la première fois, je fus sensible au charme dense et secret de ce géant dompteur de sons! A quoi lui servaient les mots? Il n'en avait que faire puisqu'il était le maître d'un autre langage? Je ne saurais comparer la popularité de Gesner chez nous qu'à celle d'un Bob Dylan dans l'Amérique des années 60 ou celle d'un Bruce Springsteen de nos jours. Néanmoins, il était là, modeste et sûr de lui, familier et lointain, les pieds dans le terreau du peuple, se nourrissant de lui. Sa petite fille dans les bras, il battit des paupières et fit d'un ton qui cachait une très ancienne douleur :

– Comment va ta mère?

– Bien! Bien!

Il ne m'en demanda pas plus et alla s'asseoir à l'écart sous un manguier.

Le banquet du déjeuner débuta assez bien. Un peu guindé peut-être! On sentait bien que sous l'apparence d'unité des tensions, des divergences ne demandaient qu'à éclater à l'air du grand jour. Jacob, assis au bas bout de la table alors qu'il aurait dû la présider en tant que frère du père défunt de la mariée, faisait triste mine.

Ce fut au moment où le vivaneau, grillé sur la braise et servi couché sur un lit de purée d'igname, apparut que tout se gâta. Jusque-là, on parlait de choses et d'autres. Les femmes donnaient la recette de la tarte aux lambis. Un des hommes racontait comment un essaim de guêpes avait failli lui emporter la figure alors qu'il travaillait dans son champ. Qui prononça le nom de l'usine Darnel? Sans doute le père d'Ephrem qui y travaillait après son père et son grand-père et craignait à bon droit de perdre son gagne-pain. C'est alors que Dieudonné, jusque-là silencieux et mal à l'aise comme toujours en présence de sa belle-mère, se lança dans une diatribe contre les usiniers qui fermaient une à une les usines et le pouvoir colonial français qui voulait transformer le pays en un champ de mains d'hommes pour ses industries.

Ce discours ne fut pas du goût de tous. En particulier d'Ephrem qui à son tour se lança dans une diatribe contre tous ces prétendus Patriotes qui n'avaient que slogans en bouche et, si on les laissait faire, conduiraient infailliblement le pays à l'hôpital. Quelqu'un vola à son secours en invoquant l'exemple d'Haïti, malheureuse voisine indépendante dont on voyait les réfugiés par centaines peiner dans les jardins.

Indépendance, le mot dangereux était lâché et la table s'embrasa!

La cacophonie fut à son comble quand les femmes hurlèrent plus fort que leurs hommes pour accuser la politique, plus dangereuse qu'un couteau à deux lames tranchant les familles.

Au cochon de lait farci, on parvint tout de même à une accalmie tant la bête gorgée de piment, de cives et de feuilles de bois d'Inde faisait venir l'eau à la bouche.

Nisida, fille d'un cousin garagiste aux Abymes, qui quatre jours durant avait mis la main à la pâte avec Marietta, expliqua qu'elle avait découvert cette recette en feuilletant un cahier qui avait appartenu à sa grand-mère, et chacun d'opiner :

– On ne sait plus manger de nos jours!

Comment rebondit la querelle?

Ephrem et Dieudonné étaient redevenus raisonnables et avaient même trinqué quand quelqu'un prononça le mot de canne à sucre. Aussitôt Ephrem, retrouvant sa violence, soutint que c'était un honteux héritage du passé, une relique tout juste bonne à mettre au musée avec les garrots et les fers à étamper du bon vieux temps.

– La canne, c'est la mort du nègre!

Là-dessus, Dieudonné s'exclama qu'il fallait tout de même savoir de quoi on parlait et cita le cas de l'Australie où l'industrie cannière faisait florès. Quelqu'un vola à son secours en rappelant l'exemple de Cuba la voisine qui tirait son principal revenu du sucre.

– *Cuba si! Cuba no!*

(Moi, j'ignorais encore à quel point cette île est une pomme de discorde! un brandon sur la mer des Antilles!)

Comme on n'arrivait pas à les faire taire, Marietta se dressa de toute sa hauteur et maudit les Louis qui gâchaient toujours tout. Ah oui, on en avait assez d'eux! De leur avarice, de leur suffisance, de leur opportunisme. Mon grand-père Jacob garda son calme en se répétant qu'il s'agissait de la veuve de son frère bien-aimé! Mais quand, allant trop loin dans sa colère, elle osa clamer que cette Thécla dont on faisait tant de cas était en réalité une fille mère, la plus grande putain qu'elle ait jamais connue qui n'avait pu trouver qu'un misérable Blanc-France pour relever sa honte, ce fut trop! Il s'élança, mais d'un même geste, le devançant, Dieudonné et Gesner s'étaient jetés sur Marietta dont le sang coula rouge vif!

Ce sang rouge somptueux parapha notre désunion. Pauvre grand-père Jacob qui s'était donné tant de mal pour rapatrier deux morts quand les vivants le fuyaient!

Certes, il y eut un grand brouhaha d'excuses, pardons, regrets, larmes, serments de ne plus recommencer. Certes le cortège s'ébranla à l'heure dite en direction de l'église de l'Anse Bertrand, Manuéla, couronnée de fleurs d'oranger, assise à la droite du frère de son père dans une voiture fleurie comme en carnaval. Mais ce n'était qu'un replâtrage, un badigeon sur un édifice prêt à l'effondrement. A dater de ce jour, ni Jacob ni Dieudonné ne remirent plus les pieds à l'Anse Laborde. Quant aux enfants de Jean, ils donnèrent d'une même voix raison à leur mère. Ceux qui ne s'installèrent pas médecins, pharmaciens, dentistes à Amiens, Clermont, Sucy-en-Brie ou en d'autres lieux désolés de leur métropole revinrent hâtivement saluer leur oncle avant de s'en tenir loin à jamais.

Il se préparait ce temps où personne ne saurait plus raconter le passé familial, faute de connaissance. Où les vivants n'apparaîtraient plus au jour après d'interminables gestations de ventre en ventre pour se doter d'un capital génétique séculaire. Où le présent ne serait plus que le présent. Et l'individu que l'individu !

Je terminai assez mélancoliquement les vacances, accomplissant cependant la tâche que je m'étais fixée et dont j'aurais à rendre compte à Aurélia, faisant mon butin de tout ce qu'il y avait à butiner.

Parfois je m'impatientais :

– Vous voulez me dire que vous ne savez pas combien de temps Albert est resté à San Francisco ?

J'insistais :

– Que savez-vous de sa négresse anglaise ?

Et lentement, lentement les mémoires sortaient de leur sommeil, les langues se déliaient.

Il fit très chaud cet été-là. Autour du pont de la Gabarre, une odeur fétide s'élevait de la mangrove dont les crabes venaient mourir le ventre à l'air. Les bœufs haletaient dans les champs, tirant de grandes langues violettes et baveuses. Les chiens montraient les crocs et, fous de chaleur, mordaient les enfants au talon. Les rivières étaient à sec. La mer elle-même reculait à l'horizon.

Une vieillarde prénommée « Espérance » périt carbonisée sous le toit de tôle de sa cabane.

XIX

LE matin de mon départ, et mon grand-père m'avait remis pour Aurélia une lettre qu'il avait passé la nuit à rédiger et Flora avait placé au fond de mes valises des bocaux soigneusement étiquetés et emballés de *pisquettes*[1], de marmelade de *poteaux*[2], de chadèques et de confit de lambi, sa spécialité, oubliant sans doute que j'allais droit entre les murs d'un internat où toutes ces nourritures suspectes seraient mises à l'index par des surveillantes zélées, je reçus une visite à laquelle je ne m'attendis pas. Celle de Gesner, son petit garçon assommant et touche-à-tout à la main. Flora, qui ne l'aimait guère, lui ouvrit néanmoins les portes du salon et il s'assit dans un fauteuil, aux bras recouverts de ces triangles isocèles au crochet qu'elle disposait un peu partout, sur le piano, aux dossiers des chaises, sur les guéridons. Il resta un long moment silencieux à fixer le bout de ses tennis soigneusement passés au blanc d'Espagne, puis se décida et commença très bas :

– Quand je te vois, c'est ta mère que je vois devant mes yeux. En plus clair, bien sûr! Thécla, quant à elle, est bleue comme une icaque et sa bouche, rose mauve comme un raisin-bord-de-mer! Mais tu as chaque trait de son visage. Son sourire. Son air buté quand tu ne fais pas ce que tu veux. La connaissant comme je la connais, je me

1. Plat très apprécié.
2. Sortes de bananes.

demande si elle t'a jamais parlé de moi. Moi je n'ai pas honte à le dire : je l'ai aimée quand j'avais douze ans et cet amour-là ne s'achèvera qu'avec ma vie de vivant pour renaître avec mon Au-Delà. Quand elle m'a quitté, j'ai continué à marcher crochu boitant dans le chemin à ornières de ma vie. Heureusement il me restait ma musique. Tu sais comment la musique est venue à l'homme ?

Je le regardai. Me prenait-il pour une enfant à qui on conte des contes à dormir debout ? Il souriait de toute la bonté un peu naïve de son cœur :

– En ce temps-là, sur la terre plate comme une roche et où ne poussaient que de grands cactus, des cierges, chaque être avait son langage. A l'homme et à la femme, la parole et les pleurs. A la vache, le meuglement. A la grenouille, le coassement. A l'oiseau, le chant ! L'un n'entendait pas l'autre et la mort venait vite raccourcir ces vies sans échanges. A Grands-Fonds-Cacao vivait Nora, une jolie négresse qui malgré la dureté de la vie riait du matin au soir dans sa case. Un *keskedee*[1] qui se perchait dans son manguier-julie était fou d'amour et de désir pour elle. Un soir, n'y tenant plus, il descendit de sa branche, ramassa ses plumes et se cacha dans le lit de Nora. Quand elle se fut couchée à son tour, il s'approcha tout doucement et enfonça son bec dans son sexe comme dans le pistil d'une fleur. Il recommença son manège plusieurs nuits tant et si bien qu'il finit par mourir de bonheur et que Nora, surprise, trouva entre ses draps une petite boule, inerte et chaude. Quelques mois plus tard, à la surprise générale, son ventre se mit à enfler. Vous connaissez les gens de notre pays ? « Quoi, un ventre ? Mais qui le lui a

---

1. Rossignol des Antilles.

donné?... » Neuf mois plus tard, le garçon de Nora naquit dans un éclat de trilles...

Gesner finit par réaliser l'effet que sa sotte histoire me faisait et il s'interrompit gauchement :

– Ta mère adorait ce conte-là, elle à qui sa mère ne racontait jamais rien! Ta mère! Pas un jour ne passe sans que je prie Dieu pour qu'elle au moins soit heureuse dans toute cette désolation autour de nous! Heureuse avec son Blanc. Tout Blanc qu'il est. La vie, cette vie lui a donné tellement de coups, qu'elle le mérite, le bonheur! Enfin! Bon, ce que je veux te dire, c'est que, toi, tu es l'enfant de notre demain. Regarde ce pays, le nôtre, le tien, à l'encan. Bientôt peut-être, il ne sera plus qu'un souvenir qui s'amenuisera petit à petit dans les mémoires. Moi, ce que j'essaie de faire, c'est de lui garder sa voix. Et toi aussi, tu peux, tu dois faire quelque chose. Tu ne le sais pas encore et je ne peux pas te guider, moi qui ne suis pas allé dans toutes vos écoles. Le travail de ton grand-oncle Jean n'est pas fini. Je dirai qu'il est à peine commencé. Tout le champ reste à déchiffrer avec ses orties, ses herbes de Guinée et ses manzels-marie qui griffent aux chevilles. Nous autres, nous sommes las. La scélérate a eu raison de nous, les uns après les autres. Mais toi, tu es l'enfant de notre demain. Penses-y!

Je ne trouvai rien à répondre, secrètement rebelle et effrayée devant cette promesse qu'il voulait m'arracher. Ce rôle dont il entendait m'affubler. Cette tâche dont il entendait m'investir. Sentant néanmoins dans le secret de mon cœur que mon âge bientôt adulte, une fois payé le tribut à mes morts, ne saurait s'y dérober.

Et d'ailleurs saurais-je faire mentir le sang de toute ma lignée – et c'est là l'autre aspect de cette histoire, mon histoire – depuis mon aïeul Albert avec ses belles dents à manger le monde, qui s'en alla suer sa sueur à Panama et faire pousser de l'or pour s'apercevoir que l'or en fin de compte n'achète rien, jusqu'à ma mère, oui, même elle, surtout elle, qui saigna de toutes les défaites et brûla de toutes les désillusions avant de prendre refuge de l'autre côté du monde sans oublier mon pauvre grand-père Jacob rivé au plancher de sa boutique et mon grand-oncle, mon grand-oncle Jean patriote héros martyr dont le sang somptueux avait imbibé notre terre ?

Le Livre de Poche Biblio

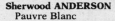

Extrait du catalogue

Sherwood ANDERSON
Pauvre Blanc

Guillaume APOLLINAIRE
L'Hérésiarque et Cie

Miguel Angel ASTURIAS
Le Pape vert

James BALDWIN
Harlem Quartet

Adolfo BIOY CASARES
Journal de la guerre au cochon

Karen BLIXEN
Sept contes gothiques

Mikhaïl BOULGAKOV
La Garde Blanche
Le Maître et Marguerite
J'ai tué
Les Œufs fatidiques,
    Diablerie et autres récits

André BRETON
Anthologie de l'humour noir

Erskine CALDWELL
Les Braves Gens du Tennessee

Italo CALVINO
Le Vicomte pourfendu

Elias CANETTI
Histoire d'une jeunesse -
    La langue sauvée
Histoire d'une vie -
    Le flambeau dans l'oreille
Les Voix de Marrakech
Le Témoin auriculaire

Blaise CENDRARS
Rhum

Jacques CHARDONNE
Les Destinées sentimentales
L'Amour c'est beaucoup plus
    que l'amour

**Joseph CONRAD
et Ford MADOX FORD**
L'Aventure

René CREVEL
La Mort difficile

Alfred DÖBLIN
Le Tigre bleu

Iouri DOMBROVSKI
La Faculté de l'inutile

Lawrence DURRELL
Cefalù

Friedrich DURRENMATT
La Panne
La Visite de la vieille dame

Jean GIONO
Mort d'un personnage
Le Serpent d'étoiles

Jean GUÉHENNO
Carnets du vieil écrivain

Lars GUSTAFSSON
La Mort d'un apiculteur

Henry JAMES
Roderick Hudson
La Coupe d'Or
Le Tour d'écrou

Ernst JÜNGER
Jardins et routes
    (Journal I, 1939-1940)
Premier journal parisien
    (Journal II, 1941-1943)
Second journal parisien
    (Journal III, 1943-1945)
La Cabane dans la vigne
    (Journal IV, 1945-1948)
Héliopolis
Abeilles de verre
Orages d'acier

Ismaïl KADARÉ
Avril brisé
Qui a ramené Doruntine ?
Le Général de l'armée morte

Franz KAFKA
Journal

IMPRIMÉ EN FRANCE PAR BRODARD ET TAUPIN
Usine de La Flèche (Sarthe).
LIBRAIRIE GÉNÉRALE FRANÇAISE - 6, rue Pierre-Sarrazin - 75006 Paris.

ISBN : 2 - 253 - 05153 - 5   30/6696/6